U0093087

盛期之風貌

臥龍生作品 帶動武俠風潮

《飛燕驚龍》開一代武俠新風

《飛燕驚龍》(1958)爲臥龍生成名作，共48回，約120萬言。此書承《風塵俠隱》之餘烈，首倡「武林九大門派」及「江湖大一統」之說，更早於香港武俠巨匠金庸撰《笑傲江湖》(1967)所稱「千秋萬世，一統」達九年以上。流風所及，臺、港武俠作家無不效尤；而所謂「武林盟主」、「江湖霸業」等新提法，竟成爲社會大眾耳熟能詳的流行術語了。

《飛燕》一書可讀性高，格局甚大。主要是寫江湖群雄爲覬覦傳說中的武林奇書《歸元秘笈》而引起一連串的明爭暗鬥；再以一部假秘笈和萬年火龜爲餌，交插敘述武林九大門派（代表正派）彼此之間的爾虞我詐，以及天龍幫（代表反方）網羅天下奇人異士而與九大門派的對立衝突。其中崑崙派弟子楊夢寰偕師妹沈霞琳行道江湖，卻如夢似幻地成爲巾幗奇人朱若蘭、趙小蝶之絕世武功技驚天龍幫，而海天一叟李滄瀾復接連敗於沈霞琳、楊夢寰之手；致令其爭霸江湖之雄心盡泯，始化解了一場武林浩劫云。

在故事佈局上，本書以「懷璧其罪」（與真、假《歸元秘笈》有關）的楊夢寰屢遭險難，卻每獲武林紅妝垂青爲書膽(明)，又以金環二郎陶玉之嫉才害能，專與楊夢寰作對(暗)爲反派人物總代表。由是一明一暗交織成章，一波未平，一波又起，極盡波譎雲詭之能事。最後天龍幫冰消瓦解，陶玉帶著偷搶來的《歸元秘笈》跳下萬丈懸崖，生死不明，卻予人留下無窮想像空間。三年後，作者再續寫《風雨燕歸來》以交代陶玉重出江湖，爲惡世間，則力不從心，當屬狗尾續貂之作。

在人物塑造方面，臥龍生寫男主角楊夢寰中看不中用，固然乏善可陳，徹底失敗；但寫其他三名女主角如「天使的化身」沈霞琳聖潔無瑕，至情至性，處處惹人憐愛；「正義的女神」朱若蘭氣質高華，冷若冰霜，凜然不可犯；「無影女」李瑤紅則刁蠻任性，甘爲情死等等，均各擅勝場。乃至寫次要人物如「賓中之主」海天一叟李滄瀾之雄才大略，豪邁氣派；玉簫仙子之放蕩不羈，爲愛痴狂；以及八臂神翁聞公泰之老奸巨猾，天龍幫軍師王寒湘之冷傲自負等，亦多有可觀。

摘自 葉洪生、林保淳著《台灣武俠小說發展史》

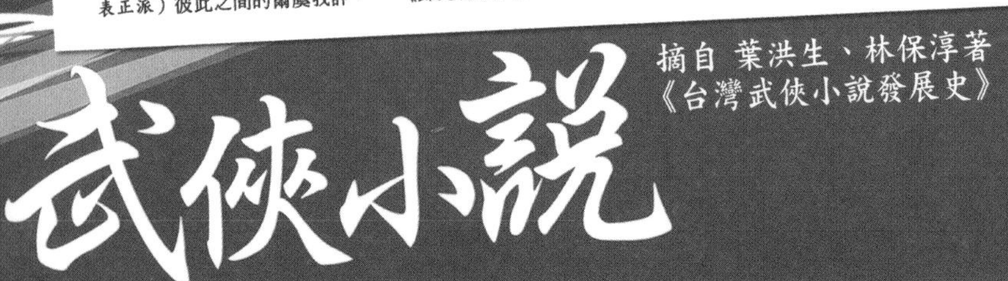

台港武俠文學

流行天王

臥龍生

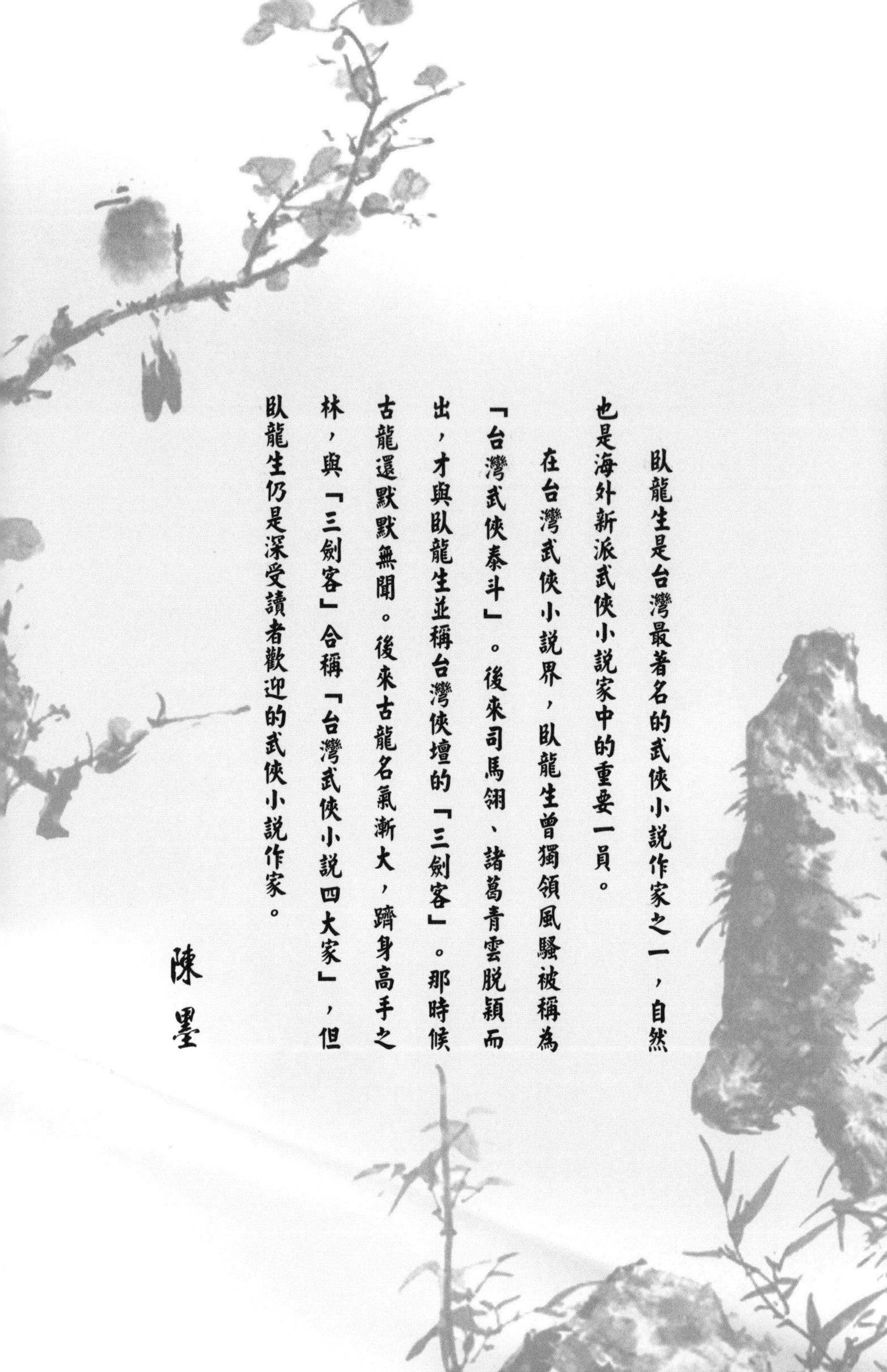

臥龍生是台灣最著名的武俠小說作家之一，自然也是海外新派武俠小說家中的重要一員。

在台灣武俠小說界，臥龍生曾獨領風騷被稱為「台灣武俠泰斗」。後來司馬翎、諸葛青雲脫穎而出，才與臥龍生並稱台灣俠壇的「三劍客」。那時候古龍還默默無聞。後來古龍名氣漸大，躋身高手之林，與「三劍客」合稱「台灣武俠小說四大家」，但臥龍生仍是深受讀者歡迎的武俠小說作家。

陳墨

天香飆
（二）
臥龍生
武俠經典珍藏版
14
臥龍生

(二)

目錄

八　兩敗俱傷

鮑超一見幾人離去，晃燃千里火筒，滿臉懷疑地對胡柏齡道：「那老鬼眼看已經身受重傷，盟主爲何放他而去?縱虎歸山，留下後患，爲什麼不藉機把他除去……」

胡柏齡突然長長吁一口氣，神色大變，滿臉汗水，滾滾而下，有氣無力地舉起左手，接道：「快些把這解藥，送給王兄弟服下，此人滿手劇毒，再晚了恐怕施救不易……」話至此處，身軀搖了幾搖，又道：「還有這白衣婦人，一起救……」話未完，一跤跌坐地上。

原來在和「陰手一魔」在最後一擊之中，各自出了全力，一擊之下，卻受了重傷，但兩人又都不願讓對方知道自己已受重創，難再應戰，憑藉著數十年深厚的功力，勉強把傷勢壓制著，不讓它發作出來。

「陰手一魔」因爲傷了那白衣艷婦之後，忽生憐惜之心，再吃胡柏齡責他冒充綠林盟主的名號，一時大怒，心情浮動，神志無法集中，傷勢首先發作。

胡柏齡因爲心無雜念，裝出未受創傷的樣子，十分逼真，不但「嶗山三雄」沒有看出，就是「陰手一魔」心中也有些驚疑不定，只道他還有再戰之能，是以事事依照胡柏齡吩咐而做，聽他沒有留難之心，立時急急遁走。

余亦樂縱身一躍，飛落在胡柏齡身側，扶著他的後背，急聲問道：「盟主傷勢很重麼？」

「嶗山三雄」看得呆了一呆，齊齊奔了過去，王大康左手托著受傷的右手大聲問道：「算命的，盟主的傷勢重是不重？」

余亦樂轉頭瞪了王大康一眼。從胡柏齡手中取過解藥，一粒存在手中，一粒交遞給王大康道：「快把這粒解藥服下。」

王大康接過那黑色丹丸，吞入腹中。

鮑超蹲著身子，低聲問道：「盟主傷得如何？怎麼剛才一點也看不出來？」

余亦樂道：「傷得只怕不輕，快去想法子找塊木板，咱們先把盟主抬回城中客棧，此地藥物不便，療救困難。」

忽見胡柏齡睜開雙目，有氣無力地說道：「不必啦！扶我站起身子，走動一下再說。」

余亦樂依言扶起了胡柏齡，鮑超急急橫跨兩步，扶著胡柏齡左臂，扶持著向前走去。

但見胡柏齡滿臉痛苦之色，提著腳步，慢慢地向前走去，每一舉步之間，全身的骨骼關節，都咯咯作響，頭上的汗水有如下雨一般，直向下滾。

沿著大殿走了一周，胡柏齡已是累得氣喘如牛，但他臉上神色，卻似好轉甚多。

這時，鮑超手中的火摺子，已經燃盡，火燄一閃而熄。

余亦樂探手入懷，摸出自己的千里火，一晃而燃，又從身掛的白布袋中，摸出一支蠟燭燃起，放在神像供桌之上，低聲說道：「盟主可要我們再扶你走一轉麼？」

胡柏齡搖搖頭，道：「不要啦，我要靜坐著休息一下，你們快用『推宮過穴』的手法，救

醒那白衣婦人。」

說完這幾句話，人又喘了一陣，才緩緩盤膝坐下，閉目養息。

余亦樂看了王大康一眼，只見他右手粗腫如故，皺眉問道：「王兄傷處是否輕了一些？」

王大康望了傷手一眼，笑道：「未服那黑藥丸子之前，有些痛癢，現下痛癢已消了。」

余亦樂點頭道：「想必是藥力已到，你現下千萬不要走動，也不要大嚷大叫，還是坐下休息的好。」

王大康托著受傷的右手呵呵大笑道：「看不出你這算命先生，也會替人看病療傷呢……」

余亦樂見他一股憨勁，對他笑了笑，也不和他說話，走到那白衣艷婦臥倒之處，看了一看，轉臉對鮑超道：「有勞鮑兄把神案上的蠟燭拏過來。」

鮑超依言取過蠟燭。

余亦樂伸手接過蠟燭，蹲下身子，照著那白衣艷婦，低頭仔細地察看了一陣，只見她原是嬌艷如霞的臉上，一片青白，嘴唇也滯無光澤，雙目緊閉，嬌軀蜷曲，並且微微抽動。

二人看了一陣，余亦樂彷彿自言自語道：「看樣子傷得不輕。這老怪物倒真忍心下手。」

鮑超舉手持著蠟燭，道：「適才盟主吩咐，用『推宮過穴』的手法，相救於她，事不宜遲，我看咱們就動手吧！」

余亦樂「嗯」了一聲，怔怔地望著那白衣艷婦，卻不動手。

鮑超用肘臂觸了余亦樂一下，道：「怎麼啦？你怎的不動手？難道這秀色就這等可餐麼？」說著聳肩一笑。

余亦樂正色道：「兄弟倒不是貪餐秀色，只覺著男女有別，如何能施行『推宮過穴』的手法？是以正在爲難。」

鮑超笑道：「余兄也算得江湖上一位奇士，爲何事到緊要關頭反而拘泥起來了呢？豈不知凡事須權衡利害輕重麼？現在咱們身在敵窟，自然是救人要緊，哪還能顧得了那些酸禮……」

余亦樂略一沉吟，點頭道：「既是如此，就請鮑兄放下火燭，先將她身子順正，待兄弟爲她推拏血脈便了。」頓了一頓，又道：「尚請鮑兄與兄弟護法……」言畢，立即運功蓄氣。片刻工夫，余亦樂捲起寬袖，緩緩伸運雙掌，按著白衣艷婦雙腕的內側，隔衣推拏起來。

約有一盞熱茶工夫，那白衣艷婦突然一聲長吁，接著「哇」的一聲，吐出一口瘀血，鬢髮間，冷汗涔涔，忽地睜開星眸，一見余亦樂與鮑超二人蹲在自己身側，而且余亦樂正在握住自己右腕脈門，在那裡推按，不由用力一掙，嬌軀猛一翻動，竟霍地用左手支地，半坐了起來。

余亦樂怕她誤會，忙道：「你受傷不輕，在下奉盟主之命，在爲你施『推宮過穴』的手法，你還是躺下休息爲是。」

白衣艷婦這一掙坐起，那如雲的秀髮，不由得散披滿臉，她趕忙用左手拂了拂，茫然又略帶緊張地問道：「那麼你們盟主呢？」

余亦樂道：「方才他與那老怪硬拚了一陣，彷彿也傷得不輕，現在正在那裡自行調息呢。」說著轉臉對胡柏齡坐的地方望去。

白衣艷婦隨著他目光望去，只見胡柏齡盤膝靜坐，正在運氣調息，長長吁了一口氣，目光流動，不停地左右張望了一陣，道：「我師父也走了麼？」

鮑超冷冷地接道：「你問的可是那人不像人，帶著幾分森森鬼氣的老頭子麼？」

白衣艷婦醒來之後，一連串說了幾句話，似已很累，那支撐她坐著的手臂，似已不勝負重，又緩緩躺了下去，聲音十分微弱地答道：「就是那人……」

鮑超道：「他已傷在我們盟主手中，逃走了……」

那白衣艷婦臉上忽現異常驚恐之色，道：「怎麼？他敗在你們盟主手中了……」

余亦樂早已窺出她心中之意，不待她開口相問，自動接口說道：「他們硬拚之下，成了兩敗俱傷之局，不過令師似是受傷較重一些。」

白衣艷婦吃力地搖搖頭，道：「我那師父練成了一種極爲歹毒的『陰風掌』，不論武功如何高強之人，也難擋一擊，只怕你們盟主中了他的『陰風掌』了……」

她大傷初癒，體力未復，說話斷斷續續，無法一氣說完。

余亦樂皺皺眉頭，說道：「姑娘可也是被令師『陰風掌』力所傷麼？」

白衣艷婦輕輕閉上雙目，有氣無力地說道：「不錯，我看他靜站運功之時，已知他要用『陰風掌』了，想上前去，阻擋於他，哪知他竟先對我下了毒手……」但聞嬌喘吁吁，下面之言，難以再接下去。

余亦樂忽然覺著眼前躺在地上的白衣婦人，十分柔弱可憐，心中暗暗忖道：「此人雖然有些可恨之處，但在那老魔頭積威之下，自然無能抗拒了，也難以完全怪她。」

念頭一轉，油生同情之心，說道：「姑娘可知那『陰風掌』傷人後，有何藥物可解救？」

白衣艷婦強自振作精神說道：「那『陰風掌』歹毒無比，據我所知，世間只有純陽內功的

『先天五行拳』可以療救，但此武功，乃少林寺七十二種絕技之首，當代少林高僧，不知是否有人會精練此種武功……」

她喘息了一陣，又道：「他運了功力之後，先對我拂出一掌『陰風掌』的威力，可能消滅甚多，你們盟主之傷，也許發作會緩慢一些，我已經深中『陰風掌』毒，諸位不必再爲我費心了，快些想辦法救你們盟主要緊。」

余亦樂輕輕嘆息一聲，道：「盟主內功深厚，機智過人，令師雖然練有絕毒無倫的『陰風掌』，也未必真能傷得了他，他在中掌之後，尙能運功療息，可見掌傷不重。」

白衣艷婦慘白的臉色上浮現出歡愉之色，微微一笑，道：「但願他受傷不重，早日復元。」說完，緩緩閉上雙目。

余亦樂舉起手來，輕輕在她額角之上一按，只覺她額角微微滲出冷汗，知她傷得極重，救治十分渺茫。

回頭望去，只見胡柏齡氣息均勻，傷勢似已好轉甚多。

當下站起身來，低聲對「嶗山三雄」說道：「盟主運氣正值緊要關頭，不能驚擾著他，王兄手傷未癒，亦應靜養，咱們就在此地候至盟主清醒後再走，至於這白衣婦人，只怕是難以救治了。」

鮑超望了那白衣少婦一眼，罵道：「這賤貨死了算啦……」

那白衣艷婦忽然睜開眼來，望了鮑超一眼，又緩緩閉上。

這輕輕一瞥之間，是那樣嬌弱淒涼，鮑超突感心頭不安起來，暗道：「我一個堂堂男子，

對一個婦道人家口出這等放肆之言，未免有失大丈夫風度！」當下轉過身去，低聲對余亦樂道：「余兄照顧盟主傷勢，兄弟去守左面側門，也免得有人闖進來，驚擾盟主療傷。」說完頭也不回地向左面側門走去。

那骨瘦如柴的中年大漢，接道：「我去守右面殿門。」轉身急奔而去。此人看去雖然十分瘦弱，一副皮包骨頭，但在「嶗山三雄」之中，武功僅次於老大鮑超，比起高頭大馬的王大康，尤勝一籌，排行第二，姓洪名澤，「嶗山三雄」之中，以他城府最深、手段最辣，故有「鬼諸葛」綽號之稱。

余亦樂拱手說道：「有勞二位了。」

大殿上只餘下了靜坐調息的胡柏齡，奄奄一息的白衣艷婦，還有倚靠在壁間閉目休息的王大康，和滿臉憂慮的余亦樂。

他抬頭四周，心中泛起了千百種複雜的情緒，如今這大殿中只有他一個沒有受傷，只要他暗中施展一點手腳，立時可以不露痕跡地把胡柏齡置於死地，再設法暗算了「嶗山三雄」，之後偽造胡柏齡手示遺書，不難取得綠林盟主之位，自己雖無意此位，但義弟鍾一豪卻是朝夕盼望著爭得此位，遺書中指明讓鍾一豪接掌綠林盟主，更是天衣無縫……心念轉動，殺機忽起，緩緩站起身來，向胡柏齡走了過去，暗中運集功力，正待出手點傷胡柏齡的死穴，忽聽身後那白衣艷婦輕輕嘆息了一聲，夢囈般地說道：「凍死我了……」這一聲低弱的呼喊，頓使余亦樂殺機消滅，回頭望去，只見那白衣艷婦身子動了一動，又寂然無聲。

定神望去，只見胡柏齡閉目靜坐，神威凜凜，燭光照耀之下，虯髯根根如針，雖然在運氣療傷，但仍有著懾人的氣度。

數月來種種往事，陡然在余亦樂腦際泛起，心中暗暗忖道：「綠林中龍蛇混雜，最難統率，除了此人這等胸襟、氣魄之外，實難找出第二人有大智、大勇。」

他早已對胡柏齡生出了敬服的心，只是這敬服油生於不知不覺之中，當他殺機萌動之時，滿腔熱血沸騰，一心只想到對義弟承諾之言，但當他殺機消退後，忽然感到自己對這位氣度懾人，心地磊落的盟主，有著深摯無比的敬佩，萬一剛才下了毒手，那可是鑄錯千古的一大恨事。心念及此，只覺背脊之上，冷汗涔涔而下，恭恭敬敬地對著閉目靜坐的胡柏齡深深一揖，暗自說道：「盟主請恕在下一時衝動，幾乎造成大錯。」

忽見胡柏齡睜開眼，微微一笑，重又閉上雙目。這笑容雖然十分親切和善，但看在余亦樂的眼中，卻似一把鋒利無比的寶劍刺入心腑，只覺心神大震，不自主地屈下雙膝，跪了下去。

耳際間響起了胡柏齡微弱的聲音，道：「余兄快快請起，看看那白衣婦人是否還能救得過來……」

余亦樂惶惶答道：「盟主身繫天下綠林安危，保重身體要緊，療傷之時，不宜心生雜念，天下蒼生都將爲盟主祝福。」

胡柏齡輕輕嘆息一聲，道：「咱們綠林中人，素爲正大門戶中人所不恥，天下百姓厭惡，細想我們所作所爲，也實難怪人，凡我綠林道中人物，哪一個不是兩手血腥，心無善惡之念，素無好壞之分，隨心所欲，殺人劫財，我過去年輕之時，行爲放蕩，可算得積惡如山。」

他微微一頓，黯然嘆道：「自從遇得你們大嫂之後，深深被她善良感動，我殺人如麻，

『冷面閻羅』之號也由此而得；但她卻連一隻小雀、小蟲，也不肯傷害，一念所悟，愧恨交集，回首前塵，恨不得自絕一死，每當和她相對而坐，心中就泛起了無比愧疚，因而埋名隱姓，遁跡山林，不再為惡。在我埋名隱跡數年之中，過得也非安靜生活，索仇鐵騎，如影隨形，到處追蹤我們，迫得我們夫婦日夜奔行在大山絕壑之中，逃避敵人耳目，但我卻心若止水，平靜無波，只覺這些苦果，都是昔日自行播種之因，其果愈苦，我卻感受愈甘。」

余亦樂道：「盟主乃大仁大智之人，舉世難得再見。」

胡柏齡微微一笑，道：「余兄過獎我了……」

他輕輕嘆息一聲，接道：「我不惜重出江湖，參加北嶽綠林盟主爭奪之戰，也就是突然想到了此身既可為惡，為什麼不可為善？幸得北嶽一戰中，取得了盟主之位。」

余亦樂道：「盟主神武過人，取得盟主之位，自在意料之中。」

胡柏齡道：「眼下看來，咱們綠林之中，雖已成統一之局，但潛在的危機，卻是十分嚴重；『羅浮一叟』、『嶺南二奇』相互勾結，狼狽為奸，明裡雖對我百依百順，暗中卻極盡破壞能事，四大戒律，已為綠林同道不滿，各人的內心之中，都已早萌叛離之志，再加上『羅浮一叟』和『嶺南二奇』暗中煽動，早已成了支離破碎的局面，『嶗山三雄』雖然對我心存敬服，但『嶗山三雄』武功過人，心機卻不足應付大事，能夠推心置腹，助我一臂之力的，只有余兄和鍾兄兩人而已，我此次離開『迷蹤谷』，暗中已告鍾兄，協助你大嫂主持大局，余兄帶在身邊，目的也在借重。」

余亦樂聽得真情激蕩，滿眶熱淚說道：「承蒙盟主相愛，這等推心置腹，余亦樂今後定當以滿腔熱血，酬答知己，但有需我之處，萬死不辭。」

胡柏齡微微一笑，道：「那白衣婦人，對我施恩甚重，如非先擋『陰手一魔』一記『陰風掌』力，只怕我受傷不止這般輕微了。」

余亦樂微微一皺眉頭，面有難色地答道：「她傷勢甚重，只怕難以救得過來了。」

胡柏齡道：「你們暫時把她傷勢穩住，待我再把真氣運行一周，再設法救她。」

余亦樂道：「盟主但請放心，此事我大概還能做到。」

胡柏齡淡然一笑，又緩緩閉上雙目。

余亦樂緩緩站起身來，又恭恭敬敬對胡柏齡做了一揖，才站起身子，走到那白衣艷婦身旁，扶她坐了起來，自己也盤膝坐好，暗中運集真氣，伸出右掌，頂在那白衣艷婦的背心「命門穴」上，迫出本身真氣，一股熱流，循臂而出，直向那白衣艷婦「命門穴」上攻去。

天色由一線曙光，轉爲魚肚白色，殿中蠟燭已盡，晨曦透進，已可看出那白衣艷婦面色與呼吸，逐漸轉入佳境。但余亦樂卻是緊閉雙目，一臉沉凝之色，滿臉汗水像黃豆一般，滾滾而下，身上汗水，已濕透外衫，身子雖然穩坐不動，但似已隱現不支之相。

胡柏齡端坐一側，通宵暗自調息，試著以自身的真元之氣，打通各道經脈，想將「陰風掌」的陰寒之氣，逼出體外。

這時透進大殿的陽光，正照射到他的臉上，只覺眼睛一亮，知道天色已亮，緩緩吁舒了一口氣，睜眼一看，見余亦樂依然盤膝端坐，雙手正頂在那白衣艷婦的「命門穴」上，身上的汗

水，被內元真氣一蒸，冉冉地冒著熱氣。

胡柏齡一見他此等情形，自然知他拚耗自己內元，在維持那白衣艷婦的生命，心中很是感動，當下又舒了口氣，氣歸丹田，微微伸展身軀，覺著經血通暢，似無異樣，起身走了過來。

余亦樂對胡柏齡走到身前，渾似不知一般！

胡柏齡半蹲下身子，低聲道：「余兄，看你神色，似是太累了，趕快歇息。」

余亦樂還是未曾聽見一般，只鼻息重重「哼」了一聲。

胡柏齡舉起衣角，在他臉上輕輕擦拭，替他抹去汗水，道：「余兄……」

余亦樂聽得胡柏齡一聲喚叫，雙眉一緊，用力睜開雙眼，嘴唇開合了一下，低沉地吐了一聲：「盟主……」，只見他身軀一翻，人便仆倒地上。原來余亦樂以本身真元，耗了徹夜長長時間，他之所以還能坐在那裡助白衣艷婦打通經脈，維持她的呼吸，可以說是全憑一種內心對胡柏齡感激的精神作用，這時又因胡柏齡對自己這等關心，爲自己擦汗，雖然沒有說話，但內心還是很清楚，不由得大是感動，待他睜眼，張口想說話之時，那硬聚的一口真元之氣立即散去，真元之氣一散，那股精神作用，也隨之失去作用，是以一張口，人便摔倒地上。

胡柏齡忙地疾伸雙手，把他扶倚膝上，運功聚神，雙手同出，連點他「紫宮」、「外陵」、「天池」、「神藏」、「衡門」、「百會」六大要穴。

只聽余亦樂長吁一聲，口一張，吐出一口濃濁的瘀痰。

胡柏齡左手緊握他脈門「太淵穴」，右手探手入懷，取出一只翠玉古瓶，咬開瓶塞，倒出一粒朱丸，道：「余兄，你耗傷過重，致一時血不歸經，快服下這粒丹丸，保住脾臟心腑。」

余亦樂也不說話，點點頭，張口吞下朱丸。

胡柏齡合上瓶塞，低聲說道：「余兄快請運氣調息一下。」

余亦樂微微一笑，道：「盟主但請放心，我服下盟主的靈丹之後，已覺好轉甚多，盟主不用再費心管我了，快些想法子救那白衣婦人要緊，我恐怕她已快不行了……」

胡柏齡道：「她得你真元之氣相助，人已好轉甚多，最低限度，可延長她甚久生命。」

余亦樂輕輕吁一口氣，笑道：「這麼說來，我是幸不辱命了。」

忽見那白衣艷婦轉過臉來，接道：「我很感謝你，不惜消耗本身真元之氣，延續我的生命，不過我受傷太重，雖蒙相救，只恐也難以熬過今日午時。」

她幽幽地嘆息一聲，又道：「不過，這已經很夠了，我能多活上半日時光，縱然有千言萬語，也可以講完了。」

胡柏齡微一搖頭，笑道：「你的傷勢，並非絕對難以療救，不宜多耗精神……」

那白衣艷婦黯然接道：「不行啦！他那『陰風掌』力，耗去他十五年以上之功，不但陰歹無比，而且掌力渾厚，我自知難以挨過午時。」

胡柏齡道：「夫人說得不錯，在下和他硬拚的一招之中……」

那白衣艷婦突然接口說道：「別叫我夫人。」

胡柏齡先是一怔，繼而微微一笑。

那白衣艷婦突舉起手來，抓住自己的衣領，勉運餘力把白衣扯破，淒涼一笑道：「凡在我師父門下之人，向例不准有夫婦之倫，我冒充丈夫、弟弟死在你手，都是爲了誘你到此。」

胡柏齡道：「我知道了。」

白衣艷婦道：「知道啦?那就別再稱我夫人了。」

胡柏齡略一沉忖，道：「姑娘貴姓?」

白衣艷婦道：「記得我在家中之時，媽媽常常喊我蘭兒，十幾年來，就沒聽人這麼叫過我了，你就叫我蘭兒吧！」

胡柏齡皺皺眉頭，面有難色，默默不言。

白衣艷婦似已窺出胡柏齡心中之意，淡然一笑，道：「反正我已活不過今日午時，你叫我幼小之名，也叫不了幾句啦。」

胡柏齡看她失神的眼光中，滿是乞求之情，暗暗嘆息一聲，忖道：「人在將死之時，情感甚是脆弱，最易想起兒時之事，我何忍違拒於她?」

當下說道：「恭敬不如從命，在下放肆地叫姑娘的名字了。」

白衣艷婦蒼白的臉色上，閃起一抹紅暈，問道：「為什麼不叫呢?」

胡柏齡輕輕地咳了一聲，笑道：「蘭兒！」

白衣艷婦忽然微微一笑，仰著臉兒，說道：「聽到這聲呼喚，我恍似年輕了十年，重回爹娘的身邊一般。」但見兩行淚水，順著她粉頰之上滾了下來，嘴角間卻浮現著歡愉的笑意，似是胡柏齡那一聲輕輕地呼喚，給了她無比的安慰。

太陽光由破漏的屋面上透照下來，側門中人影倒現，緩步走進來「嶗山三雄」中的鮑超、洪澤。

兩人在相距胡柏齡四、五步處，一起停下了腳步，齊齊對胡柏齡抱拳一禮。

胡柏齡頷首微笑道：「現在是什麼時候了？」

鮑超躬身答道：「卯末辰初時光。」

那白衣艷婦忽然轉過臉來，問道：「怎麼？你們就要走嗎？」

胡柏齡道：「這荒廟之中，藥物不便，再稍候片刻，待我這位兄弟調勻真氣，咱們一起同到城中……」

余亦樂忽然睜開雙目，說道：「我已覺著傷勢好轉甚多，已然無礙行動。」

那白衣艷婦接道：「可是我不行啦，現下已是辰初時光，我還有兩個時辰好活，如果把這些僅有的好活時光，浪費在行程之上，未免太可惜了。」

胡柏齡微一沉吟道：「姑娘傷勢雖重，但並非無救之傷，但請信任在下……」

白衣艷婦截住了胡柏齡的話，道：「你不是答應叫我蘭兒了……」

她微一停頓之後，又道：「我知道，我這傷勢除了少林派的『先天五行拳』外，縱有起死回生的靈丹，也是難以救得。」

胡柏齡搖頭笑道：「蘭兒，你知少林派的『先天五行拳』爲甚能解『陰風掌』毒麼？」

白衣艷婦道：「因那『先天五行拳』是一種純陽的內家功夫，可逐陰毒。」

胡柏齡道：「這就是啦！『先天五行拳』既然可逐陰毒，凡是練有純陽的內家功夫，大概都可逐走陰毒。」

那白衣艷婦道：「你要找什麼人救我？」

胡柏齡微微一笑道：「我。」

白衣艷婦忽現驚喜之色，道：「你沒有娶過親麼？」

胡柏齡怔了一怔，一時之間，想不出適當之言回答。

白衣艷婦似是自覺問的話有點不對，又接著說道：「我曾聽師父談過，凡想把純陽功夫練有大成，必須從小練起，而且……而且……」

她而且了半天，仍囁嚅地說不出口。

但胡柏齡似已領悟她話中之言，淡然一笑，接道：「那也未必！初練純陽內功之人，確然童身才能奠基，但如已有成就之人，那倒不必固守此理，如果『先天五行拳』真能療好你的傷勢，我想『天星指』亦可奏功。」

白衣艷婦抬頭望著屋頂，黯然道：「我看算了吧！你縱能把我救活，我也難久生人世。」

胡柏齡愕然答道：「為什麼呢？恕我難解話中含意了。」

白衣艷婦道：「凡入我師之門的人，終生不能叛離，如若擅離師門，必然要被追殺，不論他逃到天涯海角，都難避過。」

胡柏齡沉吟了一陣，道：「如果你確有棄邪歸正之心，傷勢好後，可暫時寄住『迷蹤谷』中，待我和『陰手一魔』了斷三月期約之後，你再離開不遲。」

白衣艷婦輕輕嘆息一聲，道：「也只好這樣辦啦！」

胡柏齡回頭望了靠在壁角養息的王大康一眼，道：「王兄的傷勢好些沒有？」

王大康恍如未聞一般，仍然依在壁間，連眼也未睜動一下。

「鬼諸葛」洪澤臉色微變，大步走了過去說道：「只怕那老鬼解藥之中動了心機？」

胡柏齡也聽得微微一怔！暗暗忖道：「此處倒是不錯！『陰手一魔』如果把毒藥裝做解毒藥物送我，這次可上當大了。」也不禁臉色大變。

白衣艷婦突然接口說道：「把他送你的藥物拏給我看看。」

余亦樂探懷取出存下的一粒丹丸，遞了過去，說道：「我這裡存了一枚，姑娘請看。」

白衣艷婦星目流轉，望了余亦樂手中解藥一眼，道：「藥物沒錯……」

說話之間，「鬼諸葛」洪澤已走到了王大康身側，伸手拉了他一把。

王大康霍然睜開眼睛，大聲罵道：「那老鬼給我的什麼藥？吃過之後，就想睏覺。」

胡柏齡見他醒了過來，放下心中一塊石頭，微微一笑問道：「蘭兒，這解藥服過之後，人可有睏倦的感覺麼？」

白衣艷婦點點頭說道：「不錯。」

微一停頓後，又道：「他們兩位傷勢，都還未癒，不如在這大殿中多留一會兒，讓我心中的話說完，再走好麼？也許我在未回到南昌之前，掌毒就會發作而死。」

胡柏齡轉眼向王大康望去，只見他右腕上的紅腫，果已消去不少，口中卻答著那白衣艷婦的問話，說道：「你這麼不肯信任於我，那也是無法之事，什麼話儘管請說。」

白衣艷婦道：「我哪裡是不相信你？只怕萬一我傷勢早發死去，留在心中之言，不能說出，那可是一大憾事，死也難以瞑目九泉了。」

胡柏齡暗暗忖道：「想她久隨『陰手一魔』身旁，那老魔頭的凶殘，早已深植她的心中，

我雖然再三相告於她，有能療治她的傷勢，也難怪她不信。」

當下回頭過來，笑道：「你請吧！我洗耳恭聽就是。」

白衣艷婦移動一下嬌軀，輕輕嘆息一聲，道：「我師父這次重出江湖，早有預謀，準備把武林幾個正大門派中高人，一網打盡。」

胡柏齡冷笑一聲接道：「就憑『陰手一魔』那點微末之技，想橫掃中原武林正大門戶，哈哈，未免想得太狂妄了。」

白衣艷婦接道：「他這話並非無的之矢，他自己也知道憑藉一已之力，想勝得中原各大門派中的高手，絕難辦到，是已早有了準備。」

胡柏齡愕然問道：「什麼準備？」

白衣艷婦道：「據我所知，有幾個息隱江湖甚久的老魔頭，在我師父勸說之下，都已有重出江湖的打算，個中詳細情形，我雖然不大清楚，但外面看來，他們似已取得默契，陰謀早定，只不知他們什麼時候行動？如何下手而已？」

胡柏齡道：「你可知道那些人中，都有些什麼人物？」

白衣艷婦沉吟了一陣，道：「似乎有一個名酆秋之人，我師父一提起他的名字，神態之間似是十分敬畏，似是他們那班人中首腦主謀，其他人的姓名很少聽到提過，因他們每次相聚，都極隱秘，此事發生在三年之前，他們為了此事連續耗去了三年時間，自然極為慎重了。」

胡柏齡仰臉望著屋頂，低聲自吟道：「酆秋……酆秋……」忽然臉色大變。

白衣艷婦怔了一怔，道：「怎麼？你認識他麼？」

胡柏齡輕輕嘆息一聲道：「如果真的是他主持其事，只怕江湖之上，從此要多事了。」

鮑超望了胡柏齡一眼，道：「酆秋其人怎麼從未聽人說過？」

胡柏齡道：「此人武功絕高，世罕其敵，論起輩分，他還是我的師叔……」

那白衣艷婦接道：「除了酆秋之外，還有甚多隱息已久的江湖高手，這時一旦崛起，只怕你那天下綠林盟主之位，難以再保得了。」

胡柏齡道：「蘭兒，你可知道他們幾時行動麼？」

白衣艷婦搖搖頭，道：「這我不太清楚，但大概想來，就在最近數月之中吧！我師父雖常和那班人物相聚，但其他行動，仍然十分謹慎，最近突然決定重出江湖，而且說過就做，自非偶然了，也許他們現在已經逐步開始行動了？是以那三月限期之會，你要多加小心一些。」

胡柏齡默然了良久，道：「如果此事屬實，武林間這幾個大門派，必須攜手合作，才可扭轉大局，力挽狂瀾，如若仍然各有門戶之見，抱著袖手看虎鬥之心，只怕……」

話至此處，倏而住口，霍然站起身來，在大殿中走了兩周，回頭望著那白衣艷婦，滿臉莊肅之色，問道：「蘭兒！此事非同小可，不可捕風捉影，你講的可都是實話麼？」

那白衣艷婦忽然一閉雙目，流下淚來說道：「難道我還會騙你不成？」

胡柏齡滿臉莊肅之色，又繞著大殿走來走去，單看他臉上神情不時變化，就知他心中正在想著一件極爲困擾複雜之事。

走了兩圈，忽然停了下來，跺腳一嘆，道：「除了此法之外，再也沒有辦法可想了！」

他自言自語地說了這兩句，突然轉臉望著余亦樂，道：「余兄，此事咱們該如何處理？」

余亦樂道：「盟主想已智珠在握，我等只願追隨身後，聽命調遣。」

胡柏齡長嘆一口氣道：「武林中幾個正大門派，近年中雖然也有不肖弟子，藉著師門聲譽在江湖上胡作非為，但大體說來，都還能潔身自愛。不可諱言，咱們綠林道上之人，大都不畏官法，但對幾個正大門派中人，還有七、八分忌憚、畏懼，不敢放手亂來，只怕惡名大著之後，引起幾個正大門派的注意，派人搜殺。百數年來，蒼生疾苦，賴他們之助不少，如若一夕之間，幾個正大門派中高手連續被殺，元氣大傷，他們覆亡之事不大，但江湖間失此均勢之後必將天下大亂。不是我自貶咱們綠林中人物身價，如若一旦被咱們主盟江湖，立時將引起驚世駭俗血腥屠殺，做事無章無法，隨意殺人劫貨，那時善良之家，毫無保障，年輕之人，難免鋌而走險，勢非弄得天下大亂不可……」話到此處倏然住口，轉臉向「嶗山三雄」望去。

但見三人凝神而立，似都在十分用心地聽他說話。

胡柏齡把目光移注到「鬼諸葛」洪澤臉上，微微一笑，問道：「此刻咱們就事論事，兄弟暫把那盟主之位，擺在一邊，洪兄以為兄弟這話如何？」

洪澤抱拳說道：「盟主胸懷大仁，才經天地，處處為天下蒼生謀命，可敬可佩！」

胡柏齡朗朗笑道：「我這話正好和咱們綠林道中旨意，大相背逆，幾位聽來，就不覺有些刺耳麼？」

洪澤正容說道：「綠林中人，雖然大都嗜殺，視人命如草芥，但也並非都是全無血性心肝之人，盟主志博遠大，一心為天下蒼生著想，解決民間疾苦，身負綠林盟首之名，做的卻是大仁大慈之事，我等縱然冥頑，也應為盟主仁德所感，我們『嶗山三雄』過去雖然惡跡甚多，但

極願洗心革面，追隨盟主，一掃我綠林道上千百年沿傳的積惡之名。」

胡柏齡豪氣大發，仰臉一聲長嘯，只震得大殿上積塵紛紛而下，滿殿嘯聲，繞耳不絕。

嘯聲甫落，朗朗接道：「兄弟能得諸位這等肝膽相照，寬慰不少……」

他緩緩把目光移注在白衣艷婦身上，接道：「眼下江湖上波譎雲詭，殺機隱起，大丈夫正當挺身而出，爲蒼生造福，成敗豈足論英雄？」

余亦樂站起身來，說道：「經過一陣調息，我已覺著傷勢大好，盟主如有什麼遣差，但請吩咐！此刻寸陰如金，不宜多延時光。」

胡柏齡沉吟了一陣，道：「論眼下情勢，確實急如星火，我們只有分頭行事了……」

轉眼望著「嶗山三雄」說道：「三位請送這位姑娘，連夜趕回『迷蹤谷』去，交於你們大嫂，並要她加派人手日夜護守各處，以免奸細混入山中，我在兩個半月之內，定當趕回山中，余兄弟請跟我到嵩山少林院一行。」

那白衣艷婦說道：「我恐怕已經不行啦，你們儘管請便，別管我了。」

胡柏齡道：「蘭兒，我既然答應了救你，豈有不把你救活之理？快些坐著別動。」

那白衣艷婦道：「你大傷初癒，豈能再耗內力救我？」

胡柏齡道：「不要緊。」

坐下身去，左手扶住她的肩頭，右掌頂在她背心「命門穴」上。那白衣艷婦還想掙扎，但被胡柏齡左手抓住肩頭，動彈不得，只好坐著不動。

胡柏齡面色凝重，長長吸一口氣，右手掌心之內，立時傳出一股熱力，攻入那白衣艷婦

「命門穴」中。那白衣艷婦嬌軀微微一顫，臉色突然大變，一層紅暈，泛上雙頰，櫻唇啓動，連續吐出了兩口氣來。

胡柏齡低聲喝道：「蘭兒，不要亂動。」突然縱身而起，向後疾退了五步，右手揚處，一縷指風，疾向那白衣艷婦「命門穴」上點去。

指風到處，那白衣艷婦的身軀，突然顫動了一下。

胡柏齡突然繞著那白衣艷婦疾轉起來，每行一周，就轉身一指點去，必然有一縷指風，應手而出，片刻之間，連點了那白衣艷婦「中府」、「靈墟」、「期門」、「天汝」、「雲門」、「肩井」、「神封」、「天突」、「紫宮」、「璇璣」、「天鼎」、「缺盆」、「玉堂」一十三處大穴。每點一穴，那白衣艷婦身軀必然微微顫動一下。

胡柏齡點了那白衣艷婦一十三處大穴之後，已累得滿頭大汗，氣喘如牛了。

他一面舉手拭著頭上汗水，一面低聲說道：「蘭兒，我已用『天星指』功點了你一十三處穴道，快些運氣調息，把身上陰寒之氣迫出，傷勢就可以好了。」

那白衣艷婦微微一笑，兩滴淚珠，由臉上滾了下來，說道：「你累得這個樣子，也快些休息一下吧！」立時閉上雙目，運氣調息。

胡柏齡似已累得筋疲力盡，長長吁一口氣，原地坐了下去，運氣調息。

但見他蒼白的臉色，很快轉過來，大約有一頓飯工夫之久，突然睜開雙目。

余亦樂目睹胡柏齡施展「天星指」功，療治那白衣艷婦傷勢後的睏倦之態，心中暗自想到：「他累成這般樣子，只怕要兩、三個時辰之後才能休息過來。」

哪知事情大出人意料之外，胡柏齡在一頓飯工夫之內，神光煥發，睜開雙目，單看他眼睛之內精光閃動，已知功力盡復，心中大生敬服之感，說道：「盟主神武過人，短短一頓飯工夫之內，神功盡復，實叫在下等敬服。」

胡柏齡回目望去，只見白衣艷婦正自閉目養息，立時低聲對「嶗山三雄」說道：「你們待她調息復元之後，送她回『迷蹤谷』去吧……」

鮑超抱拳說道：「嵩山少林寺本院，素有領袖武林正大門戶之譽，對我們綠林中人，深痛惡絕，盟主只帶余兄一人前往，實力未免過於單薄；在下之意，在我們三人之中，由盟主指定一人送這位姑娘回到『迷蹤谷』去，兩人隨侍盟主，同赴嵩山少林本院，萬一有了什麼事故，也好一助聲威。」

胡柏齡搖頭笑道：「嵩山之行，人數一多，反有不便，何況那『陰手一魔』手下徒眾甚多，他雖不能親自出手，但恐要徒眾攔劫，你們三人，只恐實力還嫌單薄，豈能再減人手？此行任重道遠，三位請多費心了……」

話至此處，回頭又對余亦樂道：「余兄功力恢復了麼？」

余亦樂道：「託福盟主，在下功力已復。」

胡柏齡揮手對「嶗山三雄」說道：「我們先走一步了。」大步直向殿外走去。

余亦樂緊隨身後而行，「嶗山三雄」個個抱拳躬身相送。

胡柏齡一出大殿，立時施開輕身飛縱身法，放腿疾奔。

余亦樂看他憂急之情，心中更是敬佩，暗暗忖道：「以他這等身分武功，進可問鼎武林霸主，退可悠遊林泉，伴著如花嬌妻，享盡人間清福，偏生要為天下蒼生謀福！身負天下盜首之名，集謗一身，做的卻又是為人傷己之事，不惜以天下綠林盟主之尊，涉險少林本院，一旦事與願違，極可能落得眾叛親離，兩面受敵，此等只知謀福世人，不計本身名位利害的大仁大勇，實非平常之人，能夠承擔得起。」心中感嘆叢生，腳下卻已放開步子，疾追上去。

胡柏齡為了趕路，晝夜倒置，白天住店休息，待晚上行人稀少之時，才施展輕功趕路。

余亦樂武功雖已有甚深造詣，但比起胡柏齡來，究是稍遜一籌，這等賣命狂奔的趕路之法，初行幾夜，還可勉力追得上胡柏齡，但後來就感到力難從心，胡柏齡只得放慢行速等他。

奔行十餘夜，已入河南省境，兩人找了一處客棧，休息了一日一夜，待疲勞盡復，才向嵩山趕去。這日中午時光，到了嵩山腳下，抬頭看峰巔綿連，山勢巍峨，揚名武林的少林本院已然隱現蒼松翠巒之中。

胡柏齡昔年雖在河北道上，叱吒風雲，如今又是天下綠林盟主之尊，但也不敢對領袖武林的少林寺，稍存不敬之心，停下步來，整整衣服，大步向前走去。

走過一段白石鋪成大道，到一片濃密的松林旁邊，那寬大的白石甬道，到了那松林旁邊之後，陡然縮成了二尺左右，蜿蜒入林而去。

胡柏齡正待舉步入林，忽聽兩株巨大的松樹之後，響起了一聲：「阿彌陀佛！」

兩個身軀高大的和尚，同時由樹後轉了出來，攔住了兩人去路，一齊合掌當胸，說道：

「兩位施主有何貴幹？」

胡柏齡打量二僧一眼，笑道：「在下胡柏齡，求見貴寺掌門方丈，有重大之事相商，煩請二位大師代爲通報一聲。」

二僧相互望了一眼，笑道：「胡盟主大駕剛到麼？」言下之意，似是早已預知其事了。

胡柏齡拱手大笑道：「不敢，不敢，匆匆登門造訪，未免太過魯莽了。」

左面一僧當先退後兩步，躬身合掌說道：「胡盟主暫請嘉賓室中稍坐，容小僧通稟過敝寺方丈之後，再來奉請。」

胡柏齡昂首闊步，向前走去，右面一僧搶前一步笑道：「小僧替兩位帶路。」當先繞林而入。這片松林，異常濃密，虬枝橫生，除了一條白石甬道，兩側已經過人工修剪，可以暢行無阻外，旁側都爲橫生的松枝攔擋難過。

轉過了幾個彎子之後，地勢突然開闊，濃密的松林之中，被人工開出一片四、五丈方圓的空地，紅磚砌成了一堵圍牆，環繞著一座建築精緻的小樓。

那帶路僧人突然放快腳步，奔到那紅牆旁邊，舉手在一座緊閉的黑漆大門之上，輕輕叩了三下。一陣銅環響過，兩扇黑漆門，呀然大開，一個眉目清秀的小沙彌恭迎門側。那身軀高大僧人，合掌肅容，胡柏齡微一頷首，大步而入。

余亦樂緊隨盟主身後相護，寸步不離。

那面目清秀的小沙彌，帶兩人直登小樓，但見明窗淨几，布置得雅潔無比，小沙彌捧上

了一杯棗茶，笑道：「兩位施主請隨便在室中觀賞，如有需用小僧之處，只管呼喚就是。」說完，合十告退。

胡柏齡等登樓之時，那隨同到此的高大僧人，已然留在樓下，這小沙彌一走，雅潔的小樓上，只留下了胡柏齡和余亦樂兩人。

胡柏齡吃了一口棗茶，笑道：「少林寺向有領袖武林正大門派之譽，如若在寺中接見咱們，恐怕難以保得隱秘，傳言江湖後，怕有礙他們的清譽，看這小樓布設得這般雅潔，只怕他們早有預謀，如果我判斷不錯，少林寺掌門方丈只怕要移駕到這小樓之上，和咱們見面了。」

余亦樂笑道：「少林方丈，被武林視作泰山北斗，能移駕來此小樓和咱們相會，對盟主也算得十分看重了。」

胡柏齡笑道：「他不過是怕和咱們相見之事，傳在江湖之上，才做這番布置罷了。」兩人談話之間，那小沙彌已重又登樓，合掌笑道：「敝寺方丈已傳出佛諭，就在這小樓之上，和兩位相晤。」

胡柏齡、余亦樂相視一笑，各自點了點頭。

那小沙彌又道：「捷足傳諭之人，尚在樓外候示，不知胡盟主對此事有何高見？」

胡柏齡笑道：「貴寺方丈，素受武林敬仰，在下承蒙移駕相晤，已甚感榮寵，請代上覆貴寺方丈，就說我們在此敬候佛駕就是。」

那小沙彌道：「小僧這就代傳胡盟主的回示。」合掌躬身下樓而去。

片刻之後，那小沙彌去而復返，手中托著一個玉盤，笑道：「兩位遠來，想必腹中已甚

饑餓，敝寺方丈特命廚下做了一席素齋，和兩位同桌共餐，這玉盤之中乃本寺小負盛譽的麵糖餅，先請二位食用一點充饑。」

胡柏齡接過一塊，笑道：「有勞小師父了。」

那小沙彌放下玉盤合掌告退。

兩人食用幾口，果覺清香甜美兼而有之，乃極少吃到之物。大約過有一頓飯工夫左右，忽聞樓梯上傳來步履之聲，那小沙彌當先登樓，笑道：「敝寺方丈已到了。」

胡柏齡、余亦樂雙雙站起身來，向樓梯門口迎去。

只聽一聲：「阿彌陀佛」的佛號，一個身披黃衣袈裟，面色紅潤，身軀高大的和尚，已出現梯口之處，合掌說道：「老衲來遲一步，有勞兩位久候了！」

胡柏齡虎目閃動，打量來人一眼，只見他方頭大耳，慈眉鳳目，和藹中微帶莊嚴，抱拳還禮，朗朗笑道：「大師名重武林，今日能得謁見，胡某人甚感榮幸。」

那高大和尚微微一笑，道：「胡盟主力服群雄，揚威北嶽，奪得綠林盟主之尊，老衲思慕已久，雖已得天明師兄相告，但百聞不如一見，果是英雄風采，氣度非凡。」

胡柏齡笑道：「大師過獎了。」

小沙彌移過木椅，待三人分別落座後，立即自行退下樓去。

胡柏齡微一欠身，嘆道：「胡某這次冒昧造訪，有擾清修，心中甚感不安。」

身披黃色袈裟的和尚合掌接道：「好說！好說！胡盟主一代豪雄之才，威震江湖，肯移駕嵩山，想是必有指教？」

胡柏齡沉吟了一陣，道：「近來江湖風波，暗潮洶湧，千緒萬端，一時間，真叫人有不知從何說起之感！」

那高大的和尚微微一笑道：「胡盟主領袖綠林，對江湖形勢變化，自是瞭如指掌，有什麼指教？老衲洗耳恭聽。」

胡柏齡輕輕嘆息一聲，道：「老禪師掌理嵩山本院，想必異常忙碌，在下也不便多擾，長話短說，胡某人這次冒昧相訪，特來相告一件機要重大之事……」他微微一頓之後，接道：「相晤一面，總算有緣，還未請教大師法號？」

高大僧人本來微閉雙目，靜坐聆聽，聽得問話，突然大睜雙目，合掌當胸說道：「老衲法名天禪。」

胡柏齡欠身抱拳一禮，說道：「在下遊蹤南昌，無意之中遇得一位綠林前輩。」

天禪大師雙目閃動，低宣了佛號道：「想必是那位綠林前輩聞得天下綠林選爭之事，故而重出江湖了？」

胡柏齡冷笑一聲，道：「如是那綠林前輩重出江湖之意，旨在天下綠林盟主，胡某人也不敢驚擾大師了。」

天禪大師微一沉吟，道：「胡盟主可記得那人姓名麼？」

胡柏齡道：「姓名雖然不知，但卻知道他綽號被人稱做『陰手一魔』。」

天禪大師低聲吟道：「『陰手一魔』……」突然微微一笑，接道：「二十年前綠林道上確有這麼一個人物，老衲雖然憶得其名，但卻未曾見過其人。」

胡柏齡看天禪大師言詞神態之間，似是對自己甚爲輕賤，心中大感忿懣，暗道：「我千里奔波，兼程趕來，特地通風報信於你，你卻這般輕視於我？」正想起身拂袖而去，心念忽然一轉：「我此行志在造福蒼生，挽救武林一場浩劫，豈可因一時意氣背悖大義？」忍下胸中之氣，笑道：「在下從『陰手一魔』門下弟子口中聽得，有幾個隱居甚久的老魔頭重出江湖，準備和貴派及各正大門戶一爭雄長，此舉牽扯頗廣，只怕要造成武林中一場極悲慘的屠殺！貴派素有領袖正大武林門戶之譽，故而特來相告，敬望大師早做準備，免得臨時措手不及。」

天禪大師微一沉吟，道：「那般人中除了『陰手一魔』之外，不知還有何人？」

胡柏齡道：「據在下聽得，其中首腦主謀之人，名叫酆秋。」

天禪大師臉色忽然一變，道：「酆秋？」

胡柏齡道：「不錯。」

天禪大師面色莊嚴地說道：「酆秋已四十年未在江湖上露面了，難道他還活在世上麼？」

胡柏齡微微一笑道：「在下十年之前，還和其人見過一面，以他精深的內功，再活上三十年，大概還不會……」他本想說不會病死，忽然想到酆秋乃是他尊長之輩，當下把欲得出口之言重又嚥了下去。

天禪大師慈眉微聳，鳳目閃光，霍然站起身子，緩步踱到窗口，抬頭望著天空說道：「這麼說將起來，胡盟主定然和酆秋有著什麼淵源了？」

胡柏齡道：「如以輩分而論，那酆秋乃在下師叔。」

天禪大師微現驚愕之色，突然回過頭來，說道：「酆秋向各大門派尋仇之事，想必已事先

和胡盟主說過了？」

胡柏齡霍地站起身來，說道：「酆秋雖是在下師叔，但很少和在下見面，情意淡漠，禪師如若認為在下言中有詐，更叫人百口難辯，我千里趕來，冒昧相訪，用心不過是把聽得傳聞相告，至於老禪師肯否聽信？悉由尊便，在下就此告別。」抱拳一禮，轉身向樓下走去。

天禪大師合掌說道：「樓下已備素齋，胡盟主千里奔波到此，想必腹中已甚饑餓，食用過素齋再走如何？」

胡柏齡道：「不敢再多打擾禪師清修了。」說罷，揚長下樓而去。

余亦樂緊隨在胡柏齡身後，離開了茂林環繞的靜院，沿著那白石甬道，告別了莊嚴古樸的少林寺。余亦樂似是已覺出胡柏齡心中氣惱，默然相隨，一語不發。

兩人一口氣奔行出十餘里路，胡柏齡突然停了下來，長長嘆息一聲，回頭對余亦樂道：「少林寺方丈的威名，遍傳江湖，今日一見，風采果是不凡。」

余亦樂聽他竟然還滿口稱讚那少林方丈，心中甚感奇怪？暗道：「咱們日夜兼程，急如奔馬一般地趕到了嵩山來給他們傳達警訊，不但未能受得款待，反被他們懷疑，你倒還滿口頌讚於他？」愈想愈是氣惱，忍耐不住，說道：「那老和尚枉被武林同道稱譽，似他那等心胸狹窄之人，掌理少林門戶，實是有損少林威名，哼！見面不如傳言多了。」

胡柏齡縱聲長笑道：「此事也難怪他多疑，咱們身分不同，如何能夠責怪別人多心？咱們的心意，只是想讓他知道此事，能夠早做準備，心願就算達到。天禪大師能接掌少林門戶，

自是絕頂聰明之人，對此事絕不會聽若未聞，置之不理，只要他能暗中遣人查訪，定可找出眉目，探得真相……」

余亦樂仍是忿忿不平地說道：「他對待盟主那等冷漠輕視之態，實叫人難以看得過眼。」

胡柏齡放眼望著縱橫無際的麥田，自言自語地說道：「一個人的生命有限，短短數十年，晃眼即逝，自應以有限的生命時光，為人間留幾樁思慕懷念之事，一時的譭謗，豈可放在心上？」說完之後，縱聲大笑，聲震野原，只驚得道旁樹上幾隻鳥雀，振翼長鳴而去。一陣大笑之聲，似乎發洩了他滿腔怨忿之氣，笑聲一落，立時泛現出滿臉歡愉之色，回頭對余亦樂道：「現下相距三月限期還早，不必急急趕路，咱們到前面找處大市鎮，選購匹良馬，縱馬而行，也好觀賞一下沿途的景色風光。」

余亦樂輕輕嘆息一聲，道：「盟主胸襟開闊，肝膽照人，大義大仁，世間難有第二人想，余亦樂得能追隨，實乃生平大幸。」

胡柏齡忽做戚色，微笑說道：「亙古以來，大仁大義之人，大都是平添後人幾許惋惜悵惘，有幾人真能得償心願，造福蒼生？」他緩緩仰起頭來望著無際蒼穹，黯然指道：「咱們眼下所處的形勢，就是個棘林叢生、險惡異常的局勢，一個處理失當，不但眾叛親離，而且還將陷入兩面夾攻之中，此情此景，怎不叫人感慨萬千……」

余亦樂智謀過人，何嘗不知眼下情景，微妙險惡？正大門戶中人，不願和他們聯手結盟，手下群豪，又是那綠林大盜，這班人平日為非作歹慣了，殺人放火，視人命如草芥，無法無天，如今胡柏齡定四大戒律，要把這班野性難馴，凶悍絕倫的人，硬行約束起來，實是異常危

險之事，平日之中，都震驚於胡柏齡的武功，不敢擅動，一旦遇上事故，不但難以用其禦敵，只恐他們還要藉機搗亂，鬧成自相殘殺之局。當下暗中嘆息一聲，口中卻微笑說道：「盟主膽識過人，屬下無不敬仰，雖在險惡的局勢之中，亦必可安然度過。」

胡柏齡道：「咱們加快一點腳步，趕到一個市鎮之上，也好休息一下，吃點東西了。」原來兩人急急向天禪大師告別，尚未進食用之物。

且說「嶗山三雄」守在那大殿之上，直待那白衣豔婦運息完畢，清醒過來，鮑超才把胡柏齡臨去之言，轉告於她，立時啓程西下，沿途之上，快馬兼程，直奔北嶽。

那白衣豔婦忽然間變得十分嫻靜起來，言詞行動之間，一派大家風範，「嶗山三雄」心中對她原存有一些輕視之意，逐漸地也改變過來，變得對她十分敬重。

出於意外的，「陰手一魔」的屬下，並未在途中攔劫，行程十分順利。

這日中午時分，已到渾源縣境，相距北嶽不過半日行程，「鬼諸葛」洪澤長長吁一口氣，笑道：「現在已近北嶽，縱然發生什麼事故，咱們也不怕了。」

一語甫落，忽見一側山腳之中，轉出兩個身背長劍的中年道人，緩步迎面而來。

鮑超回頭對洪澤說道：「老二，你看那兩個佩劍道人，精神飽滿，器宇不凡，極似內家高手。」

「鬼諸葛」洪澤目光轉動，打量兩人一眼，說道：「好像武當派中之人，不知他們到此做甚？」談話之間，雙方距離已漸相近，「嶗山三雄」六隻眼睛齊齊在那兩個道人身上打量，但

那兩個道人，卻是若無所覺，依然緩步向前行來。

鮑超一馬當先，直衝過去，他心中對兩個道人跑近北嶽一事，十分懷疑？是有心找些麻煩，好藉故動手，把兩個道人捉回「迷蹤谷」去審問。

兩個道人一見鮑超放馬直衝過來，微微一笑，同時向旁側閃開一步，把中間讓出來一道兩、三尺寬的空間。鮑超存心找事，故意一帶馬韁，想向左面一個道人撞去，哪知座下健馬突然長嘶一聲，猛然疾躍而起，鮑超驟不及防，幾乎被摔下馬來，慌匆匆之間，雙腳微一加力，人從馬背上直躍而起，懸空一個翻身，落著實地。

但見那健馬連聲長嘶一陣，疾向前面奔去。這時「鬼諸葛」洪澤已然趕到，那白衣艷婦柳腰微挺，人從馬鞍上騰飛而起，衣袂飄飛聲中，捷如海燕掠波，一掠丈餘，落在那疾奔的馬鞍之上，一收韁繩，帶轉馬頭，回衝過去，快要到達幾人身前時，玉腕一挫，停了下來。

洪澤和王大康，都已躍下馬背，三人並肩橫站，攔住了那兩個道人的去路。

兩個道人目光轉動，微一打量那白衣艷婦，右面站的一人，突然橫跨兩步，和左面道人站在一起。

鮑超冷笑一聲，道：「出家人不守清規，身上佩著兵刃，出手傷我坐馬，可是存心搶劫麼？」

左面一個年齡較長的道人，漠然答道：「那要怪你的馬兒瞎了眼睛，橫衝直闖，觀人命有如兒戲，難道出家人的性命，就不是命麼？」這幾句話，答得詞鋒犀利，而且義正詞嚴，鮑超一時之間，真還想不出適當措詞回答人家，不禁呆在當地。

原來他最近追隨胡柏齡身側，不知不覺中，受了他的感染甚多，只覺對方理直氣壯，無言可駁，空有一腔怒火，發作不出。

「鬼諸葛」洪澤冷冷地瞧了兩個道人一眼，接道：「兩位道長可是武當派中高人麼？」

兩個道人聽他突然之間，搬轉話題，不禁雙雙一皺眉頭，沉吟不語。

洪澤冷笑了兩聲，又道：「武當派乃武林中極負盛名的正大門戶，說出來也不致有辱兩位的身分吧！」

兩個道人被他犀利詞鋒，逼得無法推托，只好冷冷答道：「是又怎麼樣呢？」

洪澤道：「武當山距此遙遙千里，行程不近吧？」

兩個道人一時之間想不出他問話之意，相互望了一眼道：「你這般問來問去是何用心？」

洪澤突然一整臉色，冷笑道：「兩位千里奔波到此，不知有何貴幹？」

那年齡較長的道人，大聲說道：「幹什麼你還能管得了麼？」

洪澤回頭望了鮑超一眼，冷然接道：「兩位既不願說出來，那就由在下代說了吧！」

右面年齡較輕的道人，道：「什麼……」

洪澤接道：「兩位可是奉了師長之命，想來一探北嶽形勢？可惜那『迷蹤谷』路徑雜錯，戒備森嚴，致有勞兩位徒勞而返。」

右面那年輕道人吃他一激，再也忍耐不住，冷笑道：「只怕未必見得吧……」

左面那年長道人突然接口說道：「師弟，你胡說什麼？」

「鬼諸葛」洪澤哈哈一笑，道：「晚啦！」回頭對鮑超說道：「大哥，他們恐已經測得

『迷蹤谷』的形勢圖了，咱們得搜他們一搜。」

鮑超道：「好啊！」突然欺身向那兩個道人身前衝去。

那年長道人對那年輕失言道人瞪了一眼，翻腕抽出背上長劍，隨手一揮，化出一道銀虹，森森劍氣，阻住了鮑超向前移動的身子，冷笑一聲道：「哼！想動手麼？」

洪澤翻腕由背上抽出雁翎刀，縱身而上。

那年輕道人也迅快地拔出背上長劍，橫移兩步，和那年長道人成了並肩拒敵之勢。

王大康大喝一聲，探手從懷中摸出一個光芒燦爛的金圈，和一柄粗逾手臂的鐵棒，說道：「老二讓開，讓我來試試武當派的劍法。」

此人莽莽撞撞，素不拘禮，說打就打，舉手一棒，當頭劈下。

那年長道人看他擊來一棒十分凶惡，起手一劍斜向王大康右腕脈門上面點去。

這一劍來得十分辛辣，王大康被迫得疾收鐵棒，向後退了三步。

那年長道人出手一劍迫退王大康後，突然欺身攻上，長劍左掃右擊，瞬息間連續攻出八劍。這八劍一氣呵成，連續攻出，迅如電光石火，招招都是指襲王大康要害大穴，凶猛絕倫，迫得王大康連劈帶架，勉強才將八劍讓開。

「鬼諸葛」洪澤看得微微一皺眉頭，暗暗讚道：「武當派的劍術，果是不凡，看來老三一人，是難以抵擋得住了。」

正待出手助戰，忽聽王大康舌綻春雷般地大叫一聲，展開反擊，金圈、鐵棒交相攻出，一掄急攻，又把道人迫退了五步。

要知「嶗山三雄」乃江湖甚負盛譽之人，豈是易與之輩？那道人動手之初，施出武當派「八仙劍法」中幾招精萃之學搶得先機，連綿攻出，才把王大康迫得連連後退，但他八劍用完之後，還未來得及變招搶攻，王大康已展開迅厲的反擊之勢。

此人天生膂力過人，用的兵刃，又極沉重，鐵棒下擊之勢，有如鐵鎚擊岩一般，那年長道人手中雖有長劍，但卻不敢硬接他的鐵棒、金圈，全憑閃避身法，讓開他迅猛的攻勢。

兩人各出絕學，互攻一輪之後，突然停了下來，相對而立，凝神互注。

剛才交手幾招，彼此心中都知道遇上了勁敵，誰也不敢再有輕敵之念，再次動手，勢必各出全力而拚，是以都在運氣調息。

那年輕道人手橫寶劍，站在一側，目注場中，一副躍躍欲試之情。

「鬼諸葛」洪澤倒提雁翎刀，虎視眈眈，只要那年輕道人一出手，立時將出手接迎。鮑超和那白衣艷婦，卻是神態悠閒，一側觀戰。

雙方對峙了一陣之後，王大康首先忍耐不住，大喝一聲，揮動鐵棒，欺身而上，一棒「力劈華山」當頭下擊，右手金圈「東陽斜照」橫掄擊出。

那道人長劍疾出，搖舞之間，灑出三朵劍花，分襲王大康三處大穴。

兩人幾乎是一起出手，而且都是凌厲絕倫的猛攻，如果兩人都不肯放棄傷敵的機會，閃讓對方的攻擊，勢必落得個兩敗俱傷之局。

「鬼諸葛」洪澤關心義弟安危，大聲喝道：「老三不可硬拚……」

他喝聲出口時，王大康已然向後疾退，左手金圈疾收，掄出一片金光，護住身子。但聞一陣金鐵交鳴之聲，長劍被金圈震開。

那道人忽地淩空而起，身懸半空，探手出劍，劍如閃電，閃化萬道銀蛇，當頭罩下。

王大康金圈疾向頭上一封，右手一招「迎雲捧日」，用盡生平之力，猛向劍上擊去。

那道人忽然懸空一個轉身，身如遊龍，斜斜向一側飛出五尺。

王大康正打得興致勃勃，大喝一聲追了上去。

那道人腳落實地之後，忽然變得滿臉肅穆，抱劍靜立待敵。

「鬼諸葛」洪澤一見之下，立時覺出那道人要施展上乘劍術，沉聲喝道：「老三留神，不可輕敵躁進。」

王大康已衝近那道人身旁，聽得洪澤喝叱之言，立時停了下來。

那道人緩緩向前走了兩步，一劍推出，來勢異常緩慢，但神態間卻流現出無比的莊嚴。

王大康暗暗罵道：「牛鼻子老道，耍的什麼花槍？我就不信你這般緩緩刺出一劍，真能傷得了我？」舉手一棒，橫向那道人劍上掃去。

哪知他那鐵棒將要和寶劍相觸之時，那道人握劍右腕忽地一偏，劍勢陡轉，由慢變快，化作「金絲纏腕」，疾向王大康手腕之上點去。

這一劍變得奇奧無比，而且來勢迅速，順著王大康右手鐵棒而下。

王大康猝不及防，想用左手金圈封架，已來不及，如不撒手丟棒，勢必被傷在劍下不可，形勢所迫，只得一鬆手中鐵棒，右腕向下疾沉，後退三步。

饒是他應變迅快，衣袖之上也被那道人長劍，劃破了一道口子。

只看得一側觀戰的鮑超和「鬼諸葛」洪澤，倒抽了一口冷氣。

那道人一劍得手，立時欺身攻上，當胸一劍，直刺過去，劍勢仍是十分緩慢。

王大康已然知道他那緩慢的劍勢中，暗藏著無窮變化，哪裡還敢大意？金圈護胸，凝神而立。直待那長劍將要近身之際，左手金圈才突然橫推而出，直向劍上擊去。那道人突然長嘯一聲，劍勢由緩變快，疾向下沉，猛刺小腹。

王大康再想讓避，已是遲了一步，不覺激發怒火，不再閃避劍勢，大喝一聲，金圈直擊而下，猛向那道人頭上打去。

那道人劍尖已及王大康小腹，但聞頭上金風凌厲，心中微生驚駭，暗道：「這人如此莽撞，和他打個兩敗俱傷，實是有些不值。」百忙之中，一吸丹田真氣，身子倏然向後退出了八、九尺遠。

王大康救過一記險招，右手向下一探，撿起地上鐵棒，大叫一聲，揮棒掄圈，直衝過去。

那道人揮劍接架，兩人重又打在一起。

這次，兩人都不敢再有絲毫大意，各展生平所學，打得激烈無倫。

王大康膂力過人，鐵棒金圈招招如巨斧開山一般，一面搶攻，一面大聲呼喝，棒風圈光，再加上他那聲如春雷般的大喝，聲勢十分嚇人。

那道人卻是滿臉肅穆之色，長劍揮舞出一片銀虹，飛旋在王大康鐵棒金圈之下。

這是一場慘烈絕倫的生死拚搏，轉瞬之間，已拚了三十回合，仍是個不勝不敗之局。

「鬼諸葛」洪澤低聲對鮑超說道：「那道人劍術造詣甚是精深，處處取巧，老三卻是不惜消耗真力，和人硬拚，看去老三聲威甚猛，似佔上風，但如這樣耗戰下去，仍是老三吃虧，我去替他下來如何？」

鮑超道：「兩個藉藉無名的小道士，咱們都打他不過，『嶗山三雄』威名何在？你叫下老三，咱們兩人一齊出手。」

洪澤微一點頭，高聲叫道：「老三快些退下……」他一連叫了兩聲，王大康充耳不聞。原來他正凝集全神應戰，打得興高采烈，根本就聽不到洪澤呼叫之言。

另一側觀戰的道人看鮑超和洪澤喁喁私語一陣，又高呼王大康退下，只怕有什麼鬼謀暗算師兄？一橫寶劍，大聲喝道：「暗算傷人，勝之不武，哼！綠林中人究竟脫不了盜匪行徑。」

「鬼諸葛」洪澤大怒道：「這小道士嗆嗆呼呼，討厭得很，我先去把他收拾了再說。」一順手中雁翎刀，衝了上去。

那年長道人突然一緊長劍，「唰唰唰」一連攻出三招，迫退王大康，大聲喝道：「師弟不可單獨和人動手，快過來咱們聯劍對敵。」

那年輕道人應了一聲，縱身直向那年長道人身側欺去，長劍橫出，一招「乳燕斜飛」，閃閃寒鋒，疾攻王大康的側背。

王大康被這突如其來的一劍，迫得橫向一側退出三尺。

就在這一瞬之間，「鬼諸葛」洪澤已疾如迅雷撲到，雁翎刀幻化出一片寒影直罩而下。

那年長道人手中長劍由下向上一翻，施出一招「野火燒天」，把洪澤攻勢擋住，那年輕道人藉機橫跨兩步，和師兄並肩而立，橫裡削出一劍，把洪澤逼得懸空一個筋斗，翻退四尺。

洪澤略一換氣，又揮刀衝了上去，王大康也同時揮動鐵棒、金圈攻上。

兩個人聯劍對敵，威勢忽然大增，雙雙攻拒之間，配合得極是嚴謹，尤以那年長道人，劍招迅快辛辣，攻勢異常猛銳，那年輕道人武功雖然稍遜一籌，但在那年長道人劍招領指之下，亦能配合得十分得宜，忽而並出攻敵，忽而分頭施襲，劍勢變化，甚難測料。

洪澤手中雁翎刀施盡精奇招數，空自刀影如山，但仍然無法衝破兩人聯劍之勢，不禁暗生驚奇，暗忖：「武當派自詡劍術領袖武林，看來倒非虛言，這兩個藉藉無名的弟子，劍術竟然這等凌厲，內力這般綿長，這樣打法，再拚上一、兩百招，也難分出勝敗。」心念轉動，刀法突變，施展生平絕學「怒波十五刀」，剎那間刀光大盛，幻出滿圈寒影，把兩個道人盡圈入刀光之中。

那年長道人一面揮劍拒敵，一面暗自忖道：「今日之敵個個都非弱手，這枯瘦大漢，看上去甚不起眼，但刀法卻這等凌厲難當，看來今日想衝出這班人的攔劫，恐怕不是容易之事？」突感壓力大增，四周刀光如山，湧了上來，趕忙斂收雜念，凝神運劍。側頭望去，只見師弟頂門之上，汗水如珠，滾滾而下，不禁心頭大駭，長嘯一聲，振腕掃出兩劍，穩住快要被洪澤衝破的劍陣，低聲喝道：「師弟不可爲敵刀光威勢所惑，快用師門無上心法，收住撩亂心神。」

耳際間響起了王大康巨雷驟發般的一聲大喝：「臭道士，還不棄劍服輸？」一棒「金剛開山」當頭直擊下來。

那年長道人舉劍一封，登時覺著手腕一麻，長劍幾乎脫手而出。

洪澤趁勢一招「狂流怒瀉」人刀並進，直欺而入，把兩個道人聯劍之勢衝開，身轉刀迴，

一招「急浪翻舟」，擊在那年輕道人的長劍之上。

但聞一陣金鐵交鳴，那年輕道人手上長劍應聲飛出。

那年長道人揮劍來救，卻被王大康的鐵棒、金圈合出一招「日月爭輝」攔住了去路。

洪澤一刀震飛那年輕道人長劍，左手迅捷無倫地拍出一掌，擊在那道人「肩井穴」上。但聞一聲悶哼，那年輕道人應手退了兩步栽倒地上。

那年紀較長道人一見師弟中掌跌倒，雙目中閃起了憤怒的光芒，長嘯一聲，運劍如飛，盡都是毒辣無比的招術，倏忽之間，連續攻出了一十二劍。

寒光飛繞，劍風似輪，迫得王大康一連退出了六、七步遠。

洪澤飛起一腳把那年長道人踢開，橫刀叫道：「老三閃開！」

忽見紅光耀目，一條絹帶，疾飛過來，直向那道人右腕上面纏去。

這條絹帶，來得無聲無息，紅光閃動，已然飛到；那年長道人久戰之後，耳目已不似平時那等靈敏，只覺握劍手腕一麻，手腕已被那絹帶纏上，長劍脫手跌落地上。

王大康趁勢飛起一腿，踢中那道人左腿。這一腳力道雖然不輕，但那道人馬步穩固，身軀晃了幾晃，竟然未倒下去。

王大康大聲喝道：「牛鼻子武功果然不凡……」，金圈一送，「順水推舟」猛擊右肩。

那道人右腕被絹帶所纏，運用甚不靈活，只好一側身，讓過金圈，左手反臂拍出一招「揮塵清談」。

王大康金圈斜斜一轉，猛擊過去，這一招乘勢變化，迅快無倫，那道人再想閃避時，已是

遲了一步，吃那金圈擊中在右肩之上，登時筋斷骨折，仰身向一側栽去。

但那道人左手拍出一招「揮塵清談」，也正擊在王大康右後肩上。

只聽王大康大叫一聲，右手鐵棒應聲落地。

「鬼諸葛」洪澤急躍過去，扶住王大康搖搖欲倒的身軀，問道：「老三，傷得很重麼？」

王大康縱聲笑道：「不要緊，再重一些，俺老王也承受得住。」伏身撿起地上鐵棒，大步向後退去。原來此人天生筋骨粗壯，那道人掌力雖然不弱，但卻無法傷他。

在那道人中了王大康金圈一擊，向後倒去之時，那纏在他右腕之上的紅色絹帶，突然收了回去。

王大康轉臉看去，只見那白衣艷婦迅快地把絹帶收了起來，藏在懷中。

他乃渾厚之人，想到應謝那白衣艷婦一聲，不假思索地就高聲叫了出來，道：「多謝姑娘出手相助，要不然俺老王和這牛鼻子還有的幾百招猛拚。」

白衣艷婦微微一笑，道：「不敢當，我不過乘人之危，一擊幸中罷了。」

鮑超只聽得臉上一熱，暗道：「就憑我們『嶗山三雄』在江湖上的威名，連這兩個藉藉無名的小道士，也收拾不了，還要人家出手相助，聽來實夠慚愧了。」

抬頭看去，只見「鬼諸葛」洪澤手橫雁翎刀，逼近那道人身側，當下高聲叫道：「老二不要傷他，帶回『迷蹤谷』去，聽候盟主發落。」

王大康道：「盟主不是已和算命先生趕到少林寺去，難道會先我們回到『迷蹤谷』中不成？」他心目之中，只有一個胡柏齡可以受他尊敬推崇，言下之意，胡柏齡既不在「迷蹤谷」

中，大可不必把兩個道人送回「迷蹤谷」聽從他人發落。

鮑超淡淡一笑，道：「盟主離谷之時，已把谷中之事託付於人，既是盟主之命，那人自是和盟主親身坐鎮無疑，咱們自是應當聽受諭裁。」

王大康口雖不言，心中卻是不肯認服，暗道：「好吧！你是咱『嶗山三雄』中的老大，俺老王只好聽你的了。」

山道險阻，馬行維艱，深入山區之後，健馬已難再越度那崇山峻嶺。

王大康當先跳下馬來，大聲說道：「大哥，馬已不能再走，難道咱們揹上這兩個道士趕路不成？」

鮑超微微一皺眉，正待答話，忽見山腳之處轉出十二個黑衣勁裝大漢，手執長矛，背插弓箭，一見「嶗山三雄」遙遙施禮拜見。

「鬼諸葛」洪澤微微一笑，道：「好了！巡山健卒來啦，用不到咱們揹人走了。」

只見那十二個健漢之後，緩緩轉出一人，正是「江北五龍」中的「飛天龍」何宗輝。

何宗輝一見「嶗山三雄」，立時飛奔過來抱拳作禮笑道：「幾位沿途跋涉，多辛苦了。」

鮑超還了一禮笑道：「彼此，彼此，谷中近日沒有事故麼？」

何宗輝望望兩個道人，搖頭一嘆，道：「雖無外敵侵擾，但內患卻使人……」忽然覺出此話不對，一笑住口不言。他微微一頓，改口問道：「不知盟主大駕，現在何處？」

鮑超道：「盟主和余兄，聯袂趕往嵩山少林寺去了。」

何宗輝訝然說道：「盟主到少林寺幹什麼？」

「鬼諸葛」洪澤搶先接口說道：「盟主行蹤，在下等素來不敢多問。」

何宗輝目光轉投到那白衣艷婦身上，覺著她容光照人，不敢失禮多瞧，一瞥而過，目注鮑超問道：「這位可是嫂夫人麼？」

那白衣艷婦秀靨上泛起兩片紅暈，微微一笑，默然不答。

鮑超回目瞧了那白衣艷婦一眼，朗朗笑道：「『嶗山三雄』個個草莽凡俗之人，哪能有這等艷福？」

白衣艷婦雖然羞紅泛頰，但仍然不失落落大方神情，莞爾一笑，道：「鮑兄取笑啦！」

何宗輝聽得一臉茫然，忖思一陣，問道：「難道這位女英雄是隨同三位加盟而來的麼？」

鮑超道：「這話對了一半……」話至此處那白衣艷婦已接口說道：「賤妾得胡盟主翼護，隨三位到此避難而來。」

何宗輝怔了一怔，道：「既是如此，快請入谷吧！」

心中卻在暗暗忖道：「盟主怎地這等糊塗？把這樣嬌艷如花的少婦，帶回谷中？」心中雖然疑竇重重，但口中卻是不好多問，搬轉話題，笑道：「這兩位道人……」

王大康大聲接道：「兩個臭牛鼻子老道，都是武當派門下，奉派來探咱們『迷蹤谷』中虛實，被我活捉了來。」

何宗輝望了那兩個道人一眼，道：「鮑兄可查清這兩個道人身分，確是武當派中人麼？」

鮑超道：「看兩人的劍法，聽兩人的口氣，大致不會有錯，但我等並未搜查兩人。」

何宗輝不再多問，吩咐隨來健漢，把兩個道人扛了起來，直向谷中走去。

「迷蹤谷」中千徑交錯，人入此谷，大都要迷失路途，但經胡柏齡選做天下綠林總寨之後，早已在各處要道之上，做了暗記、路標，設下鐵柵、石堡，戒備十分森嚴，谷中之人，只要按照那路標、暗記，出入毫無阻礙，但外來之人，不但要為那縱橫交錯的迷徑所惑，還將被埋伏在谷中暗樁、明卡所阻。

那白衣艷婦一面走，一面暗中打量沿途形勢，但覺道路紛歧，交岔錯綜，無人帶路，實叫人難以辨認。

深入有四、五里路，到了一處山彎所在，轉過山彎，景物忽然一變。

但見一所青石砌成的大廈，矗立廣闊的綠草地上，山花盛放，綠草如茵，一座座背山而建的石屋，環繞在巨廈四周，青竹作籬，蒼松嘯風，構成了一幅悅目的畫面，哪裡像統率天下綠林的總寨？簡直是一處世外桃源，人間天國。那巨廈橫排著一塊巨匾，寫著「義薄雲天」四個大字。兩扇黑漆大門緊緊閉著，難見廳中布設。

何宗輝吩附隨行健漢，把那兩個道人暫時送到大廳旁側的一座石室之中，回頭望著鮑超問道：「依據咱們寨中規矩，凡是初入谷中之人，都該先行拜見盟主，獲允之後，才能留在谷中，眼下谷中之事，分由鍾、霍兩位掌理，自盟主離谷之後，鍾、霍兩位常因代行盟主之權，互不相讓，有一次爭執不下，幾乎當面衝突，幸得夫人出面調解，才把兩人鎮服，不過，這位姑娘已得盟主面允，來此避難，依情而論，似是不必再行拜見鍾、霍兩位代理盟主了。」

那白衣艷婦微微一笑，道：「貴寨既有這種規矩，豈可因賤妾廢禮？」

鮑超笑道：「這麼辦吧！何兄請把這位姑娘面得盟主賜允來谷避難之事，先對鍾、霍兩位陳稟，如能免除最好，萬一不能免除，只好讓她分別拜見兩位盟主了。」

王大康冷哼一聲，還未開口，鮑超已轉頭瞪了他一眼，道：「三弟不可妄自多口。」

王大康只好咳了一聲，嚥下欲待出口之言。

何宗輝略一沉思，道：「咱們先去拜見盟主夫人，由她作主處理如何？」

「鬼諸葛」洪澤微微一皺眉頭，道：「盟主夫人素來不問谷中之事，要她來處理，只怕不大方便吧？」在他心目之中，谷寒香一直是位艷若仙子，但卻少不更事的小婦人，天真爛漫，稚氣未脫，如何能處理谷中之事？

何宗輝微微一嘆，道：「洪兄哪裡知道？自從盟主離谷之後，谷中立時譎波蕩漾，暗潮洶湧，以鍾、霍兩位代理盟主爲首，形成分裂對立之局，迫得夫人不得不出面干涉，她本是一個嬌稚無邪，不通事故的純潔之人，但在內憂重重迫逼之下，居然能夠運籌帷幄，統率全局，如非她出面調統大局，只怕鍾、霍兩位早已拔刀相向了……」

洪澤面現不信之色，但卻不好反駁，瞧了鮑超一眼，默然不語。

鮑超仰天望著無際蒼穹，凝目沉思了片刻，道：「咱們綠林中人，大都狂放自傲，目中無人，唉！除了盟主那等大仁、大智的氣度魄力，只怕當今之世，再難有統領全局之人了……」

他微微一頓，回目一掠洪澤、王大康兩人，說道：「走吧！咱們先去晉謁過夫人之後，再分頭拜見鍾、霍兩位代理盟主。」

九　波譎雲詭

何宗輝轉身當先帶路，向左面山壁處走去。步行十餘丈，到一所竹籬環繞、滿植山花的小院落前。何宗輝面對籬門，恭恭敬敬地抱拳喊道：「『嶗山三雄』遠行歸谷，特來晉謁夫人。」

只聽籬內步履輕響，兩扇籬門，呀然而開，一個滿身素縞的少女當門而立。

何宗輝微微一笑，道：「萬姑娘，夫人在麼？」

素衣少女目光轉動，打量「嶗山三雄」一眼後，目光又投注在那白衣豔婦身上，凝注良久，才低聲答道：「幾位請進來坐吧！」說完，轉身緩步先行。

何宗輝側身讓路，「嶗山三雄」依序而入，白衣艷婦緊隨王大康身後，何宗輝走在最後。

三間客室中，布設得異常簡單，竹几、竹椅外，別無陳設，但卻打掃得纖塵不染。

白衣艷婦目光掃掠了廳中布設一眼，心中暗自嘆道：「天下綠林盟主之尊，竟然是過著這等簡樸的生活，如非親目所見，耳聞到也難以相信。」

但見後壁側角裡，竹簾晃動，慢步走出位淡裝麗人，髮結宮髻，黑色長裙拖地，美麗絕倫的粉靨上，籠罩著一層淡淡的憂鬱，但憂鬱卻掩不住她那天姿國色，奪目艷光，反而多了幾分

嬌弱，備覺動人憐惜。

「嶗山三雄」瞧了一眼，立時垂下頭去，不敢多看，連那渾厚又帶著三分傻氣的王大康，也有些不敢仰視之感。

她身後緊跟著那身穿素縞的少女，姍姍細步，踱入廳中，輕撩長裙，坐下嬌軀。

鮑超欠身離座，垂首抱拳說道：「鮑超、洪澤、王大康，拜見夫人！」

洪澤、王大康應聲離座，齊齊抱拳作禮。

谷寒香緩緩站起身來，笑道：「三位旅途辛苦了，不要多禮啦，快些請坐。」

鮑超依言落座，恭恭敬敬地答道：「有勞夫人垂顧，屬下等愧不敢當。」

谷寒香回過臉去，低聲吩咐那素衣女道：「去倒幾杯茶來吧！」

素衣女應了一聲，慢步而去。

那白衣艷婦看得暗暗奇道：「看她氣度裝著不似僕役下人，難道以天下綠林盟主的夫人之尊，連幾個伺候的婢女、僕婦也沒有麼？」

忖思之間，那素女已手托木盤，分別獻上香茗。

谷寒香美目流轉，掃掠了「嶗山三雄」一眼，問道：「我大哥沒有回來麼？」

鮑超眼觀鼻，鼻觀心，正襟而坐，極力收斂心中雜念，一時之間，想不出谷寒香問的何人？怔了一怔！答不上話。

「鬼諸葛」洪澤趕忙接口道：「盟主和佘兄聯袂到少林寺去，屬下等奉諭先行歸谷。」

谷寒香輕輕嘆息一聲，道：「唉！大哥再不回來，我就要愁死了……」忽然又展顏一笑，接道：「他在外面終日辛苦奔走，我不能隨在身側照顧於他，心中已是不安，如果再不能幫他處理家中之事，那真是沒有用了。」她自言自語，說了半天，別人一句也插不上口。

鮑超待她停了下來，接道：「盟主到少林寺時，曾經交代屬下，護送這位姑娘到咱們『迷蹤谷』來暫住。」

谷寒香轉目望了那白衣艷婦一眼，笑道：「就是這位姊姊麼？」

白衣艷婦欠身福了一福，道：「賤妾得承胡盟主大仁相顧，到此避仇。」

谷寒香笑道：「大哥爲人，心地最是慈善，唉！但卻有很多武林同道，硬說他是壞人，不肯容他；當我和他躲避敵人，終日奔走在深山大澤之中，常常數日吃不到飯，用些水果、野草充飢，那實在是苦得很。」

她微微一笑，又道：「你放心在這裡吧，此地很多綠林高人，你那仇人絕不敢尋來這裡。」

白衣艷婦道：「多謝夫人！」

谷寒香望望那素衣少女，道：「咱們又多一個伴兒了。」

鮑超望了「鬼諸葛」洪澤一眼，道：「夫人，這位姑娘留此之事，不知是否要通知鍾、霍兩位代理盟主一聲？」

谷寒香正待答覆，忽聽竹籬之外響起一個洪亮的聲音，道：「夫人在麼？」

素衣少女笑道：「鍾一豪來啦！」急步奔去，打開籬門，只見一個身著長衫，面蒙黑紗的人，大步走了進來，遙遙對谷寒香抱拳作禮道：「鍾一豪給夫人請安。」

谷寒香笑道：「你來得正好，快些進來坐吧！」

來人正是分代盟主的鍾一豪。此人雖然面罩黑紗，無法看清他真正面目，但如是有著江湖閱歷之人，一望他走路時昂首闊步，下頷微揚的神態，即知此人生性高傲，目空四海。但他一見到了谷寒香後，卻變得十分柔順，一直微微垂首，似是不敢抬頭仰視谷寒香的容色。

「嶗山三雄」齊齊站起身子，躬身作禮。

但見鍾一豪蒙面黑紗微微轉動，停在那白衣豔婦的臉上，問道：「這位姑娘是什麼人？」

鮑超抱拳答道：「盟主行蹤南昌時，遇得這位姑娘，她因相救盟主，激怒師父，當場身受重傷，雖得盟主療救復元，但卻投奔無處，盟主面諭我等，把她送回北嶽『迷蹤谷』中……」

鍾一豪冷笑一聲，接道：「江湖之上，雖然講求心狠手辣，但對師倫一道，卻是較爲重視，她能背棄師父教養授藝之恩，日後還不是照樣能背叛盟主？此等之人，也把她帶回『迷蹤谷』來，豈不是自尋煩惱？」

鮑超微微一皺眉頭，道：「當時盟主面諭，屬下等豈敢不遵？」

那白衣豔婦卓然站在一側，一語不發。

鍾一豪突然上前大聲喝道：「施小惠以圖大謀，豈能瞞得過我鍾某人的雙目？」

舉手向外一招，登時有兩個身佩寶劍的黑衣勁裝大漢，衝入籬門，恭恭敬敬地站在大廳門口，躬身說道：「主人有什麼吩咐？」

鍾一豪一指那白衣豔婦道：「把這婦人押入石牢，但卻不許虧待於她，待盟主返谷之後，再行發落。」

臥龍生 精品集

「嶗山三雄」和她一路同行，沿途考查，發現她不但武功高強，智謀過人，而且生性柔和、嫻靜，一掃對她輕視之心，反而對她十分敬重，一見鍾一豪不問青紅皂白，下令就要拏人，心中都有些氣忿，王大康最是沉不住氣，身子一晃，繞過鮑超，欺身而上，準備出手攔阻那兩個黑衣人。

鮑超右臂一伸，攔住了王大康，低聲叱道：「回去！」

王大康雖然不敢反駁，但也不肯退回，滿臉忿怒之色地望著鍾一豪。

谷寒香本是猶帶幾分稚氣之人，如果遇上她以前未曾經歷之事，常感手足無措，反應甚是遲緩，她看著鍾一豪傳諭手下動手拏人，但一時間卻不知如何處理才對？直待那兩個黑衣大漢奔近那白衣艷婦，將要出手之際，她才突然喝道：「住手，不要動她！」

那兩個黑衣人都是鍾一豪由河北綠林道上帶來之人，除他之外，從不理會別人，故對谷寒香喝叫之言，恍似不聞，同時伸出右手，向那白衣艷婦抓去。

那素衣少女一直站谷寒香身後，冷眼旁觀，一見兩個黑衣人不理谷寒香喝叫，嬌軀一晃，直搶過來，雙手齊出，分向兩入背心之上拍下。

那白衣豔婦一直靜靜地站著未動，兩個黑衣大漢出手抓她，她也恍如未見一般。

素衣少女動作迅快，兩個黑衣大漢尚未抓到那白衣豔婦，她那分襲之勢，已然攻到，迫得兩個黑衣大漢不得不先顧自己之危，同時向旁側跨開一步，讓開掌勢，乍分即合，反臂出手，又同時向那白衣豔婦抓去。

鍾一豪忽然欺身而上，左揮右擊，雙手齊出。但聞「啪啪」兩聲脆響，兩個黑衣大漢，每

人臉上中了一掌。他身法奇快，後發先至，兩個黑衣大漢還未抓到那白衣豔婦，臉上已各著一掌，當堂被震得退了兩步。

兩個黑衣大漢轉目望望鍾一豪，心頭雖甚忿怒，但卻不敢發作，各自撫著傷頰，呆在當地。

鍾一豪冷笑一聲，罵道：「盟主夫人之言，你們也敢不聽？那還得了！還不給我退下？」

兩個黑衣大漢抱掌應命，急步奔出室外。

鍾一豪微緩轉過身去，躬身說道：「既是夫人作主，屬下……」

谷寒香嘆息一聲，接道：「我大哥何等精明，豈能看錯了人？」

鍾一豪道：「盟主神目過人，屬下難及萬一。」

谷寒香笑道：「這就是啦！我大哥要他們帶她來此，絕然不會有錯，你不要再管此事，把她留在我這裡吧！」

鍾一豪道：「這個……」這個了半天，說不出一句話來！

谷寒香道：「我說得不對麼？」

鍾一豪道：「夫人乃千金之軀，豈可把一個素昧平生，來歷不明之人留在身側？萬一出了事情，屬下如何擔當得起？不如把她暫時撥交屬下，派人看管，待盟主歸谷之時，再請盟主裁決。」

谷寒香笑道：「你們男人家，如何看管一個女人……」忽然若有所悟地微微一笑，道：「是啦！你可是喜歡她麼？」她乃毫無城府之人，心中想到之事，就毫無顧忌地講了出來。

鍾一豪面上蒙著黑紗，無法看得出他神色表情，但是他身軀微微顫動一陣，向後連退了兩步，說道：「屬下如有此心，天誅地滅。」

谷寒香聽得微微一怔！嘆道：「是我說錯啦，你不要放在心上……」

鍾一豪道：「夫人不可多心，屬下絕無責怪之意，只是對夫人表明心跡罷了。」

谷寒香道：「她一個孤零女人，交你帶去，甚多不便，還是留我這裡，待我大哥回來再說。」

鍾一豪恭恭敬敬地答道：「但憑夫人裁決，屬下告退了。」說完，轉身大步而去。「嶗山三雄」也一齊起身，抱拳告別。

谷寒香送到室外，欠身笑道：「三位長途跋涉，也該休息了，霍元伽處由我去給他說明。」

鮑超道：「有勞夫人了。」帶著洪澤、王大康，轉身而去。

谷寒香喚過那素衣少女，說道：「你到霍元伽處，告訴他『嶗山三雄』回來的事，就說帶回一位女英雄，被我留下了，要他別再查問此事！」

那素衣少女道：「我要他來見嬸嬸好了。」

谷寒香搖頭說道：「你告訴他一聲算了，我不願見他。」

素衣少女微微一笑道：「霍元伽跋扈得很，叔叔回來後，非得要叔叔教訓他一頓不可！」

谷寒香急道：「可別對你叔叔說，他要知道了，定然十分生氣。」

素衣少女微微點頭道：「好吧！」轉身而去。

谷寒香緩緩踱回客室，那白衣艷婦早已在門口恭候，欠身作禮，笑道：「多承夫人相護，賤妾感激不盡。」

谷寒香伸出雪白的玉腕，拉著她同在籐椅上坐下了，笑道：「姊姊援手救我大哥，我心中也同樣感激不盡，咱們都別客氣了！」她微一頓之後，又道：「姊姊和我大哥相識很早麼？」

白衣艷婦搖頭答道：「南昌初次相見，過去素昧平生。」

谷寒香道：「那你爲甚要救他？」此言問得大是突然，饒是那白衣艷婦智計過人，也不禁被問得呆了一呆！沉吟半晌，才微笑答道：「胡盟主心胸磊落，氣度恢宏，賤妾不忍他死在我師父絕毒的『陰風掌』暗襲之下。」

谷寒香聽她稱頌胡柏齡，忍不住滿腔歡愉，嬌笑接道：「很少有人在我面前稱讚大哥的好處，但他確是世間最好、最好的人，你這般稱讚他，我心中快樂極了……」

白衣艷婦看她笑得如花盛放，豪無牽強做作，心中暗生愧疚，忖道：「像她這般善良多情，天使一般的人，縱然我心慕胡柏齡，一縷情愫，永藏心底，終生不露，也覺難於安心。」

谷寒香忽然收斂了歡愉的笑容，說道：「我快樂得糊塗了，連姊姊姓名也忘記請教？」

白衣艷婦道：「賤妾姓苗雙名素蘭，夫人以後有事呼喚，就叫我蘭兒吧！」

谷寒香道：「你比我大幾歲，我叫你苗姊姊好了……」

苗素蘭道：「這個賤妾怎敢？」

谷寒香道：「這谷中只有我和霞兒兩個女人，你來了多個伴兒，後山流瀑飛泉，有很多美的花兒，過一天我帶你去玩，現在你該休息了。」

苗素蘭道：「夫人待賤妾這等恩情深厚，實叫人不知如何報答？」

谷寒香還未來得及答話，那素衣少女匆匆奔了進來，接道：「霍元伽聽說夫人留下了這位姊姊，冷笑不語，看來他心中似是很不高興？」

谷寒香站起身來，說道：「你幫這位苗姊姊安排一下宿住之所，我去對他說吧！」

苗素蘭站起身來說道：「夫人不必為賤妾之事，親勞大駕，不如由這位妹妹把賤妾送交那位霍代盟主，聽他發落；好在胡盟主近日之內，即將歸來，他要賤妾到此谷中避難，想必早已有了安排賤妾之策了。」

谷寒香微微一笑道：「姊姊請放心吧！霍元伽雖然脾氣暴躁，但他對我說的話，還是不敢不聽，我很快就回來。」轉身出了籬門而去。

苗素蘭輕輕嘆息一聲，望著那素衣少女笑道：「妹妹貴姓？」

素衣少女笑道：「我叫萬映霞！請教姊姊？」

苗素蘭道：「我叫苗素蘭，妹妹一身雪縞，想必是生具愛穿白色了？」

萬映霞黯然答道：「我在替家父戴孝。」

苗素蘭道：「伯父幾時仙逝的？」

萬映霞秀目滾下來兩行清淚，道：「死了幾個月啦！他是被武當派中紫陽道長殺死的。」

苗素蘭道：「紫陽道長？他是武當派當代的掌門人啊！」

萬映霞道：「是啊！他們自稱為武林中正大門派，可是所作所為，倒未必都是正大之事，我要跟著胡叔叔練習武功，日後好替父親報仇。」

苗素蘭暗暗想道：「武當派乃當今江湖上實力強大的門派，足可與少林派分庭抗禮，這報仇之事，豈是容易？」她心中雖然如此想，但口中卻是不肯說出，低聲慰道：「君子報仇，十年不晚，來日方長，妹妹也不必急在一時。」

萬映霞突然仰臉望著屋頂，咬牙切齒地說道：「此仇一日不報，我心中一日難安，我非要親手殺死紫陽道長不可。」她眼睛射出怨毒的光芒，一字一句地說出口來，聽來十分堅決。

苗素蘭暗自嘆道：「武當派實力何等雄厚，這報仇之事豈是簡單之事？你這一生之中，報仇的機會實在是太渺茫了。」但口中卻柔聲勸慰道：「我比你大上幾歲，恕我托大點叫你一聲妹妹了，日後咱們常在一起，姊姊定盡我之能，幫你完成這樁心願，不過眼下千萬不能莽動，要知你那胡叔叔雖然已取得綠林盟主之位，但他只是虛有其名，內憂外患，壓力正重……」她忽然覺到自己身分說出這等之言，有點不大對勁，趕忙改口笑道：「好在妹妹年紀還輕，那紫陽道長十年、二十年中，也不會死，後日正長，咱們從長計議，慢慢的總可想出辦法。」

萬映霞道：「多謝姊姊這等關懷。」

苗素蘭笑道：「我的身世和妹妹大同小異，父母在我尚未成年之時，雙雙拋我而去。」

萬映霞被觸動傷心之處，熱淚滾滾奪眶而出，哭了一陣，神志漸清，拭去淚水笑道：「我該替苗姊姊搭個床鋪啦。」

苗素蘭道：「怎敢相勞妹妹？我自己來吧。」兩人一起動手，剛剛搭好床鋪，谷寒香已緩步含笑而回。

苗素蘭迎了上去，問道：「夫人，那霍代盟主可肯破例相容賤妾麼？」

谷寒香笑道：「他們都看在大哥分上，處處讓我一步。」

苗素蘭微微一笑，櫻唇啓動，但卻欲言又止。

谷寒香道：「你有什麼話，儘管說吧！說錯了也不要緊，我也常常說錯話的。」

苗素蘭暗暗想道：「你當真的一點感覺不到自己是如何的美麗？和那蒙面人對你的情意？」她心中雖然是這樣想，但口中卻微笑道：「我在江湖之上行走，見過千千萬萬的美女，但卻無一人能及得夫人的美麗。」

谷寒香搖頭笑道：「我從不照鏡子，有時大哥也稱讚我長得好看，但好看有什麼用呢？要是我的武功很好，那就可以幫大哥很多忙了。」

苗素蘭沉忖一陣，道：「胡盟主英雄蓋世，豪氣干雲，非夫人這等絕代容色，也難以和他匹配。」說完，黯然一笑，回過身去。她心中早已對胡柏齡暗生情愫，但一見谷寒香後，又深悔不該生此妄念，可是情苗既植，有如春蠶作繭自縛，已是難自遏止。

半日時光，匆匆而過，轉瞬間夜幕低垂。谷寒香親手燒一桌豐盛菜肴，替苗素蘭洗塵接風，三女同桌，邊吃邊談，苗素蘭見多識廣，詞鋒犀利，縱論見聞，風趣橫生，聽得谷寒香、萬映霞，咯咯嬌笑不止。

正在興高彩烈之際，忽聽一個急促聲音，起自籬外，道：「嬸嬸在麼？」

谷寒香放下筷子道：「生兒來啦！」站起身子，向外走去。

萬映霞搶先奔出室門，打開籬門。只見一個全身勁裝，背插寶劍，腰圍軟鞭的少年，匆匆

奔了進來，行色惶急地叫了一聲師妹，急步闖入客室，抱拳說道：「鐘、霍兩位代理盟主，為處置武當兩位道人之事，起了爭執，各不相讓，愈吵愈烈，嬸嬸快去一趟，再晚了恐怕兩人要打起來……」

谷寒香一顰秀眉，道：「他們現在何處？」

勁裝佩劍少年道：「現在聚義廳中，兩人親信手下都已摩拳擦掌，躍躍欲試，情勢劍拔弩張，一觸即發，嬸嬸快些去吧！」

谷寒香嘆息一聲，起身向外奔去。

苗素蘭、萬映霞和那勁裝佩劍少年，緊隨身後，直向聚義廳中奔去。

兩處相距，不過幾十丈遠，四人疾奔而行，眨眼即到。但見廳中燭火輝煌，耀如白晝，正中松木台案之後，站著鍾一豪和霍元伽，兩側群豪分列，不下百人之多，正中四個黑衣健漢，手執鬼頭刀，環圍著被繩索綑綁的道人。

只聽霍元伽大聲說道：「我要殺就殺，出了事，由我霍某擔待。」

鍾一豪冷冰冰的聲音，緊接著響起接道：「武當派乃當今江湖實力強大的門派，和少林分庭抗禮，兩條人命雖然不足重視，但如引起武當派大舉報復行動，事情就要難以處理，盟主即將返回，我看還是把他們押入石牢的好，等候盟主回來，由他裁決。」

霍元伽大聲咆哮道：「鍾兄也是江北道上一時雄主，為什麼這等怕事……」

鍾一豪不容他把話說完，冷笑一聲，接道：「兄弟不是怕事，只是不願替盟主和咱們『迷蹤谷』招來煩惱。」

霍元伽道：「什麼煩惱不煩惱？分明是怕事而已，哼哼！像鍾兄這等婦人之仁，能成什麼大事？」

鍾一豪一掌擊在桌案之上，怒道：「你罵哪個？」

霍元伽道：「罵了你又怎麼樣？」

鍾一豪怒道：「霍兄出口傷人，大概是有些活得不耐煩了？」

霍元伽舉手一拳，迎面擊去，口中怨聲喝道：「咱們試試看是哪一個活得不耐煩了？」

鍾一豪一側身讓開拳勢，反臂一掌「乘風擊浪」拍了出去。

谷寒香已奔到檯案前面，大聲說道：「別打啦！」

霍元伽左腳微一上步，右腳暗中運力，轉身一旋，讓開了鍾一豪反臂劈出掌勢，人卻欺身而上，一掌「直叩天門」平向前胸擊來。

鍾一豪已聽得谷寒香的喝聲，雙肩晃動，向後疾退了三步。

霍元伽卻裝作未聞得谷寒香喝問之言，抬腿向前衝去。

谷寒香急聲說道：「我要你們別打了，你有聽到麼？」

霍元伽目光一轉，望了谷寒香一眼，放下手來，說道：「夫人幾時到了？怎麼不先要人通告一聲，我等也好迎接。」

鍾一豪冷笑一聲，道：「霍兄大概是有了耳病，聽不出夫人的喝問之聲！」

霍元伽抱拳向後退了兩步，恭恭敬敬對谷寒香道：「請夫人上坐。」

谷寒香微微一顰秀眉，回身望了苗素蘭一眼，滿臉茫然無措之色。

苗素蘭秀目一轉，說道：「夫人肩上好多灰塵。」舉步走了上去，藉那拂拭灰塵之機，說道：「夫人請膽大上去，居中而坐，別害怕。」

谷寒香心中原無主意，聽得苗素蘭一說，心中一動，暗道：「對啊！那位置原是大哥坐的位置，我爲什麼不能坐呢？」大步登台，居中而坐。

鍾一豪當胸抱拳說：「屬下鍾一豪，拜見夫人。」他一施禮，隨他同來的江北綠林道上人物，齊齊跟著施禮拜見。這一來弄得霍元伽不得不依樣葫蘆，抱拳作禮，江南、嶺南綠林道上人物，也只好跟著霍元伽行禮，刹那間，一片拜見夫人之聲。

谷寒香生平之中，第一次遇上這樣的事，看群豪紛紛大禮拜見，芳心之中，甚是尷尬，暗暗忖道：「我要該怎麼辦啊？」她呆呆地坐了一陣，才大聲說道：「諸位請起。」群豪紛紛歸座，大廳上立時鴉雀無聲。

谷寒香動人的眼睛緩緩由群豪臉上掃過，目光掠過之處，群豪紛紛低下頭去。

她忽然覺著管理人並不是一件十分困難的事情，他們似乎都很願意聽從自己的話啊？心念轉動，膽氣忽生，居然緩緩站起了身子，高聲說道：「盟主離谷未返，谷中之事原本交由鍾、霍兩位代理盟主處理，但他們常因見解不同，引起爭執，總要我來處理，現在索性由我管吧……」

霍元伽道：「什麼？」

鍾一豪急急接道：「盟主不在谷中，自然推夫人身分最爲尊崇，凡是谷中之人都該聽從夫

人之命。」

谷寒香緩緩轉過臉兒，望了霍元伽一眼道：「怎麼?你不肯聽我的話麼？」

霍元伽一和她目光相觸，立時覺著心神一震，只感那一張絕世無倫的粉臉，豔光照人，秋水般的雙目，滿含著期望的神色，叫人無法推拒，心中一陣迷糊，道：「夫人的話，屬下怎敢不聽？」

谷寒香微微一笑，目注群豪，說道：「你們之中可有不願聽我話的人麼？」

群豪紛紛低下頭去，沉默不語。

苗素蘭心中暗暗笑道：「怎麼可以這樣問呢？」

谷寒香道：「你們都不說話，那是無人反對了？」

鍾一豪欠身說道：「盟主不在谷中，夫人之命，亦即盟主之命，屬下萬死不辭。」

他一說話，群豪齊聲應道：「夫人之命，我們怎敢不從？」

谷寒香笑道：「這就好啦，以後他們兩個人再也不會吵架了。」

群豪聽得個個心中暗笑，但心中卻又甚感高興，暗道：「以後她常常到聚義廳來，我們不是可以常常見到她麼？」

谷寒香沉吟了一陣，緩步走了下來，伸出玉手，解開那兩個道士身上綑綁的繩索，笑道：「你們回去吧!我大哥爲人很好，他回來也要放你們的。」兩個道人似是大感意外，相互望了一眼，大步向外走去。

大廳眾豪，群相愕然，但因是谷寒香親身而放，又不好出手攔阻，百道以上目光，齊齊

投在那兩個道人身上。只見那中年的道人走到門口之時，突然回過身來，說道：「夫人相釋之情，貧道兄弟感激不盡，日後定有答報。」

谷寒香笑道：「不要報答我了，以後別和我大哥作對，也就是了。」

兩個道人同時聽得一怔！隔了半晌，那年長的道人才正容說道：「你大哥是誰？」

谷寒香道：「我大哥就是當代綠林盟主，胡柏齡啊！」

那年長道人側目望望右肩，又緩步走了回來，說道：「夫人還是把我們綑起來吧！」

谷寒香奇道：「爲什麼？」

那道人道：「夫人釋放我們，雖是一片好意，但貧道等不能爲此背叛師命，夫人還是把我們綑起來，等待胡盟主返谷之後再說吧。」

谷寒香心中暗暗想道：「如果我把他們再綑起來，放入石牢之中，等待大哥回來，只怕霍元伽不肯放過他們……」略一忖思，揮手說道：「你們走吧，你們縱然要和我大哥作對，也打他不過。」

那年長道人大聲笑道：「貧道右肩已斷，縱然手有兵刃，也難闖過貴谷中重重攔截，何況赤手空拳？」

谷寒香聽得怔了一怔！才想起那道人話中意，回頭對文天生和萬映霞道：「你們兩人送他們出谷吧！有人攔阻時，就說是我放他們走的。」

萬映霞一顰秀眉，道：「嬸嬸，武當派中沒有好人，把他們殺了算啦！」

她目睹父親被紫陽道人殺死，慘狀記憶猶新，對武當派中之人，恨得刺骨，哪裡還願送他們安全離此?谷寒香一時想不出萬映霞反抗自己的原因，輕輕嘆息一聲，自言自語道：「我送你們走吧！」

兩個道人相互望了一眼，默然垂下頭去。

鍾一豪突然大步走了出來，說道：「夫人千金之軀，豈可隨便行動?屬下送他們去吧！」

谷寒香微微一笑，道：「有勞你啦！」

鍾一豪縱身一躍，人已到大廳出口，回頭對兩個道人喝道：「你們還不拜別夫人趕路，站那裡等什麼?」

兩個道人被他一喝，不自主地對著谷寒香躬身一禮，才轉身相隨鍾一豪身後而去。

谷寒香轉頭望去，只見萬映霞正舉著衣袖，拂拭臉上淚水，便慢步走了過去，問道：「霞兒，你哭什麼?」

萬映霞抬頭說道：「我想到了爹爹慘死之情，忍不住心中悲苦。」

谷寒香沉吟了一陣，說道：「是啦!大哥告訴過我，你爹爹是被武當派中道人逼死的，你看我放了那兩個道人，心中難過，是麼?」

萬映霞道：「霞兒不敢。」

谷寒香道：「一定是了……」她本想說幾句慰藉之言，但一時之間，又想不起該說些什麼才對?呆望了萬映霞一陣，緩步走上木台正中坐下。

霍元伽回顧了谷寒香一眼，說道：「夫人，屬下心中有一點不明之事，不知該不該問?」

谷寒香道：「什麼事儘管問吧!我如答不出來，就等我大哥回來之後再問他吧。」

霍元伽乾咳了一聲，道：「那兩個武當道人已經偷窺了咱們『迷蹤谷』中的秘密，夫人放了他們，豈不是縱虎歸山？」

谷寒香怔了一怔，道：「那該怎麼辦呢？」

霍元伽道：「他們離此不遠，請夫人傳諭下來，屬下親自率人追去，把他們殺了就是。」

谷寒香搖搖頭道：「那怎麼成？我已經說過放他們了……」

她心中雖然想到殺了這兩個武當道人，定會引起甚大風波，但口中卻無法把心中想到之事說了出來，忖思了良久，接道：「我常聽大哥說起，武當派乃當今武林中，實力強大的門派，門下弟子人數甚多，如若咱們把這兩個道人殺了，定要引起他們大舉報復。」

霍元伽道：「武當派和咱們綠林道上人物，素來水火不容，殺了兩個道人和不殺兩人都是一樣。」

谷寒香道：「我瞧還是不殺的好。」

霍元伽臉色一變，似想發作，但他終於又忍了下去，說道：「既然夫人一定要放，那就放吧！屬下身體不適，我要先行告退一步了。」也不待谷寒香答話，回頭就走。

谷寒香愕然地望著霍元伽的背影，不知如何才好，呆呆地坐著發呆。

苗素蘭回過頭去，低聲對萬映霞道：「妹妹，你去告訴夫人一聲，如果沒有事情，今夜之會，就此散了吧！」

萬映霞微一點頭，緩步走了過去，附在谷寒香耳際說道：「嬸嬸，如若沒事，叫他們都回去休息吧。」

谷寒香雖然胸無城府，但對霍元伽告退一事，也感到他是負氣而去，此等情事，她生平從未遇過，心中也不知是氣忿還是羞惱，只感手足無措，不知如何才對？聽得萬映霞一說，立時站起身來，揮手說道：「沒有事啦，你們都回去休息吧！」

群豪相互望了一眼，紛紛步出大廳。

谷寒香輕輕嘆息一聲，自言自語地說道：「我實在太笨啦，什麼事都做不好。」但覺滿腹委屈，湧上心頭，忍不住滴下來兩行傷心淚水。她姿容絕美，世所罕見，此際淚垂粉腮，眉鎖幽怨，更顯楚楚可憐，動人惜愛。

散去群豪，尙未走完，餘下之人，全都爲谷寒香幽傷的神情，引得心頭大慟，刹那間一個個面泛愁雲。

谷寒香用手拂拭一下臉上淚水，緩步向外走去，苗素蘭、萬映霞緊隨身後相護，沿途群豪紛紛退到兩側，讓開大路。

苗素蘭忽然發覺谷寒香一顰一笑，已然在無形之中，征服「迷蹤谷」中群豪之心，如花玉容，當真能醉人似酒。

萬映霞緊走兩步，追到谷寒香身後，說道：「嬸嬸，別傷心了，待叔叔回來時，告訴他這件事，要他好好責罰霍元伽一頓就是。」

谷寒香搖搖頭，回過臉來說道：「這件事如何能告訴他呢？唉！他知道了定然會很生氣。」

萬映霞究竟還是十七、八歲的小姑娘，心中雖想勸慰谷寒香幾句，但卻又不知該說些什麼

才好？思索了半晌才道：「嬸嬸，你如不把霍元伽的事情告訴叔叔，只怕他以後更囂張了。」

谷寒香喃喃自語道：「無論如何，這件事不能讓大哥知道……」她回頭望了萬映霞一眼，道：「自從你叔叔走後，我忽然發現了很多人都不是真的尊敬他，這些人表面上，雖然對他十分尊敬，但心裡卻是很厭恨他，唉！真不知他們安的什麼心？」她長長嘆息了一聲又道：「過去，我和你叔叔終日守在一起，雖然在仇人鐵蹄緊緊追迫之下，但我從未擔過心事，自從他爭得天下綠林盟主之後，不知道為什麼？我忽然開始替他擔心起來。」

說話之間，已到了宿住之處，萬映霞搶前一步，打開籬門，當先走了進去。

苗素蘭雖只來了半日，但她已甚熟悉，自行倒了幾杯茶來，笑對谷寒香道：「恭喜夫人，剛才大會之上……」

谷寒香不容她再接下去，搶先說道：「我愁就要愁死了，姊姊還要恭喜我，不知有什麼可喜之事？」

苗素蘭微微一笑，道：「夫人也許覺著霍元伽含怒退席，是一件十分難堪之事，其實他弄巧成拙，夫人的恩威已深入群豪之心了。」

谷寒香茫然問道：「姊姊，此話從何說起？我怎麼一點也覺不出呢？」

苗素蘭似在索思措詞一般，沉吟了甚久，說道：「沿途之上，群豪紛紛對夫人行禮，難道夫人就看不出來麼？」

她不便坦直說出群豪大都為谷寒香絕世容色所動，只好用話搪塞過去。

谷寒香不善心機，也聽不出苗素蘭絃外之音，但她卻隱隱覺著此事牽扯甚大，非同小可，似乎這班人都在處心積慮，圖謀那綠林盟主之位，當下長長嘆息一聲，站起嬌軀，緩步走入房中。此時，天色已近二更，文天生不便久留，低聲對萬映霞說道：「師妹請善保護嬸嬸，我要走了。」

萬映霞心中撩亂，哪有主意，微一點頭，沒好氣地說道：「你不走，留這裡幹什麼？」

文天生也不放在心上，微微一笑，轉過身去，正待退出，忽聽一陣緊急的鑼聲，遙遙傳來。

谷寒香聽得鑼聲之後，急急地奔了出來，問道：「不是咱們谷中緊急的訊號麼？出了事啦？」

苗素蘭初到不久，谷中各項警訊傳遞的方法，茫無所知，無法接口，萬映霞心中正在感傷父親死難慘事，根本沒有聽清楚谷寒香說的什麼，茫然抬頭應了一聲：「什麼？」

這當兒，文天生已重又躍回室中，急急接道：「不錯，這鑼聲正是咱們谷中緊急的警訊，師妹請留此保護嬸嬸，我去外面察看一下。」

也不待幾人答話，縱身躍了出去，人落庭院一接腳，疾越竹籬而出。

萬映霞口中應了一聲：「知道啦！」急急奔入房中取出佩劍，揹在身上，帶上暗器，低聲問苗素蘭道：「姊姊要用什麼兵刃？」

苗素蘭道：「不勞妹妹費心了，我已帶有兵刃。」

谷寒香側過臉來，望了兩人一眼，道：「你們守在家中吧！我也要出去瞧瞧了。」

走去。

萬映霞道：「那怎麼成？我們隨著婿婿出去，也好相護。」

谷寒香婉然嘆息一聲，瞧了兩人一陣，緩步向外走去。

她心中本有著甚多話要說，但又覺千頭萬緒，無從說起，是以瞧了兩人一陣，緩步向外面走去。

苗素蘭、萬映霞緊隨身後，出了籬門。但見人影閃動，紛紛向前面奔去，四山中已亮起甚多火把。

這時，鑼聲已住，除了山風呼嘯之外，幽谷中又恢復了沉寂。

谷寒香望著四外閃動的火把，自言自話地說道：「看來敵人來了不少，爲什麼四面都燃著火把呢？」

忽見一道火光沖天而起，高升到四、五丈後，突然爆烈，砰然大震聲中，散飛出一片火花，四下亮起的火把，驟然一齊熄去。但聞衣袂飄風之聲，劃空而來，鍾一豪有如天兵降臨一般，突然出現在谷寒香等面前，一身勁裝，腰圍緬刀，蒙面黑紗在夜風中微微飄動。只見他抱拳一禮，說道：「夫人快些請回，夜寒露重，莫要著了風寒。」

谷寒香道：「谷中出了什麼事啦？」

鍾一豪道：「幾個來路不明之人，闖入了三道暗卡，傷了六人，屬下已派人趕往圍抄，生擒伏誅，就見分曉，此等情事，江湖上常常發生，夫人不必爲此掛慮，還是請回去休息吧！」

苗素蘭突然插口說道：「請恕賤妾多口，每道暗卡之中，共有幾人防守？」

鍾一豪沉吟了半晌，答道：「每道暗卡六人替班，每班兩人。」

苗素蘭道：「那就是三道暗卡，六人齊傷，無一人逃得敵人毒手……」

突然鑼聲重起，傳入耳際，而且響聲十分雜亂。

鍾一豪道：「夫人快請回房，屬下親去察看一下，不出頓飯工夫，定有佳音回報。」

聲未絕口，人已縱身而起，凌空飛去，餘音尚在耳際，形蹤已消失不見。

谷寒香望著鍾一豪消失的背影，呆了一陣，回頭問著苗素蘭道：「姊姊，我們要不然也去瞧瞧？」她生平之中雖然經歷過甚多凶險，但每次都和胡柏齡在一起，胡柏齡智勇過人，不論遇到什麼凶險場面，均能鎮靜如常，從容應付，根本用不到她半分氣力，一點心思；時日已久，使她對胡柏齡產生了無比的敬佩之心，覺得他無所不能，不論什麼爲難之事也難不了他，只要和胡柏齡在一起，雖在危機四伏的局面下，也能處之泰然，安之若素。

此刻，胡柏齡遠行未歸，霍元伽、鍾一豪身負代理盟主大任，卻常因細故衝突，致使她不得不出面調理大局，一旦身負重任，立覺手足無措，芳心惶惶，拏不定主意。

苗素蘭微微一笑，柔聲說道：「夫人不必太過憂慮，『迷蹤谷』中這多綠林高手，縱然是少林、武當聯手大舉來犯，也可擋它一陣，何況情勢尚未如此……」

谷寒香嘆道：「要是大哥在家，我心中就不會這樣急了……」

忽聽一陣雜亂的步履之聲，霍元伽帶著「嶺南二奇」等江南、嶺南綠林道上的高手不下二十餘人，急急趕來。

但見「羅浮一叟」霍元伽舉手一揮，隨在他身後的綠林豪客突然散布開來，把谷寒香、苗

素蘭、萬映霞三人圍了起來。

苗素蘭秀眉微微一聳，暗自運功戒備，藉著舉手理髮之勢，輕輕一推萬映霞。

谷寒香面對著此等險惡之局，卻似渾若不覺一般，星目轉動，凝睇在霍元伽臉上，問道：「咱們谷中今夜來了敵人，你知道麼？」

霍元伽冷冷答道：「嗯！不錯。」

谷寒香道：「鍾一豪告訴我，說來人闖過咱們三道暗卡，還傷了六個人。」

霍元伽道：「這個我就不清楚了？」

谷寒香道：「那你爲什麼不去察看一下呢？」

霍元伽道：「什麼……」

谷寒香輕輕嘆息一聲，道：「你雖然和鍾一豪性情不投，但也受了我大哥託咐之重，眼下咱們這『迷蹤谷』中，只有你們兩人武功最好，威能服眾，唉！你們如果不能和睦相處，咱們這谷中之事，那就要亂得一團糟了……」

霍元伽冷笑一聲，還未來得及開口，谷寒香又搶先說道：「鍾一豪已經先察看去了，你去幫幫他吧！」

「羅浮一叟」只覺她言語間，柔和中含蘊了一種使人無法抗拒的力量，當下點點頭，道：「好吧！」

谷寒香看他口中答應，還仍然站著不動，心中甚感奇怪，嘆一口氣，又道：「你既然答應了我，爲什麼還不快些去呢？」

「羅浮一叟」「啊」了一聲，轉身緩步而去。

圍在谷寒香四周之人，眼望霍元伽掉頭不顧而去，茫然不知所措；「嶺南二奇」相互望了一眼，正待先行出手，忽見谷寒香星目轉動，掃了四周群豪一眼，說道：「你們都去吧！」聲音柔和婉轉，悅耳至極。

圍守在四周的人，都聽得爲之一怔！只覺她那柔和的聲音之中，似是含蓄了無比的信任和威嚴，叫人無法抗拒，不自主地一起轉過身子，緩步而去。

只有「嶺南二奇」仍然站著不動，臉上泛現出一抹殺機。

谷寒香茫然地瞧了兩人一眼，直對兩人走了過去。

萬映霞一顰柳眉，反手握住劍把，正待趕去相護，卻被苗素蘭拉住衣角，輕輕一扯。

「嶺南二奇」眼看谷寒香毫無戒備地走了過來，倒是大出意外，一時之間，怔在了當地，不知該是否藉機出手？

谷寒香走近到兩人身前，輕輕嘆息一聲，道：「你們兩人有話對我說麼？」

「嶺南二奇」愕然相顧一眼，齊齊「啊」一聲。

谷寒香道：「什麼話？請說吧！」

「嶺南二奇」呆一呆，道：「沒有什麼！夜寒露重，夫人要多多保重身體，幾個無名小卒，闖入谷中，算不得什麼大事，夫人請回休息，靜候佳音。」說完話，轉身疾向前谷奔去。

谷寒香高聲說道：「我大哥不在谷中，你們多辛苦啦！」

遙聞「嶺南二奇」相謝道：「多謝夫人了……」餘音未絕，人蹤已杳。

苗素蘭眼看著一場即將爆發的凶險，竟被她這樣輕而易舉地消弭於無形之間，心中暗道：「好險！好險！」

但見谷寒香轉過身子，走了過來，說道：「姊姊，咱們要不要趕往前面瞧瞧？」

苗素蘭心中暗想，霍元伽等既然有了殺她之心，隨時隨地就可以動手，眼下前山正在混亂之中，去了實有甚多不便之處，倒不如回去躲在房中的好。

她閱歷豐富，智計過人，短短一日相處，她已看出谷寒香是個毫無心機之人，當下說道：「咱們還是回去吧！有那樣多人趕往察看，縱然來的敵人甚多，也不要緊，咱們去了，也幫不上忙呀？」

谷寒香沉思了一陣，道：「好吧，咱們回去吧。」轉身朝屋中走去。

苗素蘭、萬映霞緊隨身後相護，三人重又返回。

谷寒香滿懷憂慮，坐在客室之中，默然不言。她心中從未想過這樣多事情，只感千頭萬緒紛至沓來，腹中千萬語，不知先說哪句才好？

苗素蘭低聲說道：「夫人，咱們把燈火熄去好麼？」

谷寒香奇道：「為什麼呢？」

苗素蘭看她滿臉憂苦之情，不忍把心中所想之事，直說出來，微微一笑道：「咱們把燈光熄去後，靜靜地坐在這裡，可以好好的想想心中的事。」

谷寒香本來沒有這意思，聽完之後，點點頭道：「好吧！把燈火熄去，靜坐著想想心事倒是不錯。」羅袖一拂，熄去燈光。

苗素蘭突然輕輕一拉萬映霞的衣袖，附在她耳際說道：「妹妹，我想那霍元伽既有了傷害夫人之心，絕不願放過今宵，咱們熄去燈火，躲在房中，或可蒙騙他們一時，但時間絕不會長久，爲了夫人安全，不得不早做準備，妹妹追隨夫人時日已經很長，不知是否知道眼下谷中，有幾人忠於盟主？」

萬映霞道：「胡叔叔在谷中時，嬸嬸從不過問谷中大事，是以谷中情勢真相，只怕嬸嬸也不太清楚了……」她沉吟了一陣，又道：「據我所知，只有『江北五龍』可靠一些，他們當年久隨盟主，彼此情義深重，好像還是胡叔叔的結義兄弟。」

苗素蘭道：「那是最好不過了，妹妹可知道他們宿住之處麼？」

萬映霞道：「知是知道，不過胡叔叔臨去之際，派他們率人在谷外巡查，除了今日那位送姊姊來的何宗輝之外，已很久沒有見過他們了。」

苗素蘭道：「難道除了五龍之外，盟主就再沒有親近之人麼？」

萬映霞道：「這我就不知道了？」

苗素蘭道：「那我只盼他早些回來了。」

萬映霞道：「你說胡叔叔？」

苗素蘭道：「不是，我說的是面蒙黑紗的鍾一豪。」

萬映霞道：「他來了有什麼用？那人冷傲怪僻，只怕也非胡叔叔的親近之人！」

苗素蘭道：「他雖然冷怪，爭雄奪權之上，或許會和盟主衝突，但他絕不致傷害夫人。」

萬映霞奇道：「他和霍元伽各擁實力，相鬥甚烈，兩人只怕都有傷害夫人之心，相謀盟主之位。」

苗素蘭道：「個中之機，十分微妙，我一時之間，也無法給你說得清楚……」

萬映霞忽然若有所悟地「啊」了一聲。

她們兩人談話聲音，本來十分低弱，谷寒香雖然坐在兩人附近，但並未聽到兩人談些什麼？一來因她毫無心機，雖在十分危險的境遇之中，仍不知用心去聽別人隱秘。

直待萬映霞「啊」了一聲，她才如夢初醒般，問道：「你們兩人在談什麼事，我可以聽聽麼？」

苗素蘭連道：「我們在談鍾、霍兩位代理盟主，怎麼格格不入？每時、每事，無不在爭執吵鬧之中？心中甚覺奇怪……」

谷寒香道：「大哥在谷中時，卻從未見兩人吵過……」

苗素蘭忽然舉起手來，迅快無比地堵住谷寒香櫻口，低聲接道：「夫人，不論聽到什麼說話，都別出聲，由賤妾和萬姑娘對付他們！」

谷寒香嘴巴被堵，無法答話，只好點頭作答。

只聽一陣沉重的步履之聲，傳了過來，似是已有人進了竹籬，到了屋外。

萬映霞、苗素蘭，都已暗中運功戒備，手中扣著暗器，谷寒香卻圓睜星目，望著那兩扇室門。只聽門口響起了一個沉重的聲音，道：「夫人在麼？」

谷寒香正待開口，卻被苗素蘭搖手阻住。

但聽兩扇室門呀然大開，一個勁裝佩帶著兵刃之人，大步衝了進來。

苗素蘭一振玉腕，突然飛出一條白絹，直向那衝入室中的大漢擊去。

她手中白絹還未擊中那人，谷寒香似已看出來人是誰，大聲喝道：「快停手啦！」忙站起身子奔了過去。

苗素蘭一挫腕收回擊出白絹，道：「夫人！這人是誰？」雙肩一晃，搶先奔了過去。只見那進門大漢，踉蹌移動兩步，突然跌倒了。

萬映霞似乎是亦看出了來人是誰，驚叫一聲奔了過去，探臂扶起那跌倒之人。

苗素蘭覺得情勢不對，晃燃火摺子，點起燈火。

凝目看去，只見一個四旬左右的大漢，面色慘白，緊閉雙目，嘴角間鮮血汩汩而出，分明是被人用內家重手法所傷。

苗素蘭低聲問道：「這人是誰？」

萬映霞道：「我剛和姊姊談起的『江北五龍』，這人就是五龍之一的『入雲龍』錢炳。」

谷寒香緩緩舉起手來，兩行清淚順腮而下，用衣袖抹去錢炳嘴角間的血跡，柔聲問道：「錢兄弟，什麼人打傷了你？」

她一連問了數聲，仍不聞錢炳回答之聲。

苗素蘭輕輕嘆息一聲，道：「夫人，他傷得十分慘重，已是奄奄一息，快些把他放下休息一下，賤妾略通醫道，看看是否能使他保得一口真氣……」

谷寒香道：「大哥醫道精深，只要沒有絕氣，他都有能救得，唉！可惜他不在谷中！」

萬映霞緩緩把錢炳放在地上，苗素蘭蹲下身子，伸出纖纖玉手，在錢炳身上推拏起來。大約有一盞熱茶工夫，錢炳氣息忽然轉重。

苗素蘭已累得滿頭大汗，低聲對萬映霞道：「妹妹，快點倒一杯熱水，讓他服下。」雙手突然加速，推拏他前胸三穴。

但聽「入雲龍」錢炳長長吁了一口氣，忽然睜開雙目，滿臉痛苦之情，望著谷寒香道：「夫人……」

剛剛叫出「夫人」二字，室中微風颯然，燭光搖顫復明，面蒙黑紗的鍾一豪突然出現廳中。此人來得甚出幾人意外，室中諸人無不被嚇得微微一怔！

苗素蘭長長吸一口氣，站起了身子，說道：「鍾代盟主功力深厚……」

鍾一豪不容她把話說完，已接口說道：「醫術一道在下毫無素養……」

口中雖然在謙遜，但人卻緩緩低下頭去，似在察看錢炳的傷勢。

谷寒香輕輕嘆息一聲，道：「可憐他連被何人打傷經過，都不能講啦！」

鍾一豪蹲下身去，伸出右手，一把抓在錢炳右腕，暗中運集真氣，右腕一抬，錢炳突然翻了一個轉身，由仰面而臥，變成伏地而臥。

谷寒香吃了一驚！問道：「你要幹什麼？他已經受了很重的傷啦！你還要這般對他……」

鍾一豪左掌舉了起來，迅快異常地在錢炳背上拍了三掌，縱身退開。

說也奇怪，錢炳被鍾一豪在背上拍了三掌，忽然一個轉身，坐了起來，他緩緩移動目光，把室中諸人打量了一遍，道：「夫人，大哥回來之後，要他別再戀棧綠林盟主之位……」

話至此處突然一陣急咳，噴出來四、五口鮮血。

鍾一豪冷森森地問道：「錢炳，提住一口氣，把話說完再死。」

谷寒香心地純善，目睹錢炳臉上痛苦之色，又不禁流下淚來，從懷中摸出一條雪白的手帕，拂拭去他口角邊的血跡。

只聽錢炳重重地喘息一聲接道：「我內腑已被震得支離破碎，只怕……難再……撐得下去……了……」

鍾一豪大聲喝道：「是什麼人打傷了你？」

錢炳雙目已自閉上，聽得鍾一豪大喝之聲，突然重又睜開，斷斷續續地說道：「是一個……」忽聞一急風，撲入室中。

鍾一豪身子忽然向旁側跨了一步，反臂拍出了一掌。

只聽一個沉重聲音喝道：「鍾兄怎麼出手就要傷人？」一股暗勁，迎面撞來。

鍾一豪冷哼一聲，向後退了兩步，那人也被鍾一豪反臂劈出的一股強猛掌風，震得跨進室門的左腿，重又退了出去。

這時，谷寒香、苗素蘭等都已看清楚了來人正是「羅浮一叟」霍元伽。

但見霍元伽身子微微一停之後，重又舉步跨進門來。

鍾一豪突然疾進兩步，一把抓住錢炳的手臂，提了起來，問道：「是哪一個傷了你？快說呀！」

他一連問了數聲，仍不聞錢炳答覆之言，探手摸去，竟已氣絕而死。

谷寒香突然向前奔了兩步，舉手一掌，拍了出去。

但聞砰然一聲，鍾一豪臉上著了一記耳光。

這一掌打得甚是著實，鍾一豪竟然被打得晃了一晃，因他臉上蒙面黑紗，無法看清他神色如何，只見他緩緩放下錢炳，說道：「夫人，屬下有什麼不對麼？」聲音平和，毫無怒意。

谷寒香有生以來，第一次這般出手打人，打完之後，心中甚是不安，默然垂下頭去，連看也不敢看鍾一豪一眼。

直待聽到鍾一豪相問之言，才抬起頭來，說道：「他已經身受了極重的內傷，你還要那般地折磨於他……」

耳際間響起了鍾一豪爽朗的笑聲，道：「這個屬下怎敢，他實是受了極重之傷，已非任何藥物能救，我以本身真氣拍擊他身後三大要穴，使他即將散盡的真氣，同聚於丹田之中，原想讓他藉此一點迴光返照之力，說出被傷經過，哪知竟然未能如願？唉！屬下舉動莽撞，事先未能對夫人說明，也難怪夫人誤會了！」

霍元伽忽然冷笑一聲，抬頭望著鍾一豪，滿臉輕蔑不屑之色。

谷寒香本已相信了鍾一豪解說之言，但聽得霍元伽冷笑之聲，心中突然又生了懷疑之念，眨眨動人的眼睛，嘆道：「要是大哥在這裡，我就用不著用心去想這件事了！」

苗素蘭道：「夫人！鍾代盟主說得不錯。」

鍾一豪回頭望望霍元伽，冷冷道：「霍兄冷笑什麼？」

霍元伽道：「兄弟的事，鍾兄也要過問，不覺著管得太多點麼？」

鍾一豪怒道：「霍兄早不笑，晚不笑，怎麼剛好在兄弟說完話時，冷笑起來，不知是何用心？」

霍元伽臉色一變，雙目中暴射出惡毒的光芒，緩緩逼了過來，慢慢舉起右掌。

鍾一豪低聲說道：「夫人快請閃開。」一提丹田真氣，雙掌平胸戒備。

谷寒香心頭大急，高聲叫道：「不要動手。」

急奔過去，站在兩人之間。

霍元伽臉上閃掠過一抹殺機，冷森森地說道：「夫人不肯讓開，屬下萬一收勢不住傷了夫人……」

突聽一個威嚴洪亮的聲音，起自室外，接道：「萬一傷了她，你覺得該怎麼辦好？」

谷寒香一聽那聲音，已知是什麼人，急急叫道：「大哥！你終於回來了，唉！你要再不回來，我就要愁死了。」

霍元伽收了掌，回頭望去，只見胡柏齡滿臉風塵之色，緩步進了室門。

谷寒香急步迎了上去，說道：「大哥！錢兄弟死啦，你如早回來半個時辰，他也許就不會死了。」

胡柏齡伸出右臂，扶住了谷寒香的嬌軀，目光投注在錢炳的屍體之上，黯然問道：「他死了多久啦？」

苗素蘭插口接道：「不足一刻工夫。」

胡柏齡蹲下身子，伸手在錢炳胸前摸了一陣，說道：「沒有救了！」

重又緩緩站起，回頭望著霍元伽、鍾一豪道：「擊鼓召集兄弟們，我有要事宣告。」

鍾一豪抱拳一禮當先退了出去，霍元伽卻站在原地不動，沉吟了良久說道：「今夜咱們『迷蹤谷』中來了強敵，連闖四道暗卡，傷了一十二位兄弟。」

胡柏齡道：「知道了。」

霍元伽又道：「屬下率人趕去，曾和來人對了一掌，彼此竟然勢均力敵，難分勝負，大概強敵見我後援高手趕到，和屬下對這一掌之後，抽身逸走。」

胡柏齡「嗯」了一聲，沒有追問。

霍元伽頓了一頓，又道：「對方輕功火候造詣甚深，去勢如電，屬下追之不及。」

胡柏齡笑道：「霍兄可曾看清敵人裝束麼？」

霍元伽道：「來人似早已有備，和屬下對掌之人身著長衫，頭包黑巾，叫人無法看出年歲、面形……」

他微一停頓之後，又道：「不過當下武林之世，除了幾個自詡正大門派中人之外，綠林道上高手，大都在盟主統率之下，一、二漏網高手，亦必是盛名甚著之人，屬下縱然沒有見過，亦必聞名甚久了，此等之人來咱們『迷蹤谷』，其志亦在盟主之位，大可堂堂正正找盟主一較長短，絕不致暗中偷襲，故而屬下推斷今日來襲強敵，必是自詡正大門派中人。」

胡柏齡道：「推論之言，頗有見地……」

霍元伽朗朗笑道：「屬下之言，絕非無的之矢……」

胡柏齡搖手阻止他再說下去，接道：「目下大事正多，霍兄還是先行退下，待會兒聚義廳中再談不遲。」

霍元伽面不改色地微微一笑，抱拳告退。

萬映霞瞧著霍元伽背影去遠之後，說道：「此人跋扈囂張，只怕另有陰謀？」

胡柏齡輕輕嘆息一聲，道：「幸得我預感到谷中有事，日夜兼程趕了回來……」

谷寒香輕輕嘆息一聲，道：「自從大哥走後，鍾、霍兩人大有水火互不相容之勢，事無大小，必起爭執……」

胡柏齡微微一笑，道：「此事早在我意料之中，倒是想不到他們竟敢明目張膽地出手相搏……」

他心中愁慮千端，但卻不願多增嬌妻煩惱，微一沉吟，接道：「這幾日來，你們受了甚多煩惱，早些休息吧，我還有事情要辦……」

苗素蘭倒了一杯香茗送了過來，說道：「盟主滿臉風塵，隱隱現出倦容，如果事情可以稍微延緩，明天再召集他們不遲？」

胡柏齡接過茶杯，吃了一口笑道：「不要緊，你們都去睡吧！」

谷寒香突然舉步走了過來，和他並肩坐下。

胡柏齡甚感嬌妻動作突然，不禁回過頭去望了她一眼。

只見谷寒香流下兩行淚水，說道：「大哥，你這綠林盟主之位，別幹了吧？這幾天來，我常想到很多凶險之事，心中害怕極了。」

胡柏齡低聲慰道：「你怕什麼？可是覺著霍元伽要背叛我？」

忽聽三聲鼓響，遙遙傳入耳際。

胡柏齡站起身來，輕撫著嬌妻秀肩說道：「回房去休息吧！我去去就來。」

隨手抱起「入雲龍」錢炳的屍體，直向聚義廳中走去。

大廳中早已點燃起二十四支兒臂粗的巨燭，照得滿室通明。

胡柏齡長長吸一口氣，登時精神大振，大步走入廳中，放下錢炳的屍體，走向盟主之位。

鍾一豪首先抱拳作禮，江北群豪紛紛行禮參見。

胡柏齡虎目放光，冷冷地望了霍元伽一眼，霍元伽立時垂首抱拳，高聲說道：「拜見盟主。」

胡柏齡一揮手，道：「罷了。」

霍元伽道：「屬下有事啓報。」

胡柏齡道：「可是爲了釋放那兩位武當道人的事麼？」

霍元伽怔了一怔，道：「盟主神目如電……」

胡柏齡微微一笑，接道：「霍兄領袖嶺南群豪，一向唯我獨尊，此次屈居兄弟之下，心中只怕常存著一股不服之氣？」

霍元伽目光緩緩由「嶺南二奇」臉上掃過，道：「屬下不敢。」

胡柏齡笑道：「霍兄如想代兄弟出掌盟主之位，眼下倒有一個大佳的機會。」

霍元伽怦然心動，忍不住脫口問道：「不知什麼機會……」話出口，方知失言，趕忙住口

不言。

胡柏齡神態輕鬆，朗朗大笑道：「明晨午時，有人到咱們『迷蹤谷』中相訪，霍兄如能勝得那人，兄弟甘願以盟主之位相讓，而且立時攜眷遠走。」

霍元伽對年前比武敗在胡柏齡手中一事，心中始終存著一股不平之氣，聽胡柏齡口氣認真，似非虛言，當下反問道：「如若屬下不能勝得來人，不知該受何等責罰？」

胡柏齡突然一整臉色，滿臉莊嚴地說道：「如你不能勝人，從今之後，就該循規蹈矩，少生妄念。」

霍元伽臉色微微一變，道：「想那來人定然是盟主知交故友了？」

胡柏齡冷笑一聲，道：「如你出手不勝，本座再出手給你開開眼界，免得你心中對年前爭奪盟主之戰，敗得不服。」

霍元伽冷哼一聲，緩緩向後退了兩步，垂下頭去。

胡柏齡目光環掃了廳中群豪一眼，站起身，步出盟主之位，走到錢炳屍體之前。

聚義廳上群豪的目光，一齊投注在胡柏齡身上。

只見他伏下身去，一手把錢炳的屍體托了起來，說道：「諸位請看他是被什麼武功所傷？」聲音低沉，充滿著悲傷。

鍾一豪當先走了過去，仔細地在錢炳身上瞧了一陣，道：「屬下之見，似被大力金剛掌或小天星重手法所傷。」

胡柏齡淡淡一笑，默然不語。

江北群豪緊隨鍾一豪身後，緩步而過，看了一遍，但卻再無人提出錢炳被傷的意見。

「羅浮一叟」霍元伽待鍾一豪率領江北群豪退下之後，才緩步走了過去，仔細在錢炳身上瞧了一陣，道：「屬下之見，和鍾兄不同，錢兄似是被武當派中綿掌之類的武功所傷。」

胡柏齡輕輕放下錢炳屍體，吩咐廳中值班健漢，道：「你們把他屍體，先用白綾包起，置放在聚義廳上，暫時不要掩埋。」說完，緩步又走回盟主之位。

四個黑衣佩刀健漢，依言把錢炳屍體抬了下去。

胡柏齡目光環掃大廳一周後，面容十分莊嚴地說道：「兄弟承蒙諸位抬愛，推選為盟主之尊，原想借重諸位之力，做出一番事業，一洗我們綠林道被人視為盜匪之辱，哪知時不我與，眼下咱們『迷蹤谷』中，即將掀起一場滔天風波。」

他輕輕嘆息一聲，接道：「天下綠林豪雄，聯手結盟，就實力上說，並不輸於眼下江湖上實力強大的門派，但咱們卻不能見容於武林各正大門戶，以少林、武當兩大門派為首，已對咱們『迷蹤谷』中的一舉一動，留上了心，不但暗中派遣弟子偵察咱們谷中動靜，而且還有興師監視之舉。」

鍾一豪朗朗接道：「少林、武當兩派，自恃人多勢眾，經常在江湖上和咱們綠林中作對，在下之見，倒不如藉機和他們大幹一場，舊恨新仇，一起做個了斷。」

胡柏齡微微一笑，道：「少林、武當兩大門派，在江湖上雖然獲譽甚隆，但還不足動搖咱們『迷蹤谷』中基業，眼下倒是有一件更為重大之事，對咱們『迷蹤谷』的存亡威脅甚大。」

霍元伽道：「不知什麼重大之事？還請盟主明白相示。」

胡柏齡回頭望了霍元伽一眼道：「霍兄出道甚早，不知是否知道『陰手一魔』其人？」

霍元伽沉忖了良久，道：「『陰手一魔』似是聽人說過！」

胡柏齡道：「霍兄既聽人說過『陰手一魔』其人，想必也聽人提過酆秋其人了！」

霍元伽仰臉思索了半晌，緩緩說道：「可是四十年前譽滿江湖，被人稱做『神杖翁』的麼？」

胡柏齡道：「不錯，正是此人。」

霍元伽臉色忽然大變，身子微一顫動，說道：「如若此人還活在世上，這綠林盟主之位，自是非他莫屬了。」

胡柏齡淡然一笑，道：「霍兄一向自負甚高，不知何以一聽『神杖翁』酆秋之名，竟是這等畏懼？」

霍元伽只覺臉上一熱，垂下頭去，默然不言。

胡柏齡突然提高了聲音，意氣豪壯地說道：「以酆秋爲首的幾個退隱已久的老魔頭，近日已重現江湖，如若他們單是爲綠林盟主之位而出，兄弟自當拱手相讓，不過，他們重出江湖的目的並非是只爲了綠林盟主之位……」

他微微一頓後，又道：「從今夜三更開始，咱們這『迷蹤谷』中，開始嚴密戒備，不論何人，未得本座允准，不能擅自出入，違者一律處死。」

最後一句話，字字如金石相擊，鑽入群豪耳中，武功稍弱之人，聽得心頭怦然一跳。

他生相本就威武，顧盼之間，已是神威懾人，此刻虬髯怒張，目光如電，目光所到之處，

群豪紛紛低下頭去。

胡柏齡目睹群豪盡爲自己神威所懾，緩緩坐了下去，說道：「鍾兄請就所屬之中，選出二十個武功高強之人，負責巡視全山，接近各處明卡、暗樁，一得警訊，立時趕往現場馳援。」

鍾一豪躬身抱拳說道：「屬下敬領面諭。」

胡柏齡目光轉投到「嶺南二奇」身上，道：「兩位就嶺南高手中，各選五人，駐守谷口，凡是入谷之人，一律要他們投柬求見，如若遇上不願投柬之人，兩位就放手攔住，格殺勿論。」

「嶺南二奇」躬身應命。

胡柏齡又轉臉望著「嶗山三雄」說道：「三位請代本座掌理刑規，凡見有背叛四大戒律之人，一律就地格殺！」

「嶗山三雄」齊齊抱拳說道：「屬下領命。」

胡柏齡突然提高了聲音，道：「明日午時，各位一律佩帶兵刃，在聚義廳中相會，除了原派各處的明卡、暗樁之外，一律在午時之前撤回聚義廳中待命。」

霍元伽忽然抱拳說道：「盟主何以不派屬下職司？難道屬下武功不足以勝任繁重麼？」

胡柏齡微微一笑，道：「本座一向視霍兄、鍾兄爲左、右二臂，是以離谷之時，才把谷中大事，盡託付兩位，不過霍兄明日午時要和人動手，如果本座派付職司，恐怕有分霍兄精神，今宵請好好休息一夜，本座預祝明日旗開得勝，馬到功成，本座也好以綠林盟主之位相讓他不待霍元伽答話，舉手一揮，道：「散會啦。」大步向廳外走去。

群豪目睹胡柏齡背影消失之後，才紛紛離開大廳散去。

半宵時光，匆匆而過，次晨午時不到，胡柏齡佩帶劍、枴，趕到聚義廳上，群豪大都已到，個個佩帶著兵刃，大廳上一片肅殺之氣。

霍元伽腰扣蛇頭軟鞭，全身勁裝，精神飽滿，看來昨夜已經運功調息。

胡柏齡步入大廳，群豪紛紛抱拳致敬，胡柏齡一面頷首作禮，緩步走上盟主之位。

片刻工夫，鍾一豪帶著二十名江北高手，也趕到聚義廳上。

此人還是一襲長衫，面蒙黑紗，腰中扣著細鐵軟刀，大步走到木案之前，抱拳說道：「託盟主神威洪福，昨夜中各處明卡、暗樁，均無事故發生。」

胡柏齡微微一笑，道：「鍾兄多辛苦了。」

餘音未絕，忽見「嶺南二奇」中「搜魂手」巴天義急步奔入大廳之中，雙手捧著一個大紅簡，恭恭敬敬地遞到胡柏齡手中。

胡柏齡單手接過，拆開一瞧，笑道：「帶他進來吧！」

巴天義應了一聲，翻身急步而去。

胡柏齡側著臉望了霍元伽一眼，笑道：「來了，霍兄請拏去過目。」

「羅浮一叟」接過紅簡一瞧，只見上面寫道：

……」

晚進師弟張敬安叩

不禁一皺眉頭，道：「此人當真是盟主師弟麼？」

胡柏齡微微一笑，道：「天下武功，原本一家，此人和師門又有一些淵源，自稱師弟，勉可說得過去。」

霍元伽道：「如若此人當真是盟主師弟，屬下就不敢和他動手了，萬一失手傷損到他，豈不愧對盟主？」

胡柏齡搖頭說道：「相搏之時，霍兄但請放手施爲，只要霍兄能夠勝他，傷死不論，怕的是霍兄爲對方所傷……」

霍元伽吃胡柏齡拏話一激，登時滿臉怒意，冷笑一聲，道：「盟主放心，屬下今日如不能勝得來人，也無顏生見……」

胡柏齡重重地咳了一聲，打斷了霍元伽未完之言，接道：「勝敗乃江湖常事，霍兄不必許誓立諾。」

大廳上重歸沉寂，聽不到一點聲息，肅然中更顯得殺氣騰騰。

大約有一頓飯工夫之久，「搜魂手」巴天義、「拘魄索」宋天鐸，帶著一個三旬左右的中年人，緩步入廳。

來人一身天藍長衫，看去十分文弱，但氣度卻很沉穩，目光環掠大廳一周之後，直對正

中木案走了過去，相距五步，停下身軀，抱拳一禮，說道：「師兄鴻圖大展，身膺天下盟主之尊，小弟長居深山，直到今日，才遲遲趕來恭賀，尚望師兄大量海涵。」

胡柏齡冷然一笑，道：「咱們師兄弟十餘年沒見了吧？」

來人恭恭敬敬地答道：「十二年零三個月。」

胡柏齡道：「你千里迢迢趕來此處，可只是爲了向我祝賀麼？」

來人淡淡一笑道：「除了恭賀師兄之外，倒是還有一事相求。」

胡柏齡道：「什麼事說吧！」

那文弱中年目光環望了四外群豪一眼，道：「請師兄移駕一處祕密所在……」

胡柏齡冷冷接道：「全廳中人俱是小兄心腹，有話請說不妨。」

那文弱中年微微一皺眉頭，緩緩從懷中摸出一個錦緞包著的拜匣，道：「家師有一份薄禮，特命小弟送呈師兄過目。」

胡柏齡接過拜匣，打開錦緞，裡面果然有一個八寸長短，四寸寬窄的紅漆木匣，胡柏齡望了那木匣一眼，並不立時打開，淡然一笑，又問道：「除了這木匣之外，想必另有書信了？」

那文弱中年答道：「家師交與小弟這個拜匣，別無他物，如有書信，想必已裝入木匣中了。」

胡柏齡道：「這麼說來，是非讓小兄打開拜匣之後，才能知得內情了？」

那文弱中年目睹胡柏齡冷漠神情，心中似也動了怒意，臉色微微一變，道：「師兄這等多疑，不覺著有傷長輩的尊嚴麼？就是兄弟看來，也覺著寒心的很。」

胡柏齡淡然笑道：「尊長之輩給晚輩送禮之事也是天下少見的事，如何不讓小兄多心？」

那文弱中年突然一抬右腳，飛上木台，舉手一抓搶這木匣，笑道：「師兄既然這等多疑，小弟替你打開吧！」

右手托著匣底，左手打開匣蓋。但見一片寶光，耀目生輝。

木匣中滿裝珠寶，似乎大出了胡柏齡意料之外，微一沉吟，舉手接過木匣。

凝目望去，只見那木匣中除了八顆明珠之外，還有一個翠色玉瓶，和一封大紅函簡，封套之上，寫著：

袖呈北嶽迷蹤谷胡盟主柏齡親拆

那文弱中年望著胡柏齡微微一笑，道：「家師函簡，要不要小弟代爲拆封？」

胡柏齡默然不語，取過封簡，只見上面寫道：

目下武林形勢，以少林、武當最為猖狂，余雖已息隱數十年不問江湖是非，但連年頻聞兩派諸多凶殘惡跡，深為痛絕，為我綠林道求一席立足之地，及幾位好友苦苦勸求，決計重出道山，一挫少林、武當凶燄。

欣聞汝獨敗天下綠林豪雄，奪得盟主之位，特派安兒送上薄禮一份祝賀，望於接函之後，立即傳諭下屬，宣布余出山之事，七月七日，鵲橋之喜，余當親往迷蹤谷一行。屆時當大出天下綠林群豪，問罪少室峰前，以洗我綠林道上數十年受挫之辱。
諭函布達，望早做準備。

師叔 酆秋手筆

胡柏齡看完之後，隨手放入袋中，目光突然轉投到錢炳的屍體之上，冷冷問道：「師弟請看那人，可是你傷的麼？」

那文弱中年望望錢炳屍體點點頭道：「不錯！」

胡柏齡回頭望了霍元伽一眼，道：「師弟可知小兄這『迷蹤谷』是什麼地方麼？」

那文弱中年微微一笑，道：「小弟縱然愚拙，也知師兄的『迷蹤谷』乃天下綠林總寨。」

胡柏齡突然一聳雙眉，圓睜虎目，怒道：「你既知我這『迷蹤谷』乃天下綠林總寨，爲什麼膽敢出手殺人？」

張敬安淡淡一笑，道：「俗語道：『出手不留情！』，小弟如不殺他，他便要殺了小弟，我豈不白白送了一條人命，連師兄之面也難見到？」

胡柏齡道：「好一個出手不留情！你敢在我『迷蹤谷』內傷人，心目中哪裡還有我這個師兄？師弟既知出手不留情，想必知道『欠債還錢，殺人償命。』兩句話吧！」

張敬安冷笑一聲，道：「難道師兄要向小弟替屬下索命麼？」

胡柏齡臉色一變，莊嚴地說道：「我如不能替屬下作主，何以服眾？」

回頭望了霍元伽一眼，接道：「給我拏下。」

十　血印警訊

「羅浮一叟」應聲而出，大步向張敬安走了過去。

張敬安神色鎮靜，微笑說道：「咱們師兄弟十幾年不見了，師兄可是想較量一下小弟的武功麼？」

霍元伽見多識廣，張敬安看去雖然文弱，一副皮包骨頭的樣子，而且面黃如蠟，好似久病初癒一般，毫無起眼之處，但目中神光閃爍如電，兩面太陽穴高高突起，實已具上乘內功，到了不著皮相之境，是以絲毫不敢大意，相距張敬安五步左右，停了下來，抱拳說道：「在下霍元伽奉諭領教張兄幾招絕學。」

此人老奸巨猾，暗中早已運集了全身功力，準備出手，但口中卻說得十分客氣，言中之意，無疑說出奉命出手，情非得已，並無以命相搏之心。

張敬安微微一笑，道：「久仰，久仰，霍兄儘管出手，兄弟捨命奉陪。」

霍元伽笑道：「張兄遠來是客，在下理應奉讓先機。」

張敬安不再謙讓，雙肩一晃，欺身而上，舉手一拳「神龍出水」當胸擊去。

霍元伽暗中一提丹田真氣，突然向右讓開三尺，但卻沒有還手。

張敬安抬頭望了霍元伽一眼，說道：「霍兄禮讓一招已夠，怎地還不還手？」

霍元伽道：「張兄和盟主有同門之誼，在下禮該奉讓三招。」

張敬安左手一揮，虛空擊出一掌，道：「這算第二招。」

緊接著欺身而上，右手疾向「羅浮一叟」前胸拍出。

霍元伽上身突然向後一仰，讓開掌勢，右臂一招「橫掃千軍」攔腰擊去。

他出手力道驚人，劃起一股嘯風之聲。

張敬安想不到他反擊之勢，竟是這等強烈，心中暗罵一聲：「好陰險的傢伙！」

氣運左臂，一招「力屏天南」硬接「羅浮一叟」擊來拳勢。

兩人雙臂相觸，砰然出聲，各自被震得向後退了一步。

張敬安抬頭望著胡柏齡道：「師兄，請恕小弟放肆了！」

餘音未絕，人已疾撲而上，左掌橫擊，右掌直打，一攻之中，用出了兩種力道。

「羅浮一叟」和對方硬拚一招之後，心中已自有數，看去文弱的張敬安，功力並不遜於自己，這一場搏鬥的結果，勝敗甚難預料，當下一提丹田真氣，改採攻勢，準備先試試對方拳腳招術，再想破敵之策，拳腳並用，把門戶封得甚是嚴謹。

張敬安卻是著著逼進，招招殺手，攻勢猛銳至極，二十招後，掌力拳勁不但未減，而且愈來愈是強猛，拳拳如鐵錘擊岩一般。

「羅浮一叟」弄巧成拙，原想先用游鬥之法，耗消對方真力，待發現對方後力不繼時，再以雷霆萬鈞的方式，展開反擊，哪知強敵內力，有如長江大河一般，綿綿不絕，大有愈攻愈猛

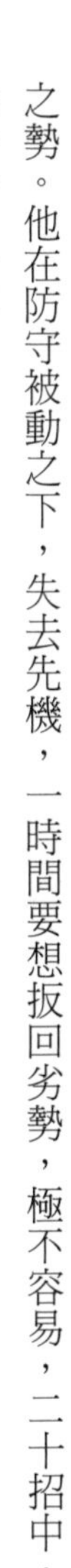

之勢。他在防守被動之下，失去先機，一時間要想扳回劣勢，極不容易，二十招中，竟無法還擊一拳、一掌。

張敬安久攻不下，似是動了怒火，大喝一聲，拳法忽變，出掌飛腿，詭異絕倫，身法飄忽，不可捉摸；「羅浮一叟」霍元伽，登時被迫得手忙腳亂，應接不暇。

廳中群豪都看出霍元伽形勢愈來愈險，再打下去，勢必要傷在對方手中不可，「嶺南二奇」更是關心異常，緩步而出，運功蓄勢，只要霍元伽一遇危險，立時出手相救。

霍元伽在險象環生中又支撐了二十餘回合，才找出張敬安一個破綻，大喝一聲，全力攻出兩招，拳風呼呼，把張敬安迫退了兩步，縱身斜向一側躍開五步，脫出張敬安拳掌的籠罩之下。

張敬安目光環掃四周群豪，見個個怒形於色，心中暗暗忖道：「我縱能勝得霍元伽，也難當師兄神勇，何況群豪虎視眈眈，大有出手之意，今日之局，勝敗都難善終。」心念一轉，大生忌憚，當下舉手一拱，說道：「霍兄武功過人，兄弟甚是敬佩，今日之戰，就此罷手如何？」當群豪面前，霍元伽如何能忍下受挫之辱？冷笑一聲，說道：「兄弟看在盟主分上，有意相讓張兄幾分，但如不分出勝敗存亡，兄弟也無法向盟主交代。」

張敬安一聳雙眉，怒道：「這麼說來，霍兄是非要和兄弟拚個生死存亡出來不可了？」

霍元伽一鬆腰中扣把，抖出蛇頭軟鞭，道：「張兄請亮兵刃吧。」

張敬安緩緩把目光轉投到胡柏齡臉上，問道：「師兄可是有意相迫小弟施展毒手傷人麼？」

胡柏齡轉臉望了錢炳屍體一眼，冷冷說道：「殺一人和殺數人有何不同？」

張敬安道：「師兄既然這般苦苦相迫小弟殺人，我就恭敬不如從命了。」

霍元伽一抖蛇頭軟鞭，接道：「張兄再不亮出兵刃，兄弟就不再等待了。」

張敬安眼珠一轉，似乎若有所悟一般，微微一笑，道：「兵刃無眼，我如失手傷了霍兄，可別怪我出手狠辣。」說話之間，右手探入腰際一摸，取出一個金光燦燦的黃圈，接道：「霍兄請先出手吧！」

霍元伽剛才相讓，失盡先機，幾乎傷在對方拳掌之下，這次哪裡還肯再讓先機？口中說道：「張兄留神了。」話出口，人已欺近身側，蛇頭軟鞭挾著一縷尖風，直襲前胸「玄機」要穴。

張敬安氣定神閒，對霍元伽迅猛的攻勢，視若無睹，直待那蛇頭軟鞭近胸三寸左右時，才隨著霍元伽攻來之勢突然一側身子，蛇頭軟鞭掠著前胸衣服而過，手中金圈忽地反臂打出。這一招用得奇險無比，時間、速度要拏揑得恰到好處，分釐之差，立時將濺血在霍元伽蛇頭軟鞭之下。

霍元伽大喝一聲，猛然收住前衝之勢，雙腳一起加力，倏忽之間，又向後躍退六尺。他去勢如風，退回之勢更加迅快幾分，當真是動如靈蛇，快擬電奔。

張敬安卻和他剛好相反，避敵、施襲，始終未移動半步。

兩人交手一招，霍元伽已自驚心，暗道：「看來他那金圈上招術，比起拳掌之學，更要詭異幾分。」不敢貿然輕進，凝立原地，不再進擊。

張敬安微微一笑，道：「霍兄好快的身法。」話出口，眼前金光一閃，已然欺身攻了上來。

霍元伽大喝一聲，手中蛇頭軟鞭一招「八方風雨」舞起漫天鞭影，護住了身子。

張敬安金圈斜撩，一招「流星趕月」，鏘然一聲金鐵交擊，把「羅浮一叟」的重重鞭影撩開，左掌「天外來雲」疾向前胸拍去。

霍元伽冷哼一聲，左掌「推山塡海」平胸推出。兩人掌勢，又自接實，這一招各人都用出七成以上的功力，「羅浮一叟」站立不穩，一連向後退了五步才拏樁站立。

張敬安卻施出「風擺枯荷」的身法，雙肩晃動不停，卸去了承受的強勁之力，站在原地未動。霍元伽一退即上，蛇頭軟鞭破空點來。

張敬安揮圈接架時，霍元伽已搶先收回軟鞭，盤空一旋，當頭打下。張敬安一著失機，立時陷入被動，但見霍元伽手腕揮動，蛇頭軟鞭如狂風急雨一般忽點、忽打，倏忽之間連攻七招。這七招迅快無比，招招指襲著要害大穴，虛虛實實，變化難測，張敬安登時被迫退了四步。

霍元伽反擊得手，搶得優勢，立時大喝一聲，奮起全力搶攻，剎那間鞭影重重，四周風生，威勢如排山倒海一般。

張敬安初時，顯得有些慌亂，但二十回合後，漸漸穩了下來，手中金圈左封右擋，身法如行雲流水，打得十分輕鬆。直待霍元伽一套鞭法用完，張敬安才冷笑一聲，道：「霍兄還有什麼絕學，快些施將出來，讓兄弟見識見識，如若黔驢技窮，兄弟可要反擊了。」話還未完，突然欺身而上，手中金圈一招「驚鴻離葦」直擊過去。

「羅浮一叟」蛇頭軟鞭一沉，反向張敬安小腹上點去，人卻橫向左面跨了一步，讓開張敬安擊來金圈。

張敬安打了一個旋身讓開蛇頭軟鞭，右手金圈平推擊去，左手一掌拍向「羅浮一叟」肩頭。兩人立時展開了一場近身相搏，鞭圈並舉，掌指齊出。這等近身相搏，舉手投足之間，就可遍及人身大穴，生死存亡，一髮之間，看去雖不若那等鞭影掌風搏擊時的驚人威勢，實則驚險過之。

兩人愈打愈快，片刻之後，但見人影閃動，乍分乍合，已是難分敵我。激鬥之中，忽聽一聲冷笑、悶哼，同時響起，兩條盤旋交錯的人影，突然分開。凝神看去，只見張敬安手橫金圈站在原地，「羅浮一叟」卻一連向後退了五步，才拏樁站住。

胡柏齡目光微側，已然看出霍元伽受了暗傷，張敬安絲毫無損，當下冷笑一聲，道：「咱們十幾年工夫不見，師弟的武功，又似精進了甚多。」

張敬安道：「師兄神武過人，小弟難及萬一。」

胡柏齡淡然一笑，道：「師弟用的什麼武功出手傷人？」

張敬安笑道：「那位霍兄功力深厚，拳、掌純熟，小弟難是敵手，迫不得已，施出『血印掌』掌力……」

胡柏齡目光轉投到錢炳屍體之上，接道：「這人可也是傷在你『血印掌』掌力之下麼？」

張敬安微微一笑，道：「小弟雖已窮盡十年之功，但『血印掌』掌力，還未到五成火候……」

霍元伽突然鬆了手中蛇頭軟鞭，「嚓」的一聲扯去左肩衣服，低頭望去，只見左臂肘上肩下之處，印著三個血紅的指痕，不禁心頭一震，轉頭望了胡柏齡一眼，欲言又止。他本想問問胡柏齡這「血印掌」掌力傷人之後，是否還能救治？話到口邊之時，忽又感羞於說出。

張敬安突然大笑一聲，道：「霍兄不必擔心，兄弟只用二成功力……」

霍元伽冷笑一聲，接道：「大丈夫豈把生死事放在心上……」他微微一頓後，又道：「在下看在盟主分上，不願暗使毒手，傷害張兄，卻想不到張兄竟以這等歹毒的武功對付兄弟，只好一還一報，咱們再動手時，張兄要留神兄弟的毒手了。」

張敬安搖頭笑道：「霍兄已中了兄弟的『血印掌』功，雖有再戰之心，只怕難有再戰之力了，如果霍兄心中不服，兄弟三天內大概還死不了，等你傷勢好了之後，再打一場不晚。」

「羅浮一叟」暗暗想道：「看臂上血紅的指痕宛然，想『血印掌』定是異常歹毒的武功，在天下綠林英雄之前，出口問他療救之法，實在羞於出口，不如用話激他一激。」當下冷笑一聲，道：「什麼不能再戰？難道這點微小傷勢，還真能要了人的命麼？」

張敬安笑道：「兄弟雖只用出兩成功力，但『血印掌』劇毒，已然深入霍兄肌膚之中，如不服用兄弟的獨門解藥，十二個時辰之後，劇毒隨著運行的血氣，浸入霍兄內腑六臟，那時縱使華陀重生，也難救得霍兄性命，過招動手，無疑促行血運轉加速，那只要六個時辰，霍兄生機即絕。」

霍元伽吃了一驚！但他外形之上，仍然保持著鎮靜神情，回頭望著胡柏齡抱拳一禮，道：

「屬下武功愧不及人，有辱盟主之命了。」

胡柏齡似是就在等待他這幾句話，聽完之後，縱聲笑道：「武林之中，勝敗乃常見之事，霍兄不必放在心上。」大步走了下來，舉手在霍元伽傷臂之上一點。

霍元伽只覺傷臂上一麻，一條臂登時垂了下去，不聽使喚。

胡柏齡探手入懷，摸出兩粒丹藥，送在霍元伽的手中笑道：「霍兄快把兩粒丹藥服下，然後運氣調息，一個時辰，再放出傷毒就可復元了。」這時的「羅浮一叟」凶驕之氣，一掃而光，依言服下藥丸，退到大廳一角，盤膝坐下運氣調息。

胡柏齡轉臉望了張敬安一眼，道：「師弟到我這『迷蹤谷』來，一共傷了幾個人？」

張敬安略一沉吟，道：「不敢相瞞師兄，連這位霍兄算上，兩死三傷。」

胡柏齡笑道：「兩死三傷，換師弟一條命不知是否值得？」

張敬安臉色大變，冷冷說道：「那要看怎麼個算法？如要兄弟來說麼，再加上十條、八條人命，也不值小弟一髮一毛。」

胡柏齡道：「好大的口氣！小兄這綠林盟主之位，如交於師弟，不知對傷害屬下的兇手，該如何處置？」

張敬安道：「自然要替他們報仇雪恨，才能服眾，不過……」

胡柏齡大聲喝道：「不過什麼？你連傷五人，二死三傷，還有什麼話說？還不束手就縛，難道當真要我出手麼？」

張敬安抱拳向後退了一步，道：「小弟是奉師命而來，師兄縱然不替小弟留步餘地，也該

看在家師分上……」

胡柏齡笑道：「酆師叔要你來送信之時，可曾要你出手傷人麼？」

張敬安這：「這個……」

胡柏齡笑這：「欺師之罪，非同小可，師弟要三思而言。」

張敬安道：「家師雖然沒有指示小弟遇得攔截時，出手傷人，但師兄屬下苦苦相逼，如何能怪小弟失手……」

胡柏齡道：「別說酆師叔尚未指示你遇攔時出手傷人，縱然他告訴過你，入得我『迷蹤谷』來，也要受我規戒約束，再不放下兵刃，聽候裁決，可萬怪我翻臉無情。」

張敬安仰臉大笑，道：「師兄如若不滿小弟所爲，盡可留待家師到此之時，轉告家師；想要小弟束手就縛，只怕難以辦到！」

胡柏齡雙眉一聳，虎目中神光暴射而出，沉聲說道：「十餘年來，想你的武功定然精進甚多，既然迫我出手，或已智珠在握，看在你千里奔來傳書分上，讓你一招先機，快些出手吧！」

廳中群豪，全都聚精會神，等看這一場龍爭虎鬥，有不少江北舊人還暗暗替胡柏齡擔心；「寒碧崖」盟主爭奪之戰，廳中群豪，大都目睹霍元伽、胡柏齡力拚內功的凶險之搏，胡柏齡雖然稍勝一籌，爭得盟主之位，但那場大戰之後，他已累得筋疲力盡，文弱的張敬安力敗「羅浮一叟」，看去卻並不吃力，仍然氣定神閒，毫無疲倦之容，兩人這一場搏鬥，鹿死誰手，實叫人難以預料？

張敬安在胡柏齡虎目神色逼視之下，又緩緩向後退了兩步，說道：「師兄當真要和小弟動手麼？」

胡柏齡笑道：「難道我還用詐不成?再不出手，我可能搶去先機了。」

張敬安突然放聲大笑道：「師兄這等苦苦相逼，小弟如再推辭，未免有傷家師威名，我恭敬不如從命，師兄留神了。」雙肩一晃欺身而上，左拳「直叩天門」當頭擊下。

胡柏齡左手疾起「天王托塔」，反向張敬安脈門扣去。

張敬安下落拳勢忽然一偏，拳臂出肘，右腳同時向前踏進一步，猛向胡柏齡「期門穴」上點去。這一招看似平淡，實在寓攻於守，去勢迅快至極。

胡柏齡右手橫裡點出，襲向張敬安肘間「曲池穴」，口中卻大聲笑道：「師弟武功果然精進了不少啊！」

張敬安道：「好就，好說，師兄誇獎了。」右腳一旋，身子疾轉了大半周，讓開胡柏齡點襲之勢，右掌、左腿一齊擊出，腳踢小腹「丹田穴」，拳擊前胸要害。

胡柏齡大喝一聲，雙手一併而出，由「童子拜佛」化作「野火燒天」，雙掌一上一下，上封拳勢，下擊張敬安膝間關節要害。

張敬安疾退兩步，突然一振雙臂，身子凌空而起，雙掌連環下擊，胡柏齡卻凝神而立，揮掌接架，兩人同時以極快的變化相搏，張敬安腳落實地，兩人已過手了四招，只看得場中群豪目不暇接。

胡柏齡接完張敬安連環掌勢，突然大喝一聲，欺身而進，左拳右掌，著著逼進，拳如巨斧

開山，掌似落英繽紛，倏忽之間，打出六拳一十二掌，把張敬安迫退了七、八尺遠。

「搜魂手」巴天義看得一皺眉頭，低聲對「拘魄索」宋天鐸道：「盟主武功似較『寒碧崖』比武之戰時，精進甚多，拳風掌勁，也似強勁不少，難道這短短半載之功，能有這大進展不成？」他們怎知那日「寒碧崖」爭奪盟主之戰，胡柏齡替谷寒香撿得那重傷孩子療治傷勢，耗去真氣甚多，他和霍元伽動手之時，真力尚未恢復，是以，那場力搏，顯得與霍元伽武功不相上下。

張敬安被胡柏齡奇奧、迅快的招術，迫得連連倒退，還手無力，心中才明白，自己十餘年的苦練，仍是難當師兄神勇。但覺胡柏齡拳勢掌力，愈來愈是強猛，接架漸感吃力，心中暗暗忖道：「再這樣打下去，不出百招，我縱不為他奇快的掌勢所傷，亦必被他雄渾的內力震傷，那時再想施展毒手，只怕為時已晚……」心念轉動，殺機陡生，雙肩軒動，目中凶光暴射，大聲喝道：「師兄這等苦苦相逼，小弟為了師門聲譽，不得不施下毒手了。」

胡柏齡拳掌一緊，虎虎風生，把張敬安全身籠罩在掌勢拳風之下，口中朗朗笑道：「師弟不必惜念同門之情，有何絕技，但請施展，再不施展只怕沒有機會了。」

張敬安冷笑一聲，右掌突然一變，疾忽絕倫的反擊過來，眨眼之間，連攻七掌。

這七掌有如飛瀑急瀉，一氣呵成，渾如一式而出，登時把胡柏齡猛烈的攻勢阻住，搶回先機，不容胡柏齡反擊，左手突然高高舉起。

廳中群豪，看兩人搏鬥之勢，愈來愈是驚險，無不屏息凝神而觀。

只見張敬安高高舉起的左掌，變成一片血紅之色。

胡柏齡突然向後疾退三步，雙掌合十靜站不動，鬚髮蝟立，滿臉莊嚴，虎目圓睜，神光如電，凝注在張敬安的臉上。

張敬安臉上閃掠過一抹獰笑，緩步走向前來。

胡柏齡圓睜的雙目忽然一閉，似是對血紅的手掌，不願多瞧。

群豪眼看張敬安一步步地緩緩逼近胡柏齡身前，既不見胡柏齡後退，亦無出手施襲的樣子，不禁大感驚愕。

只聽張敬安冷笑一聲，道：「師兄留心小弟的『血印掌』掌力。」左掌「呼」的一聲猛劈而下。但見一片血影，夾著腥風幻化出兩尺見方大小，把胡柏齡完全籠罩在「血印掌」掌風之下，迅快地在胡柏齡頭頂上盤旋兩周，但卻並未立即落下。

四周觀戰群豪，只道張敬安忽然間懷念起故舊之情，不忍施下毒手，是以停掌不落。其實張敬安正以全力運集「血印掌」毒功，那掌勢盤空旋轉，每一旋轉，威力就增強甚多，準備運足全力，再一掌劈下，他心中明白這一掌，不止是關係著這場搏鬥的勝敗，而且也是他性命生死所繫，這一擊如不能把胡柏齡震斃掌下，或者重傷當場，胡柏齡必將以強猛無倫的反擊之勢還擊過來。

胡柏齡外形之上，雖還能保持著鎮靜，但心中卻是緊張無比，酆秋的「血印掌」滿含奇毒，別說被掌勢印上，就是掌風中夾帶的毒氣，已足以置人死地，哪裡敢絲毫大意？凝神運氣，全身堅如鋼鐵，暗運「天星指」神功，蓄勢戒備，俟機出手。

只覺張敬安掌勢旋舞之間，陣陣腥臭之氣，隨掌而出，撲鼻欲嘔，趕忙行功閉住真氣。

張敬安掌勢在胡柏齡頭上繞了兩周之後，突然拍下。

胡柏齡大喝一聲，縱身而起，右手一伸，疾向張敬安拍下的掌勢上面迎去。

兩條人影乍合即分，張敬安悶哼一聲，向後連退了四、五步，才拏樁站住，胡柏齡也往後退了一步。兩人四目相注，誰也不發一言，大約過了一盞熱茶工夫，張敬安才長長吁了一口氣，道：「師兄武功過人，小弟不是敵手，咱們異日有緣再見之時，小弟當再領教師兄的武功。」

胡柏齡冷笑一聲，道：「怎麼？師弟還想走麼？」

張敬安道：「小弟雖然不是師兄敵手，但自信還能走得了。」

胡柏齡道：「師弟已被我『天星指』反震之力，傷了內腑，兩個時辰之內，傷勢就要發作，縱然不和人動手相搏，也難走過百里，何況『迷蹤谷』中重重攔截暗樁，我縱然放你走，你也走不了。」

張敬安冷冷答道：「小弟『血印掌』力道中，含蘊奇毒，師兄雖然用『天星指』破了我的『血印掌』，只怕人也被巨毒所傷。」

胡柏齡笑道：「可惜師弟功力不足，無法把那含蘊在掌力中的奇毒，逼入小兄身體之內。」

張敬安臉色一變，道：「這麼說來，師兄是存心要把小弟留在這『迷蹤谷』中的了？」也不待胡柏齡答話，轉身大步向外走去。

胡柏齡大聲喝道：「站住！」

張敬安轉過頭來，道：「怎麼樣？」

胡柏齡道：「殺人償命，欠債還錢！『迷蹤谷』中二死三傷一事，師弟尚未交代，就想一走了之麼？」

張敬安暗中運氣，果覺內腑已受重傷，忖道：「我如此刻堅持要走，勢必要傷在師兄手中，師父遙隔千里之外，不到七七會期，只怕難知凶訊，眼下必需先想出一個自保之法，再思脫身之計。」心念一轉，回首笑道：「師兄既不念同門之誼，不知要如何發落小弟？」

胡柏齡冷冷說道：「暫屈師弟之駕，留我『迷蹤谷』中，待我查明事情經過，再按我『迷蹤谷』條律處決。」

張敬安微微一笑，道：「師兄大公無私，無怪能使天下綠林傾服，小弟願成全師兄威名。」緩步走了過來。

胡柏齡正待回首吩咐鍾一豪把張敬安押送石室，忽覺微風颯然，張敬安突以迅快無比之勢，欺身攻了上來，揮手一掌，橫拍過來。這一擊猝然發難，全力出手，來勢凶惡無比。胡柏齡大喝一聲，右手一招「雲霧金光」，硬接了張敬安的掌勢，左手在胸前劃了一個半圓圈子，一拳擊出。兩人掌勢接實，張敬安被胡柏齡強猛的反彈之力，震退了兩步，腳步尚未站穩，胡柏齡左手打出的拳風又到，張敬安只覺胸前受重力一擊，張口噴出一口鮮血，倒了下去。

胡柏齡凝目望了張敬安一眼，說道：「把他抬入石牢之中。」

立時有四個健卒，應聲奔了過來，抬起張敬安，急急而去。

大殿上一片沉寂，百餘人肅然靜立，鴉雀無聲。

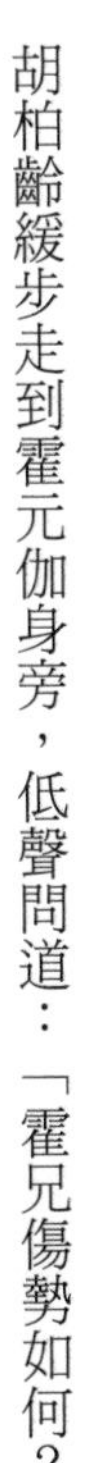

胡柏齡緩步走到霍元伽身旁，低聲問道：「霍兄傷勢如何？」

霍元伽驕狂之氣，一掃而空，站起身來，恭恭敬敬地答道：「服下盟主靈丹，傷勢已大見好轉……」他微微一頓，嘆道：「屬下今日才明白那次『寒碧崖』爭霸之戰，是盟主有意相讓！」

胡柏齡嘆道：「霍兄請好好養息傷勢，日後借重之處正多……」

霍元伽朗聲接道：「盟主心地仁厚，屬下今日方知，日後如有需得我霍元伽賣命之處，屬下萬死不辭，如若口不應心，天誅地滅。」他心感胡柏齡救命之恩，已是心口傾服，奪盟主之心，忽然消去。

胡柏齡慰然一笑，高聲說道：「人生於世，不過百年時光，不談因果報應，死亡轉眼間事，多少善良人家，被我們鬧得妻離子散，爲非作歹，舉手殺人，也許能逞一時豪快，但當午夜夢回，神志清醒之時，捫心自問，我們得到了什麼？咱們綠林中出身之人，常爲人所不恥，難道當真是生具惡性麼？」他輕輕嘆息一聲，接道：「此中之情，想諸位心中都很明白，以兄弟爲例，數年前所作所爲，無一不是爲害人間之事，當真是積惡如山，兩手血腥。」廳中群豪，似都聽得十分入神，齊齊把目光投注在胡柏齡身上。

胡柏齡微微一嘆，說道：「積惡愈多，一旦悔悟時，痛苦愈深，求恕之心，也特別強烈……」他當著一群殺人放火、無惡不做的綠林盜匪，大談其改過向善之心，居然說得個個側耳靜聽。

這當兒，忽見一人急步奔入大廳之中，衝到胡柏齡身前，急聲說道：「盟主……」

他似是有著火急之事，但叫出「盟主」二字之後，突然又停口不言。

群豪轉目相望，見來人正是胡柏齡同離「迷蹤谷」的余亦樂，只見他滿臉睏倦之容，似是經過一段緊急的長途跋涉。

胡柏齡目光凝注在余亦樂臉上，點頭笑道：「你回來了？」

余亦樂容色莊嚴地答道：「屬下回來了。」

胡柏齡道：「你一路奔行，想已很倦了，先請休息一下，有話等會兒再說。」

余亦樂道：「屬下身子還撐得住！」

胡柏齡看他站著不肯退去，心知他定有要事相告，微微一聳眉頭，道：「你有緊要事麼？」

余亦樂舉手揮拭一下頭上汗水，道：「屬下遇得了武當派紫陽道長。」

胡柏齡臉色一變道：「紫陽道長怎麼樣？」

余亦樂道：「他就要來拜會盟主，今日午後不到，明日一早準來。」

群豪一聽紫陽道長，要親來「迷蹤谷」中拜會胡柏齡，個個心頭一沉，暗道：「紫陽道長乃一派武林宗師之尊，豈肯輕易移駕到『迷蹤谷』來？此行定然有著異常重大的事。」

余亦樂道：「他親口相告屬下，大概是不會虛假了。」

胡柏齡道：「你幾時遇到他了？」

余亦樂道：「今晨寅時光景，就在咱們『迷蹤谷』外不足百里一座小村之中，那裡有很多武當派門下弟子，由紫陽道長親自率領，似是有著什麼重大之事……」

說到此處，又突然住口不言。

胡柏齡也不追問，淡淡一笑，道：「除了此事之外，還有什麼事麼？」

余亦樂淡淡一笑，道：「除了武當派中人外，我又遇上了幾個少林和尚。」他雖盡力想使自已的聲音平和，若無其事一般的，但這消息，卻震動了全場群豪，紛紛交頭接耳，低聲議論。

胡柏齡道：「遇上了少林和尚怎麼樣？」

余亦樂在胡柏齡緊緊追問之下，似已無法再保胸中隱秘，突然提高了聲音，說道：「以屬下之見，武當、少林兩派中人，似是有意在那山村之中會合，如非有什麼重大事故，兩派絕不會聚集在那座村中相見。」

廳中群豪都聽得臉色大變，都覺此舉大不尋常，只有胡柏齡還保持著鎮靜之色，問道：「除了少林、武當兩派人之外，還有其他門派中人麼？」

余亦樂道：「武當、少林兩派中人，我都親目所見，而且看得十分清楚，至於是否有其他門派中人，就不知道了。」

胡柏齡淡然一笑，道：「曉得了，余兄先請休息去吧！」

余亦樂應了一聲，抱拳一禮，離開大廳。

鍾一豪道：「武當派紫陽道長甚少離開武當山，如非有什麼重大事故，也不會和少林寺中和尚會合，屬下願獨自前往一探究竟，回報盟主。」

胡柏齡暗暗想道：「這兩派會聚此處，定然有事，只不知是為著對付七七之日酆秋主持的群豪大會？還是對眼下的『迷蹤谷』有所圖謀？」略一沉忖，說道：「鍾兄既願涉險一行，足見膽氣過人，不過此行千萬不能和人動手。」

鍾一豪道：「盟主放心，屬下就此上道。」躬身長揖，縱身躍出大廳急急奔去。

胡柏齡目注鍾一豪背影消失之後，揮手對群豪說道：「諸位各請回房休息，也許這一、兩天內，咱們『迷蹤谷』要有一番大變！」當先離開大廳，緩步而行。

谷寒香正在倚門相望，她宿住之處，雖和聚義廳相隔咫尺，但胡柏齡曾囑咐於她別到聚義廳中找他，谷寒香生性柔順，心中雖然憂急，也未到廳中找他，但卻倚門相望。一見胡柏齡後，立時急步奔迎上去，笑道：「我幾次想到聚義廳上看你，但想到你不要我去，就只好站門等你了。」她一言一字，無不出自衷誠，不必美麗的詞藻堆砌，聽來就動人肺腑，情意深重。

胡柏齡雖有沉重的心事，但見愛妻如花笑容，亦不禁眉頭一展。兩人並肩而行，漫走踱入竹籬。苗素蘭、萬映霞早已在廳中相候，兩人尚未落座，立時送上香茗。

谷寒香親捧香茶，送到胡柏齡身前，倚在他身側坐下，笑道：「大哥離開『迷蹤谷』中數月，我已無能處理谷中之事，想來我實在是個很笨的人。」

胡柏齡道：「谷中之事，千緒萬端，我也無法處理得很好……」

谷寒香笑接道：「現在好啦，你回來了，用不到我再費心。」

胡柏齡忽然放下茶杯，站起身來，說道：「咱們去看看孩子，好麼？」

谷寒香嬌聲說道：「我早就想要你去看他了，但見你忙碌得很，不便啓齒。」言來滿臉歡

愉之色，心中似是十分高興。

苗素蘭低聲說道：「夫人已有了孩子麼？我怎麼沒有見過呢？」

谷寒香道：「不是我生的，是我們撿的孩子。」

苗素蘭道：「寄養在別處麼？」

谷寒香側目望了胡柏齡一眼，才長長嘆息一聲，答道：「這件事很少人知道，但姊姊不是外人，自然可以告訴你了。」

胡柏齡微微一笑道：「苗姑娘和我們一起去吧，說不定日後還有借重姑娘之處？」

苗素蘭道：「如有需用小婢之時，萬死不辭。」忽然覺著胡柏齡這兩句話講得甚是悲傷，不禁回目凝注在胡柏齡臉上，啓齒欲問。哪知胡柏齡不容她開口，已搶先站起身來，笑對谷寒香道：「咱們走吧！」

谷寒香緊隨著站起身來，兩人並肩向後院行去。

苗素蘭略一沉忖，隨在兩人身後。這一所茅屋，倚山而築，出了後門，就是聳立的山壁。滿山松竹青草，不見一處登山之路。

胡柏齡當先而行，分開草叢，見一處登山之路直向山壁上面攀去。行約十餘丈高，到了一座突岩之下，胡柏齡舉手推開岩下一塊山石，沿著一條通道，向下行去。

苗素蘭微微一皺眉頭，低聲問谷寒香道：「夫人，把孩子藏到這山腹石洞之中，是何用心？」

谷寒香道：「我不知道，這是大哥的主意。」談話之間，已到盡處，只見一座兩間房子大小的石洞，靠右面石壁處，堆積著一片乾草，草上錦被繡褥，仰臥著一個四、五歲的孩子，鼻息微聞，似是正睡得十分香甜。谷寒香急步奔了上去，蹲下身子，舉手拂著那孩子的滿頭柔髮，低聲說道：「孩子，你受涼啦！」

那孩子緩緩睜開眼睛，瞧了谷寒香一眼微笑說道：「媽媽好久沒有來看我了？」

谷寒香道：「近日來，事情繁忙，抽不出時間來此看你……」

那孩子輕輕嘆息一聲，道：「我很想念媽媽。」小臉側轉，忽然挺身坐了起來，接道：「義父也來了？」

胡柏齡微笑道：「咱們數月工夫沒見了？」

那孩子道：「我不知道有幾個月？但時間很長、很長，你教我的武功，我都全學會了。」

谷寒香柔聲問道：「孩子，你一人住這裡，心裡害怕麼？」

那孩子搖頭笑道：「我原本害怕的，但住久了就不害怕啦！」

苗素蘭看那孩子滿臉紅光，精神甚是飽滿，心中甚感奇怪，暗道：「這幾日也未見替他送茶飯來，不知他吃的什麼？」忍不住低聲問谷寒香道：「夫人，孩子在這裡，每日有人送飯來麼？」

谷寒香搖搖頭道：「沒有！」

那孩子似已聽得兩人談話，伸手從枕頭旁邊，摸出兩只大玉瓶，道：「我吃的是這個。」

苗素蘭看那兩只玉瓶之中都裝滿黃豆般大小的黃色藥丸，一時之間，認不出是什麼藥物，

默然不言。

胡柏齡笑道：「這是虎肉及百年何首烏、黃耆合配的藥丸，對孩子身體筋骨，都有幫助，唉！這小孩子先天已甚虛弱，再加上身受重傷，失血甚多，服用此丸，使他身體早日強健起來。」

苗素蘭回眸望了胡柏齡一眼，道：「盟主專誠爲他配製此藥，用心可算良苦了。」

那孩子忽然嘆息一聲，道：「義父對我說，吃這藥丸，不但身體強壯，而且學習武功，也快速甚多，將來好替爹、娘報仇。」

胡柏齡笑道：「我教你的武功都學會了嗎？演習一遍給我看看好麼？」

那孩子點頭答道：「會是都學會了，只是不知對不對？我要做錯了，義父就再教我一次吧！」挺身而起，雙手平胸靜立了一陣，一掌一腳地緩緩踢出。

胡柏齡看他出手的拳腳路數，一招一式的，和自己相授的一般，一套拳法用完，竟無一招出錯，心中甚是高興，撫著他頭頂，笑道：「你這樣聰明，又肯用心去學，不出十年，定可把我一身本領，全都學會，只不知義父，還能教你十年否……」最後一句話，講得十分神傷，大有英雄末路之嘆。

谷寒香忽然回過身來，目光凝注在胡柏齡身上，道：「大哥，你說什麼？爲什麼不能教他十年……」她微微一頓，接道：「唉！自從大哥奪得綠林盟主之位，就失去歡樂，每日憂慮重重，我看這綠林盟主別幹了，咱們還和過去一樣，每日在深山大澤之中奔走，雖然追蹤的鐵騎不絕，有時一夕數驚，但大哥卻每日都快快樂樂，毫無憂慮之色。」

胡柏齡已知自己失常神情引起嬌妻多心，趕忙收斂心神，哈哈大笑，道：「我哪裡有什麼憂慮了？只是想到這孩子……」本想說想到這孩子生身父母死時的悽慘之情，以釋嬌妻之疑，但話將出口之時，忽然覺著此話勢將引起孩子感傷，趕忙住口不言，哈哈大笑一陣，含含糊糊地支吾過去。

谷寒香心地純潔，只道他真是想到孩子父母悲慘的遭遇，引起心中不安，當下輕輕一嘆，道：「過去的事，別多想它啦！咱們今日來看孩子，應該歡歡樂樂才對。」

苗素蘭插口說道：「盟主日理萬機，難得偷到半日清閒，我去準備幾樣酒菜，送入這石洞中陪孩子吃餐飯吧！」

胡柏齡沉吟不言，既不答應，也不阻止苗素蘭去拿酒菜。

谷寒香卻點頭笑道：「姊姊的主意甚好，只是有勞姊姊跑一趟了。」

苗素蘭道：「此乃奴婢該做之事……」轉身離開而去，片刻之後，已然捧個木盤進來，盤中放著四樣小菜，和一壺酒。

她把小菜一樣樣地擺好，然後又替胡柏齡、谷寒香斟滿了酒杯。

胡柏齡搶先端起酒杯，笑對谷寒香道：「這幾月來，使你擔憂、受怕，我心中極是不安，敬你一杯酒，聊表愧疚之意……」

谷寒香突然奔了過去，偎在胡柏齡懷中笑道：「大哥這次出外歸來，好像和我生疏多了？我是你的妻子啊！怎麼可以和我說這些話！」臉上笑容依然，兩行熱淚卻順腮而下，低聲吟道：「地老天荒情不渝，生同羅幃死同穴……」

胡柏齡輕輕嘆息一聲，拂著嬌妻頭上秀髮，心中泛起了無比的淒涼之感，暗自忖道：「我本可帶嬌妻隱跡世外，悠遊林泉，過著神仙般的清靜生活，卻偏偏動了爭什麼綠林盟主之心，鬧得騎虎難下，外不能得各正大門派首腦人物諒解，內不得綠林同道傾服；以酆秋為首的一群歸隱綠林魔頭，即將重出江湖，勢非把武林中攪個天翻地覆不可，眼看一場悲慘的殺劫，即將展現於武林之間，自己夾在中間，兩面受敵。」想到憂苦之處，不覺間雄心頓消。

谷寒香緩緩由胡柏齡懷抱之中，抬起頭來，拭去臉上淚痕，笑道：「大哥你心裡不快樂了？唉！我不該這樣喜愛流淚……」

胡柏齡心頭一懍，暗道：「胡柏齡啊胡柏齡，你昔年霸行江北，殺人越貨，作惡人間，豪氣凌雲，天不怕，地不怕，好像世界上無你畏懼之人，無你畏懼之事，怎地心存救人救世之念後，反而有些畏首畏尾，瞻前顧後起來了？」當下一振精神，豪壯地笑道：「香妹不要多心，我哪裡不快樂了？咱們喝杯酒吧！」首先舉杯，一飲而盡。

谷寒香微微一笑，舉起手中酒杯，一口喝完，說道：「大哥，你生日快要到了。」

胡柏齡略一思忖道：「你記得很清楚啊……」

谷寒香笑道：「過去我們終日奔逃，沒有時間替你慶賀，今年我要好好地燒些菜，替你慶祝一番。」

胡柏齡回頭望了那孩子一眼，笑道：「眼下距我生日，還有半月之久，到時候再說吧！」

谷寒香道：「我這幾個月之中，學會了好些烹飪之術，都是你很喜歡吃的菜肴……」

胡柏齡似是忽然間想起了一件重大之事，笑道：「香妹，我想起一件事來，不知該不該做？」

谷寒香笑道：「你要和我商量什麼？」

胡柏齡道：「我想，一個人活在世上，該不該爲後人留下些思慕追懷的事？」

谷寒香尋思了片刻道：「那自然是應該了。」

胡柏齡微微一笑，又道：「咱們這『迷蹤谷』中，大都是綠林道上人物，對孩子只怕甚是不宜，我忽然想起了一位多年不見的朋友，想要你把孩子送到他那裡去……」

谷寒香道：「怎麼？你朋友的武功，還強過你麼？」

胡柏齡笑道：「不但武功強我甚多，而且博通天文、地理，乃當今武林中有數奇人之一。」

谷寒香默然沉思良久，才長長嘆息一聲，道：「我一人送他去麼？」

胡柏齡道：「我寫封書信，要文天生和霞兒陪你同去。」

谷寒香道：「那我們不是又要分離很久時間麼？」

胡柏齡略一沉吟，豪壯地笑道：「天下沒有不散的筵席，我要死了，你總還要獨活下去。」

谷寒香嬌軀一顫，手中酒杯掉在地上，打得片片粉碎，呆了一呆！嘆道：「唉！大哥，到現在你不知道我的心嗎？你死了，我哪裡還能活得了呢？」

胡柏齡凝目望去，只見嬌妻一臉纏綿悱惻之情，不禁心中大慟，微笑說道：「人生百歲，誰也難免一死，我不過說句玩笑之言，你怎麼能夠當真？」他雖然盡量想使自己的聲音，變得

柔和、平靜，但卻無法克制住一縷悲苦之情，但覺眼前人影模糊，熱淚奪眶而下。

谷寒香站起身子，緩步走了過來，柔聲說道：「大哥，我不去送孩子，要天生和霞兒送他去吧！我要留在『迷蹤谷』中陪你。」

胡柏齡霍然而起，拂拭去臉上淚痕，笑道：「我還有事，不能在這裡陪你們了。」伸出手來，拍拍那孩子頭頂，大步向外走去。

苗素蘭本想伸手攔阻於他，但見他滿臉莊嚴之色，哪裡還敢伸手攔擋？疾向側旁一閃，讓開去路。谷寒香生平之中，從未見過胡柏齡這般對待過她，一時之間，不知如何處理才好？呆呆地望著胡柏齡大步走去。

原來胡柏齡忽然覺著谷寒香似水柔情，使他豪壯之心大消，不敢再坐下去，才起身離座而去。只覺千頭萬緒，百種愁慮，一齊湧上心頭，饒是他一向機智過人，也想不出善處之法。步出石洞、草叢，迎面吹來了一陣山風，頓覺神志一清。

忽然心中一動，暗暗忖道：「師叔一向詭計多端，派師弟到我『迷蹤谷』中送信，絕不會不做預防，我既然有了救世之心，何不索性涉險群魔大會，一探他們密謀詭計，先做預防之策。」心念一轉，突然放開腳步，直向石牢之中奔去。

這「迷蹤谷」中石牢，乃是倚據天然的形勢，在山壁中開鑿而成，不但堅不可破，而且外面石門一閉，形如山壁一般，不知底細之人，根本難以看得出來。

胡柏齡行到一面光滑的山壁之處，伸手在石壁之上，輕輕彈了三下。等候片刻工夫，那石壁間忽然自行裂出一扇門來。一個勁裝佩帶著單刀的大漢，急步走了出來，對著胡柏齡躬身一禮，垂下雙手，恭敬地站在一側。

胡柏齡微微一頷首，緩步直向裡面走去。這座石牢，乃「迷蹤谷」中，最堅固隱密的一座石牢，專以用來囚禁重要的人犯。轉過幾個彎子，只見一座兩間房子大小的石室中，一層厚厚的枯草上，仰臥著張敬安。

胡柏齡輕輕叩了兩下鐵柵，叫道：「師弟……」

張敬安緩緩睜了一下雙目，望了胡柏齡一眼，又慢慢地閉上了眼睛，眼光渙散，一副有氣無力神態，看去傷勢似是極重。

胡柏齡回頭望了那隨在身後、佩帶單刀的大漢一眼，說道：「打開柵門。」

原來那石室前面配以茶杯粗細的鐵柵。那佩刀大漢應了一聲，取出鑰匙打開柵門鐵鎖。胡柏齡推開柵門，緩步走到張敬安身側，舉手在他胸前「玄機穴」上拍了一掌，說道：「師弟傷勢很重麼？」

張敬安突然一睜雙目，挺身坐了起來，滿臉忿怒之色，說道：「師兄可是來要小弟命麼？」

胡柏齡搖頭嘆道：「我如想要你的命，也不會來看你了。」

張敬安振起的精神，忽然一懈，雙目中暴射出的神光，也忽然散去，又緩緩躺下身去，冷冷說道：「師兄可是想以故舊之情，騙我說胸中隱秘，然後再把我殺了，是也不是？」

胡柏齡道：「兄弟如此多慮，倒叫小兄有口難辯了。」

張敬安道：「師兄既非要我性命，又不是想探求我胸中隱秘，到石牢中來看我，不知是何用心？」

胡柏齡道：「我來替你療治傷勢來了。」

張敬安冷冷道：「我自信家師能有療治『天星指』的傷藥，師兄如果真存下放我之心，只要護送離開『迷蹤谷』也就是了。」

胡柏齡心中一動，道：「縱然我送你離開『迷蹤谷』，還有一段千里行程，你身負重傷，如何能夠走得回去？」

張敬安微微一啓雙目，冷笑道：「師兄可是懷疑這『迷蹤谷』外有人接應我麼？」

胡柏齡正容說道：「咱們究竟有著同門之誼，我傷你之後，心中甚是不安，幾經沉思，才跑來探望於你，我要把你傷勢療治好後，親自送你去見酆師叔，當面向他請罪，面領責罰。」

張敬安略一沉吟，冷然道：「師兄果是不凡，心機深沉，常人難及……」

胡柏齡淡淡一笑，接道：「師弟傷勢甚重，不宜再多說話，快請暗中運氣，等我打通你幾處受傷經脈之後，和我攻入你體內真氣相應，只要血脈一暢，傷勢就不會再繼續惡化了。」說完，伸手扶起張敬安的身體。

張敬安口中雖然未置可否，但暗中卻依照了胡柏齡吩咐之言，勉強受著痛苦，運行真氣。

胡柏齡手掌一和張敬安背心相觸，立時覺出他已在暗中運功，也不點破，微微一笑，道：「師弟請小心了，現下小兄先點你後背八穴。」左手扶著張敬安的肩頭，右手揮動起落，眨眼間，連拍張敬安八處穴道。

張敬安自知眼下傷勢甚重，胡柏齡如存下殺他之心，防也無用，心中倒甚坦然，毫不戒備。胡柏齡拍完他後背八穴之後，略一停息，又道：「我現在要用本身真氣，由師弟『命門穴』攻入，師弟如能強忍傷疼之苦，勉力運氣相應，可收事半功倍之效。」

張敬安已覺出胡柏齡真心真意地在替自己療傷，長長吁一口氣，答道：「師兄吩咐，兄弟無不從命。」胡柏齡舉手一掌按在張敬安背心之上，登時由掌心傳出一股熱流，直向張敬安體內攻去。

張敬安覺出那熱流有如長江大河一般，滾滾不絕地攻入體內，立時把強行提聚的一口真氣，向後逼去。兩氣相合，張敬安發覺身上痛苦大減，輕鬆甚多；但覺全身行血，被一股強烈熱流推動，疾向身體四周行去，暢通四肢，行達百骸。

大約有一頓飯工夫之久，胡柏齡才收回按在張敬安後背「命門穴」上的右掌，笑道：「師弟請自行運氣調息一周，小兄也在此處相陪，待您行氣一周之後，再服用一點藥物，傷勢就可減去大半，兩、三天內，就可完全復元了。」

張敬安回頭看時，只見胡柏齡正自揮著手帕，拂拭著滿臉大汗，微微一笑，道：「小弟只道這次必死，卻未料到師兄回心轉意，又親手替我療治傷勢。」

胡柏齡低聲說道：「師弟氣血初通，不宜多勞神說話，快些運氣調息。」

張敬安運氣行血一周之後，睜眼看時，胡柏齡已先他調息完畢，笑道：「師兄『天星指』功，果是不凡，小弟曾聽家師談過此門武功，並非人人都可練成，必需有著上乘稟賦之人，方可習練此技。」

胡柏齡笑道：「武功一道，各有其長，亦各有其短，任何一門、一種武功，學去都不容易，師弟的『血印掌』也是武學極難練成的菁華之學，功力到了爐火純青，只怕比小兄的天星指尤勝幾分。」

張敬安笑道：「師兄『天星指』神功，乃專破天下歹毒掌力之學『血印掌』，功力縱能練到十成火候，也難以勝過師兄的『天星指』神功。」

胡柏齡微微一笑，起身說道：「委屈師弟，仍暫留在這石牢之中，小兄立時著人送上酒、飯，師弟用過後，請繼續運功調息，今夜三更時分，小兄再來石牢中接你，親自送你出谷，護送師弟去見酆師叔！我已有十幾年沒有見過師叔的面了，也該去探望他老人家一次。」他故弄玄虛，說出三更時分，再來接他，然後送他出谷，言下之意，似存著甚大苦衷。

張敬安微微一笑，道：「師兄儘管請便。」

胡柏齡轉身離開石牢，回頭帶上鐵柵，大步而去。

張敬安望著胡柏齡的背影，心中反覆推想胡柏齡相救之意，想來想去，找不著一點破綻……不大工夫，鐵柵重開，一個二十左右的壯漢，捧著一個木盤走了進來，盤中放著四樣精美菜肴，和一瓶上好的大麴酒，八張油餅。

張敬安腹中早已甚感飢餓，狼吞虎嚥地大吃起來，一瓶大麴、八張油餅，和四盤菜餚，一口氣吃光。

那送飯壯漢，一直十分拘謹地垂手站在一側，待張敬安用完酒飯，便收拾了碗、筷而去。此人入柵到離去，始終未發一言，也未仔細地看過張敬安一眼。

張敬安用過酒、飯，覺著精神已恢復了不少，依照胡柏齡相囑之言，繼續運氣調息。晚上三更時分，胡柏齡果然依約而來，全身勁裝，佩劍提楞，開了柵門，笑道：「師弟可覺著傷勢好些麼？」

張敬安道：「傷勢已好了甚多，只是有勞師兄親自相送……」

胡柏齡不容他再說下去，接道：「師弟既覺得傷勢好了甚多，咱們就此上路，我已派人在谷外備馬相候了。」

張敬安站起身來，隨在胡柏齡身後而行，一路行去，遇到甚多巡夜之人，見到胡柏齡時，齊齊施禮拜見。片刻工夫，出了山谷，果然有兩個中年大漢，牽著兩匹健馬，在一株古松下面等候。沿途之上胡柏齡始終未發一言，張敬安也未問過一句。

直待出了谷口，胡柏齡從那兩個大漢手中接過馬韁，才回頭笑對張敬安道：「師弟請上馬趕路了。」

張敬安縱身躍上馬背，道：「師兄請。」

胡柏齡道：「小兄走前一步，替師弟帶路。」一抖韁繩，放馬向前衝去。

張敬安縱馬急追，借一彎新月，急奔而去。兩人放馬奔行了十餘里路，張敬安突然勒住馬韁，說道：「師兄請慢行一步，小弟有幾句話……」

胡柏齡勒住馬，回頭笑道：「師弟有什麼話？儘管請說。」

張敬安道：「不敢相瞞師兄，這『迷蹤谷』外，還有人接迎小弟。」

胡柏齡微微一笑，道：「不知接迎師弟之人，現在何處?咱們一起去見他吧。」

張敬安道：「師兄如不相疑，小弟立時可召他來此。」

胡柏齡心頭微微一震，但表面之上，仍然保持著十分鎮靜的神態，說道：「師弟說哪裡話?小兄如會相疑，也不會親自送你了。」

張敬安探手入懷，摸出一個圓形之物，在手中掂一掂，笑道：「這是家師精心研製而成的傳音器，師兄不知是否見過?」突然振腕一拋，投了出去。

但聞一陣嗡嗡之聲，不絕如縷，劃破了寂靜的月夜。

張敬安臂力過人，那投擲之物，斜斜飛出了十幾丈，嗡嗡之聲，延續了一盞熱茶工夫之久。

胡柏齡望了張敬安一眼，笑道：「此物用來做傳訊之用，倒是不錯。」

張敬安道：「咱們在這裡等一會兒吧。」

兩人跳下馬來，等了約一頓飯工夫之久，果見西面山谷之中，奔來一條人影，來勢迅快，片刻之間，已到兩人停身之處。

胡柏齡凝目望去，只見來人年約三旬上下，一身勁裝，身上佩著一柄長劍。

張敬安指著來人，笑對胡柏齡道：「這位周兄，乃家師一位好友門下，這次和小弟同來，本想一齊入谷，拜見師兄，但周兄覺著師兄盛名過大，只怕不肯接見，是以，留在谷外相候！」

胡柏齡目光何等厲害，一見來人立時覺出此人甚是自負，當下一抱拳，說道：「周兄。」

他心思縝密，一聽張敬安引見之言中，並未說出來人究竟是何人門下？知對方仍有相防之心，也未多問。來人本甚倨傲，見到胡柏齡後，有如未見一般，神態之間，十分冷漠，但見胡柏齡當先對他抱拳作禮後，倒是有些不好意思起來，趕忙還了一禮，笑道：「久聞胡兄大名，今日一見，足慰生平渴慕。」

胡柏齡微微一笑，道：「江湖傳言，豈可當真？周兄過獎了。」

張敬安突然接口笑道：「英雄相惜，兩位是一見如故了。」

胡柏齡回頭望了張敬安一眼，笑道：「師弟，咱們早些趕路如何？我想師叔老人家，一定在盼望著你的回音。」

張敬安還未來得及答話，那勁裝大漢突然接口說道：「胡兄這『迷蹤谷』外，來了甚多道士、和尚，不知何故？」

胡柏齡一皺眉頭，心中忖道：「少林、武當兩派，也未免有些欺人過甚了，縱是對我存有防範之心，也不能這等明目張膽？」

那勁裝中年大漢，眼看胡柏齡沉思不語，忍不住又接口說道：「據在下所見，這些和尚、道士，個個都是身懷上乘武功，而且身佩兵刃，似非一般的遊方道士、行腳和尚，成群結隊，若有所圖？」

胡柏齡心中雖然忿怒，但他定功過人，能把喜、怒之情，壓制心中，不使形露於外，當下淡淡一笑，道：「周兄所見之人，想來定是少林、武當兩派的門下了。」

張敬安道：「怎麼？師兄已和兩派結過嫌怨？」

胡柏齡笑道：「百年以來，咱們綠林道上人物，無時無刻不在和少林、武當兩派衝突，小兄這『迷蹤谷』既被稱謂天下綠林總寨，自是要引起兩派注意。」

那勁裝大漢忽然冷笑一聲，接道：「胡兄氣度恢宏，量大如海，如是兄弟，早就給他們一點顏色瞧瞧了！」

胡柏齡心中暗道：「此人不知是何人門下？口氣如此狂傲。」留神瞧去，只見其人兩面太陽穴高高突起，目中神光如電，果是身負上乘武功之人，當下微微一笑，道：「兄弟雖取得天下綠林盟主之位，但各方豪雄，大都是一方霸主身分，一時之間，甚難消除彼此歧見，無暇對外，致少林、武當兩派，這等囂張……」

他話還未完，突然丈餘外一座山石之後，傳出一聲冷笑。那冷笑之聲，雖甚輕微，但三人均是一流高手，耳目靈敏異常，俱都聽得甚是清晰。

那中年勁裝大漢首先發難，大喝一聲，道：「什麼人？」探懷揚腕，兩點寒芒，破空而出，但聞兩聲金石相擊，月光下閃起一串火花。

胡柏齡看他發出暗器，並非存心打人，不過是借機賣弄一下強勁的腕功。

那中年勁裝大漢，暗器出手，人也隨著急躍而起，兩臂一振，直向上升起了一丈五、六尺高，然後一收雙腿，懸空打了一個旋身，斜向傳出冷笑的巨石撲去，宛似一隻巨鳥撲下，身法迅捷，姿勢又極好看，將要撲近山石，右腕一翻，背上寶劍出鞘，撒出一片劍光猛襲而下。

就在他長劍揮舞出手之時，一條人影，突由山石後面直衝而起。雙方升落之勢，均極快速，快得人目不暇接。但聞一陣鏗鏘金鐵交擊之聲，劍光忽斂，兩條人影，乍合即分，同時由空中飄落實地。

胡柏齡凝神看去，只見一個身著灰袍，手橫禪杖的老僧，卓立在月光之下。

那勁裝中年大漢，回目望了胡柏齡一眼，問道：「胡兄可識得這位大和尚麼？」

胡柏齡雖然不識，但卻知這老僧，定是少林寺中之人，當下說道：「這位大師父倒是陌生，但想定是少林寺中的高僧？」

那勁裝大漢縱聲長笑道：「胡兄既不相識，那就交給兄弟對付吧！」

一揮手中長劍，向前欺進兩步，說道：「久聞少林和尚，個個身負絕世武功，但在下一直恨無機相遇，今宵得能一晤，良機難再……」

那灰袍僧人高宣一聲佛號，打斷了那中年勁裝大漢的未完之言，說道：「貧僧乃嵩山『達摩院』中天望……」

那中年勁裝大漢冷然接道：「管你天望、地望，先接我三劍試試。」話出口，劍勢隨發，一招「天外來雲」當胸刺去。

天望大師長眉聳動，面上微泛怒色，一杖「野舟橫渡」封開劍勢。

那中年勁裝大漢不容天望大師還手，手中長劍左掃右點，兩招連續擊出。但見一片流動的劍光，幻起朵朵劍花，齊向天望禪師攻了過去。

天望禪師冷笑一聲，鐵禪杖「雨打梨花」舞出一片護身杖影，一片叮叮咚咚之聲，把那勁裝大漢劍勢震開，口中高宣一聲：「阿彌陀佛！」反臂一招「挾山超海」，鐵禪杖帶起一股風嘯之聲，當頭劈下。這一招，威勢強猛，饒是那勁裝中年大漢生性凶悍，也不敢橫劍硬接，雙

肩一晃，向後退開五尺，讓避開一杖猛擊。

胡柏齡聽得那老僧自報姓名之後，心中大生震駭，暗暗忖道：「眼下少林寺中『天』字輩乃身分極高的和尚，這老僧自報天望，似是和當代少林掌門天禪大師及天明大師等同一輩分，在寺中地位，定然很高，少林寺動員了寺中這等身分之人，來此『迷蹤谷』中探看，絕非平常之舉，難道少林、武當兩派，果真取得協議，要在近日之中，全力對付我們不成？」抬頭看去，只見那勁裝大漢已和天望大師打得激烈絕倫，杖風似嘯，劍光如幕。

張敬安回過頭來，低聲對胡柏齡道：「少林和尚的威名，果不虛傳，如若久戰下去，只怕周兄不是那和尚敵手。」

原來那勁裝中年大漢，初動手幾招，劍勢綿綿不絕，攻勢異常強銳，但打過幾十招後，攻勢逐漸鬆懈下來。反觀天望禪師，卻是愈戰愈勇，杖勢也更為強烈，相形之下，那勁裝中年大漢的劍光，漸被對方杖勢壓制，愈來愈小。

胡柏齡低聲問張敬安道：「師弟可是有意讓我替下那位周兄麼？」

心中卻是暗自盤算道：「我如出手，不論勝敗如何，勢必和少林寺僧侶正面結下嫌怨，今後再有遇上，那就難以相處了。」

張敬安道：「此時此地，師兄不宜出手，周兄雖然難當少林和尚的神勇，但一時之間，大概還不會落敗，縱然落敗，亦可自保安全。」

胡柏齡抬頭望去，只見那中年勁裝大漢的劍勢，已由攻勢變成守勢，劍招綿綿不絕，把門戶封守得十分緊嚴。

天望大師卻是展開了強猛的反擊，鐵禪杖縱送橫擊，夾帶著「呼呼」的嘯風之聲，威勢愈來愈是強猛，但那勁裝大漢，劍勢綿密異常，天望大師雖把他圈入一片杖影之中，但一時之間，卻也無法把他傷在杖下，看來這兩人還有得一陣好打。

胡柏齡一面留神兩人打鬥情形，一面心中暗暗忖道：「這人不知是何人門下？劍術雖非上乘，倒也升堂入室。」

張敬安對兩人打鬥情景，雖然十分留神，但神色間並無關心之情，似是這兩人不管哪個拚死，都和自己無關一般。

胡柏齡初見張敬安神色，心中甚感不解，繼而一想，忽然大悟，暗暗忖道：「是了，酆秋爲人，城府深沉，殺機斂藏不露，張敬安久隨酆秋，對他爲人做事的陰沉、險詐，想必已領受不少，如若那施劍之人傷在天望大師手中，必然要激起他師父強烈的復仇之心，又多替少林派樹了一個強敵。」正在忖思之間，忽聽一聲大喝，那施劍中年大漢，忽然振劍反擊，眨眼間劍光大盛，衝破了天望大師重重杖影，躍飛出一丈開外。

天望大師橫杖未追，高宣一聲：「阿彌陀彌！」哈哈笑道：「施主武功不弱，老衲不忍施毒手傷害於你。」

那勁裝中年大漢冷笑，接道：「我不過一時失神，被你點中穴道，三月之內我必雪今夜之恥。」

天望大師道：「你已被我施展金剛指，點傷經脈，但老衲下手之時，已替施主留了一步退路，只用出三成功，雖無大礙，但至少需要三月以上時間，才能養息復元，我佛慈悲，廣容萬

物，苦海無邊，回頭是岸，阿彌陀佛！」

胡柏齡暗暗嘆道：「少林高僧，修養、定力實有過人之處，在和人性命相搏之時，仍存有這等慈悲之心。」

只聽那勁裝大漢，縱聲大笑道：「老和尚少給我說教因果報應，先試試我『奪魂子母梭』味道如何？」突然一揚左腕，一溜金光，直向天望禪師打去。

胡柏齡聽得「奪魂子母梭」暗器之名，心中忽然想起一個人來，不禁吃了一驚！暗暗忖道：「『奪魂子母梭』乃當今武林中暗器一絕，這老和尚如果不知底細，只怕要吃大虧。」

但見天望大師禪杖一舉，疾向那金梭上面擊去。他出手奇快，揮杖一擊，正中金梭，只聽一聲似金石相擊的脆響，那金梭突然暴裂出一片藍燄，罩落下來。

天望大師哪裡想到這金梭裡面，竟然暗藏毒火，變生意外，想閃避哪裡來得及？只覺火光閃動，衣袖、胸前幾處，已被那藍燄燒到。他武功精深，定力過人，雖然衣著數尺燒去，心神仍是不亂，縱身向後退出三尺，舉手一掌向胸前燃燒之處拍去。

哪知右手一和胸前火燄相觸，手掌衣袖也隨著熊熊燃燒起來。片刻之間，全身火勢大盛，熊熊碧燄，照得他滿臉深綠之色。

天望大師撲不滅身上火勢，心中已感慌亂。臉上突然泛現起悲忿之容，大喝一聲，直向那勁裝中年大漢撲了過去。夜風飄飛起他的衣袂，和閃閃火光，有如一巨鳥破空而下。

那勁裝大漢正自洋洋得意，忽見天望大師挾著滿身烈燄，直撲而下，心中大為駭然，竟然不敢硬接天望大師撲擊之勢，縱身而起，斜斜向一側躍去。

只聽天望大師厲聲喝道：「使用這等歹毒暗器，饒你不得。」聲音悲壯，有似古剎晨鐘一般。喝聲中，帶著滿身烈燄，懸空一個大轉身，轉向那勁裝大漢撲去。

那勁裝中年大漢縱身躍起，忽覺右腿一麻，才知自己已真的受了重傷，不禁心中一驚！轉頭望去，天望大師已手揮禪杖，當頭擊了下來。他心氣已餒，哪裡還有勇氣硬接天望大師的杖勢，用出全力，縱身又向一側躍出八尺。

天望大師冷哼一聲，下擊禪杖，已點實地，身側又忽然間升了起來，疾追過去。

他這三升三降的撲擊之勢，身子未落實地，輕功之高，甚爲少見。

那勁裝大漢，第二次雖然躍避開去，但全身的傷勢，已然發作，自知已無能再避開對方撲擊之勢，暗暗一嘆，道：「完了。」舉起右手寶劍，準備拚盡全力，硬接天望杖勢。忽聽一聲青天霹靂般的大喝，一條人影，橫裡直衝過來，懸空迎住了天望大師，揮動鐵枴，硬接了天望大師的鐵禪杖，一聲金鐵相擊的大震，雙方都被震得落在實地。

天望大師已被那貼身毒火，燒傷了數處，但他強忍著火灼之苦，準備把那施用「奪魂子母梭」的中年大漢，擊斃杖下之後，再自碎「天靈」要穴一死，免受毒火活活燒死之苦。但卻未料到胡柏齡會突然出手助拳，用鐵枴硬接了他下擊杖勢。

這是一招真力實學的硬拚，誰也沒有取巧。天望禪師似已感受毒火焚身之苦，光頭上的汗水，滾滾而下，目光移注胡柏齡身上，說道：「老衲曾聽天明師兄說過，胡盟主神力過人，武功絕世，今日一見，果是不凡，可惜老衲……」熊熊的毒火，在他身上燃燒，他身上的一件灰色僧袍，已大半著火。

胡柏齡突然接口說道：「但望老禪師留下命來，以便在下有再度領教大師武功的機會。」

天望大師突然一振雙臂，正在燃燒的僧袍，突然片片碎裂，散落在地上。他雖震碎了僧袍，但身上仍有幾處藍色的火燄未熄。原來那毒火強頑無比，不論何處，只要沾染一點，就一直延燒不絕。

胡柏齡回頭望了那中年勁裝大漢一眼，又回頭冷冷對天望大師說道：「大師已被火毒燒傷數處，只怕劇毒已侵入體內，縱然用砂土熄去身上毒火，只怕也難保得性命了。」言下之意，已暗中相示，要他快用砂土熄去身上火勢。

天望大師不再答話，縱身飛起，兩、三個縱躍，隱入一個山角之中不見。

胡柏齡知他不願在自己面前滿地翻滾，失了他的身分，才任憑身上毒火燃燒，先行走避。

張敬安緩步走了上來，笑這：「那老和尚縱然撲熄去身上火勢，只怕也難活得下去。」胡柏齡淡淡一笑，也不追問。心中卻在暗暗忖道：「難道他這『奪魂子母梭』中暗藏的毒火，世間當真就無藥醫得麼？」

只聽張敬安繼續道：「如他衣服剛燃之時立即用砂土撲滅，那就不致毒火侵入體內了。」

胡柏齡是何等聰明之人，已知張敬安知道了他暗中相示天望大師撲熄毒火之法，心中暗道：「我如不想出適當之法，掩去此舉，只怕要引起他懷疑。」心念一轉，微笑說道：「這少林和尚如當場被毒火燒死，勢必引起少林僧侶的強烈報復行動，師弟和周兄，傷勢未癒，小兄一人只怕也難抵擋。」

張敬安微笑接道：「小弟久聞少林派被譽爲武林中泰山北斗，門下弟子，個個武功高強，

今日一見，方知傳言非虛。」

胡柏齡緩步走到那勁裝中年大漢身側，說道：「周兄傷勢如何？如若無礙，咱們要早些趕路；如果傷勢沉重，那就先到兄弟『迷蹤谷』中去，休息幾日再走不遲……」他微一沉忖，又道：「據我推想，這少林和尚身受重傷之後，勢將引起其他僧侶報復之心，再晚片刻，只怕就難以走得了。」

那勁裝大漢雖然身受傷勢不輕，但卻不願示弱，大笑說道：「區區一點傷勢，兄弟還可以支撐得住，咱們還是趕路要緊。」轉過身子，當先向前奔去。

胡柏齡翻身上馬，一抖韁繩，健馬如飛，疾追上去，追到那勁裝大漢時，突然伸出右臂，一把將那勁裝大漢抱上馬鞍，自己一點馬鐙，翻身而下，笑道：「周兄身受微傷，不宜奔行趕路，請用兄弟坐騎。」

那勁裝中年大漢，回頭望了胡柏齡一眼，也未說一句感謝之言，縱馬而行。

半宵緊趕，待天色黎明時光，已離「迷蹤谷」五十餘里，張敬安突然躍下馬背說道：「師兄奔走半夜想已疲累，請騎小弟坐騎……」

胡柏齡微微一笑，道：「小兄毫無倦意，師弟不用客氣。」

張敬安猶豫了一陣，道：「小弟有幾句話，未能事先相告師兄，心中極是不安……不過……不過……」他不過了半天，仍是說不出一句話來。

胡柏齡道：「師弟有什麼難言苦衷麼？」張敬安道：「不敢再瞞師兄，家師等早已到了北嶽，小弟相訪之時，因受家師告誡，故而未曾相告師兄。」

胡柏齡心頭一震，暗暗想道：「我只料他近日內定會趕來北嶽，想不到卻已先到，這麼看將起來，只怕他陰謀早已發動……」胡柏齡沉思片刻接口說道：「酆師叔做事，一向神出鬼沒，不知他老人家現在何處？快帶小兄去見他老人家，我已十幾年未見過酆師叔了……」

張敬安微微一笑，道：「家師就在左近，只是這兩匹健馬，不知該如何處理才好？」

胡柏齡是何等聰明之人，一聽張敬安的話，立時了解他話中含意，略一沉忖，舉手一掌擊在張敬安坐馬頭上。但見那健馬長頸一抬，倒地死去。

胡柏齡抬頭看去，只見那勁裝中年大漢，仍然端坐在馬上不動，雙手扶鞍，兩目緊閉，晨光中望去，臉色一片蒼白，不禁一皺眉頭，暗道：「此人受傷甚重，再多走上十里路，非從馬上跌下不可。」大步走了過去，左手扶住那勁裝大漢，右手一掌擊中馬頭，那馬一聲低嘶，臥斃地上。

胡柏齡左手一伸，接住那中年勁裝大漢，笑這：「周兄，傷勢發作了麼？」

那勁裝中年大漢雙目微微一睜，瞧了胡柏齡一眼，又緩緩閉上。

胡柏齡待他身子站穩之後，才鬆開左手，抓起地上兩匹死馬，投入山谷之中，探頭向谷中一望，笑道：「這座山谷，深達數百丈，谷中荒草蔓延，那兩匹健馬投入谷中，屍體盡被荒草掩遮去了。」說完，黯然一嘆。

張敬安笑道：「不是小弟多心，實因家師再三告誡於我，不要留下給人追索行蹤的跡痕，故而……」

胡柏齡微笑接道：「師叔行蹤，關係武林大局，不到時機成熟之時，自是不能露面，現下

張敬安道：「有勞師兄了。」轉身直向一個山角處奔去。

胡柏齡知他此刻，已無行動之能，跑了過去，揹在身上，說道：「小兄揹著他走吧！」

張敬安望了那勁裝大漢一眼，問道：「周兄的傷勢很重麼？」

四野無人，咱們要去，得趕快走了。」

胡柏齡緊隨身後而行，轉過了一個山角，景物突然一變。只見兩道山壁夾峙著一條山谷，谷中滿是高可及人的荒草，除了那道荒谷之外，再也沒有可通之路了，不禁微微一怔，道：「師弟，難這鄷師叔就在這荒草中麼？」

張敬安道：「不錯。」身子一側，直向荒草中鑽去。胡柏齡緊隨身後，走入草中。這條山谷之中，荒草甚深，進入數尺，人已全被荒草掩沒。

張敬安雙手分拂荒草，走得十分緩慢，似是在暗中用心辨認路途。深入了二、三里路，張敬安才停下了腳步，高高舉起雙手，互擊三掌。片刻工夫之後，遙聞擊掌相應之聲。眼前荒草一陣波動，突然現出來兩個勁裝大漢。來人一見張敬安，齊齊抱拳一禮。

張敬安道：「師父在麼？」

左面那勁裝大漢，打量了胡柏齡一眼，反問道：「這人是誰？」

張敬安笑道：「這位就是大名鼎鼎的當今綠林盟主，胡柏齡，胡師兄！」

兩個大漢微微一拱手，道：「久仰，久仰。」轉身向前走去。這兩人的身分，顯然沒有張敬安高，但神情詞色之間，對待張敬安並不如何尊重。

胡柏齡故意輕輕地咳了一聲，引得那兩人注意後，低聲對張敬安道：「小兄就此去見酆師叔，不知是否方便？我看還是由師弟先去通報一聲的好。」

張敬安還未來得及答話，忽聞一個遙遠的聲音，傳入耳際，道：「不用啦！」聲音不大，但卻入耳驚心，聽得字字清晰。

胡柏齡暗暗吃了一駭，忖道：「這分明是酆師叔的聲音，千里傳音入密之法，不足爲怪，但他能聽到我和張師弟低語之言，難道十餘年未見，他真已練具上乘武功中天視地聽之技不成？」警覺之心又暗中提高不少，高聲答道：「弟子久未拜見師叔慈顏，無時不在念中，又不敢冒昧相訪，驚擾了師叔的清修……」

遙聞一個清晰陰冷的笑聲，傳了過來，截住他未完之言，說這：「賢師姪取得綠林盟主之位，替令師和我增了不少光彩，老夫正有嘉客來訪，無暇親身出迎。」

胡柏齡高聲答道：「怎敢相勞師叔大駕？」

那兩個迎來的勁裝大漢，聽得酆秋和胡柏齡對話之後，忽然變得對胡柏齡客氣起來，一前一後替他分草帶路。

胡柏齡、張敬安等人又走了四、五丈遠，到一座突立的大石前面，那個勁裝大漢當先停下腳步，恭恭敬敬地對那大石一個長揖，說道：「當今綠林盟主胡柏齡求見師尊。」

只聽那大石後傳來一個清冷的聲音，道：「帶他進來吧！」

兩個勁裝大漢同時抱拳應了一聲，帶著胡柏齡繞過大石。

十一　殺機四伏

大石後面，是一面陡立的小壁，一個十三、四歲，背插寶劍，面目清秀的道童，挺立在石壁前面，一見那兩個勁裝大漢，微微一笑，問道：「哪一位是胡盟主？」

胡柏齡雙手扶著背上的周姓大漢，只好微一欠身說道：「在下就是。」

那道童微微一笑，橫向旁側跨開兩步。

此人似是最愛微笑，人又生得唇紅齒白，稚氣未除，笑起來十分好看。

胡柏齡心中暗暗忖道：「這孩子舉動大異常人，將來如非大豪、大俠，定是陰辣無比的一代梟雄。」不覺多瞧了他兩眼，說道：「小兄弟可是酆師叔的門下麼？」

那道童又是微微一笑，道：「末學後進，難成大器，還得胡師兄多多提攜。」

口齒伶俐，甚是討人喜愛，胡柏齡點頭一笑，未再答話，舉步向前走去。

原來那道童身後的石壁上，有一個三尺大小的石洞，斜斜向下通去。

胡柏齡揹著那周姓大漢，當先而行，伏身進了石洞，直向前面走去。

張敬安和那道裝小童，魚貫隨在身後而行，那兩個勁裝大漢，卻留在洞口。

這條石洞雖然曲折，但並不很長，四、五丈後，忽然見到天光。只見四面高峰聳立，環繞著一個十丈見方的絕谷，竹杆黃緞的布棚下，坐著四個老人。最左一人，道裝白髯，面如滿月，正是酆秋。其他三人都是背側而坐，無法看清楚形貌。

胡柏齡放下背上的周姓大漢，長揖說道：「弟子十餘年未拜慈顏，師叔功力已至返老還童境界。」

原來酆秋髮髯皆白，但臉色卻白中透紅，有如童顏。

酆秋拂髯一笑，道：「很好，很好，你替令師和老夫，都增了不少光彩，很好，很好。」短短兩、三句話，一連說了四個很好，一派老氣橫秋。

胡柏齡道：「師父教養恩重，師叔提攜功深，弟子不過適逢其會，幸得未辱師父、師叔一番教養苦心。」

忽見左側一個老人站了起來，大步直向那身受重傷的大漢走了過去，舉手一掌，拍在那大漢「命門穴」上，那大漢長長吁一口氣，醒了過來。

那老人冷冷喝道：「沒有用的東西，你傷在了什麼人的手下？」

胡柏齡轉目望去，不禁暗暗一笑。原來那老人生得醜怪無比，一張臉，半邊紅、半邊白，紅的鮮豔奪目，白的毫無血色。

那周姓大漢，對那陰陽臉的老人，似甚畏懼，聲音微帶顫抖地答道：「弟子是傷在少林僧侶手下。」

那怪老人冷笑一聲，道：「初次上陣，就敗在人手上，留你活著，爲師還有何顏見人？」

說完話，舉起手來，大有把那周姓大漢立斃掌下之念。

胡柏齡暗想到：「此人冷毒之名果不虛傳，對待自己親手教出的弟子，竟也這般慘酷。」

趕忙大聲說道：「老前輩暫請息怒，周兄之敵乃少林寺達摩院中住持天望大師，少林寺『天』字輩中高手之一；周兄和他力拚百招，可算得雖敗猶榮，何況天望大師還傷在老前輩的『奪魂子母梭』下，負傷之重，更勝過周兄。」

那怪老人忽地拂髯一笑，道：「原來你是遇上了天望那老和尚，雖然難算雖敗猶榮，但可免去一死，還不快些調息。」

那周姓大漢轉臉望了胡柏齡一眼，目光中滿是感激之情，緩緩閉上雙目調息。

正在端坐的酆秋忽然站了起來，目注張敬安大聲喝道：「你也是傷在老和尚的手下麼？」

張敬安道：「不是，弟子是傷在……」

酆秋厲聲接道：「武當門下？」

張敬安囁嚅說道：「也不是，弟子是傷在胡師兄的『天星指』下。」

酆秋一皺眉頭，回目望了胡柏齡一眼，默然不語。

胡柏齡卻毫無驚慌之情，侃侃而談，道：「師叔息怒。師弟確實傷在我『天星指』下，不過弟子身為盟主，不能偏顧私誼，失去人心，才和師弟動手。」

酆秋微一點頭，道：「此言還有幾分道理。」

胡柏齡淡然一笑，又道：「師弟武功精進甚多，迫得弟子不得不施展『天星指』功求勝，師叔定然知『天星指』力擊出之後，甚難適時收回控制，何況弟子不過四成功力，更難及時收

住攻勢，以致傷了師弟。」

酆秋微微一笑，道：「『天星指』功，乃令師絕技之一，你師弟自然難以抵擋得住。」

胡柏齡道：「弟子傷了師弟之後，心中甚是不安，尤覺愧對師叔。」

酆秋笑道：「事情已過，不用再放在心上，何況當時情景，也怪你不得，你身為天下綠林盟主，屬下受了傷害，自是不能坐視不管。」

胡柏齡深深一揖，道：「師叔量大如海，弟子感激不盡。」

酆秋回眸對張敬安道：「你暫時自行運氣調息一下……」

又轉臉對胡柏齡道：「我那封信你看到沒有？」

胡柏齡道：「看過了。」

酆秋道：「你可曾對屬下宣布？」

胡柏齡道：「弟子還未見過師叔，是以尚未對屬下宣布。」

酆秋拂髯一笑，道：「你來得正是時候，我們已準備逐步發動。」

胡柏齡一時之間，想不出適當措詞答覆，微微一笑，默然不言。

酆秋略一停頓，又道：「我已久年未在江湖之上走動，不知當代綠林之中，出了些何等人物？你既奪得天下綠林盟主，是否能運用自如？」

胡柏齡道：「弟子雖幸而奪得盟主之位，但為時甚短，對屬下尚難有運用自如之能。」

酆秋笑道：「你總該有一部分心腹的屬下吧？」

胡柏齡道：「心腹屬下雖有，但為數不多！」

鄷秋沉思了一陣，笑道：「這麼辦吧，你先靜靜地思索一陣，把你屬下分成三等，第一種人列為頑強之人，第二種人可以聽候調動，第三種人列為心腹之人……」

胡柏齡心中暗暗一驚，忖道：「此人手段，當真是毒辣無比！」

只聽鄷秋繼續說道：「你把屬下分成三等之後，選定一個日期，大開筵席，請他們吃飯，然後暗在酒菜之中放下毒物，把第一等人毒死，屆時我當親自帶人趕去助你，完成此事；如若當場被人揭穿，那就索性出手，把他們一一擊斃。」

胡柏齡早已料到鄷秋要說些什麼，是以，並無驚異之感，故意沉忖了一陣，道：「這個必須要周詳計議。」

鄷秋低沉地冷笑一聲，道：「你進棚內坐吧！你現在身為綠林盟主，地位、身分，都很尊崇，也該認識、認識幾個綠林道上的前輩高人。」

胡柏齡道：「師叔這等稱頌，弟子如何敢當？」

口中雖在說著謙遜之言，人卻依言走入布棚之中。

鄷秋並未立時把胡柏齡和棚中諸人引見，卻回頭低聲對道裝童子吩咐道：「吩咐她們快些擺上酒筵。」

那道裝童子微微一笑，也不答話，轉身而去。

胡柏齡人已進入棚中，他顯得十分拘謹，落座之後，始終未發一言。

那幾個靜坐著的老人，有如木刻、石雕一般，自從胡柏齡進來之後，始終未看過胡柏齡一眼，連頭也未轉動過一次。

片刻之後，那道裝小童，帶著八個綠衣小婢急急奔來，那八個綠衣小婢手中，都托著一個木盤，但仍然健步如飛而來，一直進入棚中。

胡柏齡目光流轉，只見那八個綠衣小婢手中木盤內的菜肴，仍然熱氣蒸騰。

這時，那陰陽臉的怪人，又自動走入棚內，緊倚胡柏齡身旁而坐。

酆秋緩緩站起身來，說道：「諸位請用點酒、菜吧！」

這班人似乎都極自負，又似素不相識，自胡柏齡入得此棚之後，除了酆秋和那陰陽臉的怪老人之外，始終未聽其他之人講一句話。

直待聽到酆秋讓客入席之言，幾人才緩緩站起身來，舉步入座。

胡柏齡藉機掃掠了幾人一眼，只見左首一人骨瘦如柴，全身黑衣，但卻生了兩條白眉。右面一個身著土色長衫，臉色金黃，有如死了數月的人，從棺材之中拖出一般，眉宇神情之間，一股陰森之氣。

全棚中四個老人，除了酆秋滿面紅光，童顏鶴髮，白髯飄飄，頗有一點仙風道骨之氣外，其他之人，一個比一個難看。

這時，那周姓大漢和張敬安，都已退了下去，黃綾棚之外，只餘那道裝小童，那八個送菜上酒的綠衣少女，也都走得蹤影不見。

胡柏齡一直未看清這些人由何而來？又退往何處？

酆秋指著胡柏齡對那三個陰陽怪氣的老人說道：「此人乃兄弟師兄門下，當今的綠林盟主。」

三個老人之中，只有那陰陽臉的老人，微一欠身，點頭作禮之外，其他兩個人，動也未動一下，只把目光輕輕在胡柏齡臉上一瞥而過。

胡柏齡處此環境之中，倒非常能忍得住氣，那幾個老人雖然都對他流現出冷傲的神態，但胡柏齡卻似毫未放在心上，緩緩站起身子，抱拳一個長揖，道：「末學後進胡柏齡，給三位老前輩見禮。」

那全身黑衣，骨瘦如柴的白眉老人，呵呵大笑了一陣，轉臉望著那身著土色長衫，臉色金黃的老人，說道：「酆兄這位師姪兒，倒是個可教之才。」

此人久不開口，一開口一派老氣橫秋之態。

那身著土色長衫，臉色金黃的老人，一咧嘴巴，無聲無息地一笑，接道：「倒還算是個懂得禮貌之人。」

胡柏齡心中暗暗忖道：「好大的口氣！」口中卻是微微一笑，道：「兩位老前輩過獎了。」

酆秋手拂長髯，大笑了一陣，指著那全身黑衣，骨瘦如柴的怪人說道：「這位是『鬼老』水寒。」

胡柏齡抱拳一揖，道：「水老前輩。」

心中卻暗自笑道：「你既然是鬼，必在我閻羅管理之下……」

酆秋又指著那身著土色長衫，臉色金黃的怪人說道：「這是『人魔』伍獨。」

胡柏齡又對伍獨一個長揖，道：「伍老前輩。」

伍獨咧嘴一笑，也不還禮。

酆秋望了那陰陽臉的怪人一眼，說道：「水、伍二兄四十年前，已然絕跡江湖，不問武林是非，埋首北極冰天雪地之中，精研寒陰神功三十年，近月中始功行圓滿，離開北極，重返中原。」

他拂髯大笑了一陣，接道：「放眼當今武林高手，能夠承受他們兩人一擊之人，只怕難得找出幾個。」

水寒、伍獨竟然默不作聲，似是酆秋之言，毫無頌讚成分。

酆秋指著那陰陽臉的怪人，接道：「這一位，賢師姪定然聽過，乃我綠林道上，第一位暗器高手『毒火』成全。」

胡柏齡又是一個長揖，說道：「成老前輩。」

成全似是對胡柏齡甚有好感，竟然微一欠身，還了一禮。

酆秋端起桌上酒杯，笑道：「諸位先滿盡一杯酒，也讓兄弟略表一點相敬心意。」

水寒、伍獨、成全、胡柏齡各端起面前酒杯一飲而盡。

喝過一杯酒，「鬼老」水寒竟然一反沉默不言的神態，說道：「酆兄既然志在大挫少林、武當兩派的銳氣，似是不必勞師動眾，費心籌畫，單憑咱們四人之力，趕往少林，大興問罪之師，已經夠了，何苦東奔西走，到處邀請助拳之人？以我之意，咱們吃過酒後，立時趕往少林室去，一鼓殲滅少林派的和尚首腦……」

那陰陽臉的「毒火」成全，不待水寒說完，立時搖頭接道：「水兄久年隱居北極之地，不

解中原武林形勢，少林、武當兩派，能夠主裁江湖局勢數百年盛名不衰，豈是偶然之事？少林寺的羅漢陣，和武當派的五行劍陣，數十年來還未聽到有誰闖得這兩大奇陣……」

他微一停頓之後，又道：「嵩山少林寺中，僧侶多達千人，個個都有著一身武功，武當派雖不似少林規模龐大，但門下弟子至少也在四百以上，不是兄弟長他人志氣，滅咱們自己威風，憑咱們四人之力，想一鼓殲滅少林、武當兩派首腦，只怕沒有那樣容易。」

「鬼老」水寒突然轉過臉來，兩道目光盯住「毒火」成全身上，冷冷地說道：「這麼說來，成兄是不信兄弟的話了？」

「毒火」成全笑道：「這個叫兄弟很難答覆了。」

「鬼老」水寒陰冷一笑，緩緩說道：「成兄自信比少林寺內高手的武功如何？」

毒火成全道：「伯仲之間，勝負難料。」

「鬼老」水寒霍然站起身來，說道：「既然如此，成兄權做少林和尚，試試兄弟的寒陰神功如何？」

此等正面挑戰之言，「毒火」成全如何能受得了？當下站了起來，說道：「單叫兄弟相試水兄的寒陰神功，未免有些不近情理了……」

水寒冷冷地接道：「那麼成兄之意呢？」

毒火成全道：「兄弟之意是，水兄不妨以寒陰神功對付兄弟，兄弟也以毒火暗器還擊，咱們各用絕技，相試幾招。」

水寒削瘦的臉上，閃掠過一抹殺機，道：「動手相搏，拳腳無眼，不是兄弟傷了成兄，就

是兄弟被成兄所傷……」

他微一停頓，轉臉望著酆秋說道：「此事還得酆兄替我們做個見證。」大步離開了座位。

酆秋霍然站起身來，說道：「兩位都暫息雷霆之怒，聽兄弟說幾句話。」

「鬼老」水寒冷笑一聲，道：「酆兄有話待我們打完再說不遲。」

酆秋笑道：「二虎相鬥，必有一傷，兄弟之意，兩位最好能看在兄弟分上，彼此都忍讓一點。」

那身著土色長衫，臉色金黃的「人魔」伍獨，也緩緩站了起來，說道：「水兄不可太過任性，別讓酆兄爲難。」

「鬼老」水寒目光一掃「毒火」成全說道：「既然伍兄、酆兄都這般相勸，兄弟如再堅持，未免有些不近情理了……」

兩道森冷的目光，又轉投成全的臉上說道：「咱們這筆賬，暫時記著，待對付過少林、武當之後，咱們連本帶利，一併清算。」

「毒火」成全冷笑一聲，道：「屆時兄弟定當捨命奉陪。」

酆秋急急說道：「兩位別再做意氣之爭，快請入席，兄弟還有要事和諸位相商。」

「鬼老」水寒緩緩入座，神色間餘怒未息，冷冷對酆秋說道：「酆兄如若畏懼少林、武當兩派實力，兄弟願和伍兄聯袂趕往少林寺去，盡殲少林首腦之後，酆兄再振臂招呼我綠林同道……」

酆秋端起桌上酒杯，接道：「水兄先請盡了這杯水酒，再聽兄弟分析一下當今武林形勢

……」

「鬼老」水寒雖然冷僻孤傲，但對酆秋卻是不敢太過狂傲，端起桌上酒杯，一飲而盡。

酆秋緩緩就座，微微一笑說道：「數百年來，少林、武當一直雄霸江湖，綠林中人，早在兩派積威之下屈服，除非利害關係本身生死，否則絕不願正面和少林、武當兩派衝突，如想招呼綠材同道，抗拒少林、武當兩派，勢非先挫少林、武當兩派一次凶焰，或是一擊之下，殲滅兩派幾個首要之人……」

他微微一頓之後，又道：「兄弟如未存心先傷兩派幾個首要之人，也不敢有勞幾位了？」

「鬼老」水寒臉上忽然泛現出歡愉之色，笑道：「酆兄這等瞧得起兄弟和伍兄，實叫兄弟感激，不知酆兄準備幾時動手？」

此人對打架之事，似是特別感覺到興趣，句句字字，不離找人動手。

酆秋拂髯一笑，目光緩緩投注胡柏齡身上，笑道：「這件事還得請賢師姪原諒老夫，已擅自借你之名，發出邀請兩派首腦人物的請帖了。」

胡柏齡怔了一怔！暗暗忖道：「無怪少林、武當兩派中人，陸續趕往我北嶽『迷蹤谷』外，原來這中間竟有這等隱情！」

心中雖對酆秋此舉大爲不滿，但口中卻微笑答道：「師叔借用弟子之名，發函邀約兩派首腦，弟子極感榮寵。」

酆秋拂髯大笑，道：「我原定七月七日借你『迷蹤谷』召開綠林英雄大台會。會中準備把少林、武當兩派中幾個首要人物的人頭，懸掛出來，以懾群心，哪知千算一失，卻沒有料到，

你竟然會親自把你師弟送了回來，這一來，勢難再對你保守此密了。」

胡柏齡心中急於知道鄷秋對付少林、武當的陰謀，立時接道：「師叔如有需用弟子之處，弟子立時先回『迷蹤谷』去，盡選屬下高手，聽候調遣。」

鄷秋拂髯一笑，道：「眼下還用不著，我已早有安排，只待少林、武當兩派要人，一入我預布陷阱之中，大功就算成了一半……」

胡柏齡微微一笑，道：「師叔早已在這『迷蹤谷』外，預布下人手了麼？」

鄷秋道：「不錯，我已費時三月，布置下天羅地網，雖然未必能一鼓盡殲兩派高手，但漏網之人，也難逃過伍、水二兄寒陰神功。」說完哈哈大笑，滿臉歡愉之色。

胡柏齡暗暗吃了一驚！他雖未聽鄷秋說出要用什麼方法殲滅兩派高手，但想來定然是十分毒辣之計，如若少林、武當兩派中人物，不知個中陰謀，陷入鄷秋詭計之中，江湖間正義，立時將蕩然無存。

他心中雖然有著甚大的震駭，但表面之上，仍然保持著十分鎮靜的態度，微微一笑，道：「如若少林、武當兩派中首腦高手就殲，咱們綠林中人物，定可大大地揚眉吐氣一番；但少林、武當兩派中人，武功都非平庸之輩，豈是……」

鄷秋拂髯大笑，道：「這個你儘管放心，除非他們不入我預布陷阱之中，只要入我預布陷阱，任他是鐵打金剛、銅澆羅漢，也無法逃得出去。」

胡柏齡漫不經心，淡淡一笑，道：「不知師叔用的什麼方法，能一舉盡殲兩派高手？」

鄷秋突然一瞪雙目，兩道冷電般的眼神，盯住胡柏齡臉上，冷冷說道：「用什麼方法，暫時不能洩露……」

只聽一個洪亮的聲音，遙遙傳來，道：「酆老前輩在麼？」

酆秋回頭對那道裝童子說道：「去帶來人。」

那道裝童子笑應一聲，急步而去。

此人最是愛笑，開口說話之前，必要先笑一下。

片刻之後，那道裝童子，帶著一個勁裝大漢，奔入黃綾棚中。

那人先對酆秋深深一揖，然後目光環掃了全場一周，垂手而立，但卻默然不語。

酆秋道：「布置已經完成了麼？」

那勁裝大漢答道：「布置已好，只待少林、武當兩派中人進入陷阱後，立時可以發動。」

酆秋微微一笑，道：「好吧！你先退下。」

那勁裝大漢，躬身一禮，大步退了出去。

酆秋轉臉望著胡柏齡笑道：「借賢姪北嶽的綠林總寨，一鼓殲盡少林、武當高手，賢姪之名定可傳誦綠林道上，愚叔爲賢姪敬賀一杯。」

胡柏齡端起面前酒杯，一飲而盡道：「多謝師叔。」

酆秋又斟了一杯酒道：「諸位先請滿飲此杯，兄弟還有事相託。」

「鬼老」水寒端起酒杯，笑道：「兄弟預祝酆兄一網打盡少林、武當高手，替咱們綠林同道一洗數十年來之辱。」

酆秋道：「兄弟雖已預有布置，但清殲殘敵，盡滅兩派精銳，還得借仗水兄、伍兄、成兄

等大力。」

水寒、伍獨、成全齊聲說道：「酆兄但請吩咐，赴湯蹈火，在所不辭。」

酆秋笑道：「兄弟先謝諸兄盛情……」微微一頓，又道：「胡賢姪用過酒飯之後，請立刻轉回『迷蹤谷』中，盡出谷中高手，趕住『迷蹤谷』外候命……」

胡柏齡心知立時就要發動，如不適時通知少林、武當中人，兩派甚可能被誘入埋伏之中。心念一轉，當下站起身來，說道：「弟子立時就去如何？」

酆秋笑道：「賢師姪不用太慌，兩派中首腦人物，眼下還未進入山中，用完酒、飯，再去不遲。」

胡柏齡心中雖然甚感焦急，但素知酆秋生性多疑，如若堅持要走，勢必要啓他心中疑竇，只好按下性子，重又坐了下去。心中卻暗暗忖道：「師叔這次預謀，不知用了多少心機？經過了多少時間？連兩派首腦人物的行動，都已在他監視之下了。」

只聽酆秋呵呵一陣大笑道：「咱們武林中人，雖然講求武功高低，但機智較武功，尤爲重要；少林、武當兩派中高人如雲，代有奇才，如果咱們憑仗武功和兩派硬拚，鹿死誰手，還難預料！但如兄弟計謀有成，眨眼之間，就可把兩派中大部精銳高手，化作飛灰……」

胡柏齡心中突然一動，接道：「那請柬之上，只有小姪，只怕兩派不肯盡出高手，那師叔一場心血，又豈不等於虛耗了？」

酆秋道：「賢師姪想的不錯，如果只有你一人具名，兩派中人，也不致興師動眾，盡出高

手，實不相瞞，老夫也在那請柬之上，具下名字了。」

胡柏齡微微一笑，道：「師叔謀慮周詳，弟子難及萬一。」心中卻暗暗驚道：「好一個老謀深算之人，看來少林、武當中人是難以逃過這場劫數了。」

只聽酆秋又是一陣呵呵大笑，道：「少林、武當兩派中人，對此事十分重視，足以盡出兩派中高人，對付此事，大概他們也準備在這一戰之中，盡殲咱們綠林高手，是以布置也十分嚴謹，動員人數之多，可以說盡出兩派精銳，這一場拚搏之戰，雙方都已存下勢不兩立之心，成敗之分，對今後江湖形勢影響極大……」

胡柏齡大笑接道：「何止影響極大！這一戰如若盡殲少林、武當兩派高手，自詡為江湖上正大門戶的幾派，恐將從此一蹶不振了。」

酆秋轉臉望了胡柏齡一眼，道：「如若咱們在這場大戰之中，不幸敗於少林、武當之手，三十年內綠林道上將無元氣重復之能。」

胡柏齡起身笑道：「這一戰茲事體大，非同小可，弟子已無心再用酒、飯，先行告辭回去，召集所有屬下……」

酆秋笑道：「賢姪既然無心再用酒、飯，就請先行回去。」

胡柏齡抱拳一揖，離開席位，轉身向前走去。

酆秋突然提高了聲言說道：「賢姪慢走一步……」

胡柏齡回過身來，又是一揖，說道：「師叔還有什麼吩咐？」

酆秋笑道：「賢姪一人回谷，萬一有事，只怕應付不下，叫你這位小師弟陪你去吧！」

胡柏齡微一沉吟，道：「弟子十分歡迎小師弟結伴同行……」

酆秋不讓他再說下去，拂髯一笑，回頭望著那道裝童子說道：「你隨胡師兄到『迷蹤谷』中去一趟吧！」

那道裝童子微微一笑，也不言語。

胡柏齡心知酆秋有意派那童子隨去監視，當下拱手對那童子一笑，道：「小師弟，咱們走吧！」

那道裝童子又是微微一笑，點頭奔了過來，搶到胡柏齡前面帶路。

兩人奔出石洞，出了荒草掩遮的山谷，直向「迷蹤谷」中奔去。

胡柏齡暗中加勁，放快速度。

那道裝童子衣袂飄飄，竟然緊隨在胡柏齡身後而行。

胡柏齡暗暗一皺眉頭，用出了七成功力，步履疾快如飛。在他想來那道裝童子，絕難追隨得上。

奔行了一陣，回頭望去，哪知事實大出意外？那道裝童子，仍然緊隨在身後，而且步履輕鬆，毫無吃力之感。

胡柏齡暗暗吃驚，放慢了腳步，轉臉望著那道裝童子，笑道：「小師弟今年幾歲了？」

那道裝童子道：「十五歲。」說完又是一笑。

胡柏齡道：「小師弟十五歲，能有這等功力，未來前程，實難限量。」

那道裝童子這次不再答話，搖搖頭，又是一笑。

胡柏齡暗道：「這孩子怎地這等不愛說話？」又追問了一句道：「你從酆師叔學習幾年了？」

那道裝童子，仍不言語，輕輕伸出了兩個指頭。

胡柏齡道：「二年麼？」

那道裝童子點頭一笑，仍然默不作聲。

胡柏齡心頭一震，暗暗忖道：「如果他未說謊言，兩年時光，怎麼練成這樣一身功夫？」只覺疑竇重重，思解不透，沉吟了良久，又問道：「這麼說來，小師弟是帶藝投師了？」

那道裝童子臉上似已泛現出不耐之色，微一點頭，突然放步向前奔去。

但聞衣袂飄風之聲，眨眼之間，已超出胡柏齡一丈餘遠。

這等絕世輕功，使胡柏齡大爲震駭！當下一加勁力，放腿疾追。

兩人在荒涼的山野中，較上了腳程。

胡柏齡施出全力疾進，疾如電閃雷奔，片刻之間，已跑出了二十餘里，竟然仍未追上那道裝童子。

奔行之間，忽聽一聲沉喝：「站住。」

寒光閃動，一個手橫長劍道人，由路側急躍而出，攔住了兩人去路。

那道裝童子微微一笑，左手一揚，當胸擊去，右腕向後一探，已拔出肩上寶劍。

他動作迅快無比，那道人剛剛讓開一掌，還未來得及還手，他手中寶劍，已自疾向那道人

小腹刺去。

那道人大概看他身著道裝，怕傷了自己人，不自覺地問道：「你是……」那道裝童子劍勢突然一變，詭異絕倫弟攻出一招，那道人一句話還未說完，寶劍已近前胸，匆忙之間，揮劍一架。

哪知道裝童子攻出的劍勢，忽然斜斜一偏，寒光閃動，那道人握劍右臂，應手而斷。

胡柏齡暗自驚喝一聲：「好辛辣的劍法……」讚聲未完，那道裝童子出手的劍勢，又忽地回掃過來，只聽一聲悶哼，那道人攔腰被斬做兩段。

動手不過三招，那道人已濺血劍下。

胡柏齡驚愕地嘆息一聲，道：「小師弟的劍法辛辣無比，愚兄闖蕩江湖數十年，還是初見。」

那小道童卻是滿不在乎的微微一笑，在那道人屍體之上，輕輕抹去劍上血跡，又放腿向前奔去，對胡柏齡讚嘆之言，恍似聽而未聞。

胡柏齡忽然覺著，這位笑起來十分動人的小師弟，是一位異常可怕的人物，心地毒辣，武功又高不可測，如若他對酆秋異常忠心，實是一位勁敵，必須要早些設法，把他除去。

心念轉動，殺機突起！

當下一加勁力，疾如離絃流矢一般，一連兩個急躍，追到那道裝童子身後。

正待揚掌下手，那道裝童子忽然停下腳步，回過頭來，笑道：「剛才那道人是什麼人？」

胡柏齡一沉真氣穩住身子，裝出一副若無其事的態度答道：「是武當門下弟子。」

那道裝童子展顏一笑，露出一口雪白的皓齒，道：「我常聽人說，武當派自詡以內家功夫和劍術領袖武林，怎地會這樣不濟事呢？」

說完話，也不待胡柏齡回答，立時又轉身向前奔去。

此人唇紅齒白，面貌娟秀有如女子，但心地卻十分毒狠，武功又高不可測，以胡柏齡見識之廣，竟也瞧不出這道裝童子的來路，只覺他柔媚之中，潛隱著無此的陰險。

兩入又向前奔行了四、五里路，轉過了一個山角，但聞一聲：「阿彌陀佛！」兩個身著灰袍，手橫禪杖的和尚，並肩攔住了去路。

那道裝童子回頭微微一笑，問道：「這兩個和尚大概是少林派門下吧？」

胡柏齡道：「不錯。」

道裝童子探手拔出肩上長劍，也不講話，舉手一劍，直向左面一僧刺去。

兩個和尚看他出手就打，不覺微微一怔！左面和尚禪杖一橫，一招「攔江截斗」斜斜推出，架開劍勢，說道：「你不是貧僧敵手，快些退下去吧！」

那道童綻唇一笑，突然疾攻三劍。

這三劍招招相連，迅快、辛狠，兼而有之，登時把左面一僧迫得手忙腳亂，連連後退。

胡柏齡怕他又下狠手，傷了少林僧侶，趕忙縱身而上，沉聲喝道：「小師弟快請退開，這兩個和尚由我對付。」

道裝童子頭也不回地柔聲說道：「我先殺一個，留一個給你殺吧！」當下劍勢一緊，疾攻過去。

左面一僧被他一連三劍疾攻，幾乎傷在他寶劍之下，哪裡還敢大意，看他再次揮劍攻來，立時掄動禪杖，封架還擊，兩人立時展開了一場凶猛的惡戰。

但見劍光飛繞，禪杖嘯風，片刻間，已力鬥了十幾個回合。

胡柏齡目睹那少林和尙，手揮禪杖，有攻有守，一時之間，還不致落敗，才放下心中一塊大石；雙目圓睜，全神貫注在兩人搏鬥之上，想從那道裝童子的劍路中瞧出他的出身。又鬥了四、五個回合，那道裝童子的劍勢忽然一變，出手劍招飄忽譎詭，四、五劍已把那和尙迫得險象環生。

右面一僧本來袖手旁觀，但一見同伴陷入危境，不自覺地揮動禪杖，出手相助。

那道裝童子忽然咯咯大笑起來，高聲說道：「胡師兄，他們兩人聯手打我一個，不能怪我不留給你了！」

劍勢突然一緊，攻勢突轉強猛，但見白光飛繞，劍氣漫天，倏忽之間，已把兩僧圈入了一片劍影之中。

這孩子似是有心誘那袖手旁觀的和尙助戰，故意和那和尙遊鬥了十幾個回合，才突然加緊劍勢猛攻幾招，使那袖手旁觀的和尙，不自覺地出手相助。

兩僧聯手合擊之後，他卻突然一變劍勢，招術詭辣絕倫，把兩僧一齊圈入了重重劍影之中。

胡柏齡眼看二僧齊齊陷身危境，心頭爲之大駭，高聲說道：「小師弟……」三個字剛出

口，突聞一聲慘叫。

飛舞的劍光中，暴射出一片血光。

一顆光禿禿的和尚頭，飛出了七、八尺遠，落在地上後，滾入草叢中。

耳際間響起那脆若女子的柔和聲音道：「胡師兄，不用替我擔心，我已經殺了一個啦，餘他一個，擋不過我五劍……」

話還未完，又是一聲慘叫傳來，另一個和尚，吃那道裝童子，一劍由前胸直穿後背。

那道裝童子拔出長劍，疾快地閃向一側，一股鮮血，急噴而出。

他在片刻之間，連殺了兩個少林高手，一個斷頭噴血而死，一個胸背對穿而亡。

這等身手，就當代武林中高人而論，也難得選出幾個。

胡柏齡望了那並肩而臥的兩具屍體一眼，黯然嘆息一聲，緩緩走近那道裝童子身邊，說道：「小師弟武功深博，劍招精奇，實乃小兄生平中僅見高手……」

那道裝童子微微一笑，滿臉漠然神色，就那兩具屍體之上，抹去劍上血跡，說道：「胡師兄身爲天下綠林盟主，武功自是比我高了，等到盡殲少林、武當兩派中人之後，小弟要向師兄討教幾招劍法。」

胡柏齡笑道：「不用比了，小兄絕然不是敵手……」

他微微一頓之後，又道：「小師弟這劍術，可是追隨酆師叔學得的麼？」

那道童輕輕一皺眉頭，說道：「不是。」

胡柏齡看他不願說出自己出身來歷，也不再多問，搬轉話題說：「小師弟身著道裝，定是

三清弟子，不知法號怎麼稱呼？」

那道裝童子猶豫了一陣，道：「我從小就穿道裝，穿慣不願脫它而已，並非三清門下弟子，也沒有法號。」

胡柏齡道：「這麼說來小師弟仍然沿用俗家姓名，不知如何稱呼？」

那道裝童子微微一嘆，道：「師兄囉囉唆唆，實在叫人心煩，唉！我從小就被師父帶到深山大澤之中長大，哪裡會有名字？」

他低頭思索了一陣，又道：「我好像記得姓麥，師父常常叫我小明，大概叫麥小明吧！」

胡柏齡道：「小師弟可是被酆師叔帶在深山中麼？」

麥小明雙目一瞪，微現惱意地說道：「胡師兄處處想追問我的出身，不知是何用心？」

胡柏齡想不到他竟然這等單刀直入地問出口來，一時之間，真還想不出適當措詞答覆，不禁微微一怔！沉吟了一陣，道：「小兄不過隨便問問，並無其他用心。」放腿向前奔去。

麥小明緊隨身後，振袂急追，片刻之間，已跑出六、七里路。

胡柏齡用出了全力趕路，人如離絃弩箭一般，但那道裝小童仍然緊隨身後，追個首尾相接。沿途再無阻礙，大約半個時辰左右，已到了「迷蹤谷」外。

只見數十個佩帶兵刃的勁裝大漢，重重排列，把守著谷口。

那些人已見到胡柏齡，一起抱拳作禮，高呼盟主。

麥小明微微一笑，問道：「胡師兄，這是你的屬下嗎？」

一面問話，一面抬頭打量群豪，但見高高矮矮、肥肥瘦瘦，個個都對胡柏齡流現出恭敬之情，不禁讚道：「唉！當了綠林盟主，原來這等神氣！無怪人人都想爭取綠林盟主之位了。」

胡柏齡一見眼前形勢，已知谷中出了大事，不禁一皺眉頭，道：「鍾一豪回來了麼？」一個高大粗豪的聲音，自人群之中響起，道：「鍾副盟主剛剛回來，已進谷中去了。」

胡柏齡道：「還有什麼人來過？」

那人答道：「武當派紫陽道長，親率門下八大弟子相訪，但問清盟主不在之後，留下一函而去。」

胡柏齡道：「他沒有進入谷中麼？」

那人道：「沒有。」

胡柏齡道：「可留下什麼話麼？」

那粗豪的聲音又答道：「留下一函，掉首而去。」當下從懷中摸出一個大紅封簡，遞了過去。

胡柏齡接過封簡一瞧，只見上面寫道：

函奉綠林胡盟主親啟

胡柏齡略一沉思，打開封簡，只見上面寥寥數語，寫的是：

接函望來一晤，貧道在谷外萬月峽中敬候大駕。

下面並未署名。

麥小明一派天真，也不避諱，胡柏齡打開了封簡，他也探過頭去瞧著，胡柏齡看完後，還在低頭沉思，麥小明已咯咯大笑道：「胡師兄，『萬月峽』在什麼地方？咱們一起看看去吧！」

胡柏齡正待答話，忽聽一個嬌脆的聲音，遙遙傳入耳際，道：「大哥，你到哪裡去了？」轉頭望去，只見谷寒香綠裙飄風，飛奔而來，她身後跟著一身白衣的苗素蘭，和面垂黑紗的鍾一豪，片刻之間，已奔到胡柏齡的身側。

她臉上泛現出淡淡的睏倦，似是一夜未眠。

胡柏齡目睹嬌妻，不自覺地生出了惜憐之情，微微一笑，說道：「你很累麼？」

谷寒香柔婉一笑，道：「我昨夜沒有睡覺，一直等到了天色大亮，還不見大哥回來。」清脆的聲音中，微微流露出幽怨。

胡柏齡道：「我有事出去了。」

谷寒香不再說話，輕輕一閉雙目，長長吁一口氣，緩緩走了過來，緊倚他身側而立。西斜的陽光照射著她勻紅的嫩臉，微帶倦意的情態，備使人心動憐愛。全場中的目光，都不自禁地投注到她的臉上。

麥小明望了谷寒香一眼，問道：「胡師兄，這女人是你的妻子麼？」

這等單刀直入的問法，使胡柏齡爲之一怔！一時間，真還想不出適當之言答覆，只好微微一笑，點了點頭。

麥小明輕輕嘆息一聲，道：「她很美麗！」

谷寒香緩緩轉動星目，瞧了他一眼，笑問道：「你認識我大哥麼？」

麥小明道：「他是我的師兄，我自然是認識了……」

谷寒香「嗯」了一聲，還未來得及答話，麥小明又搶先說道：「不過，我和胡師兄，昨天才認識的，過去並不認識。」他似是覺著不應該欺騙谷寒香，畫蛇添足地又加了兩句。

胡柏齡望了兩人一眼，微微一笑，回頭對鍾一豪道：「鍾兄此行經過如何？」

原來胡柏齡自悟前非之後，對人對事，都有著無比容忍，他深愛嬌妻，但又覺谷寒香這等美麗絕世的容顏，被自己一人佔有欣賞，未免有些委屈於她，是以，他對任何頌讚、欣賞嬌妻之人，毫無妒忌之意。

鍾一豪躬身抱拳，誠誠正正地答道：「屬下見到了紫陽道長，和少林派中監院天聲大師。」

胡柏齡急急問道：「他們說些什麼？」忽然想到麥小明隨行監視，趕忙又接口說道：「紫陽道長已來過咱們『迷蹤谷』了？」

鍾一豪一時之間，想不出胡柏齡話中含意，接口說道：「天聲大師曾再三相囑屬下……」

胡柏齡一皺眉頭，接道：「我已接紫陽封簡，約我『萬月峽』中相晤！」

鍾一豪究竟是久歷江湖之人，目睹胡柏齡的神情，已知他不讓自己說出經過情形，微一沉

吟，道：「武當派中，人心激動，盟主不宜單身涉險。」

麥小明突然插口說道：「不要緊，有我和胡師兄同行，包他無事。」

此人年紀雖然幼小，但口氣卻是托大得很，胡柏齡知他身負絕技，也還罷了，鍾一豪卻是聽得微生慍意，冷笑一聲，道：「小兄弟好大的口氣……」忽然想到他口稱胡師兄，只怕真是胡柏齡同門師弟，不便再說難聽之言，倏而住口。

麥小明微微一笑，道：「你是我胡師兄屬下，我如殺了你，只怕他心中不樂，但你不信我武功強得過你，咱們就賭一賭吧？」

鍾一豪冷冷說道：「哼！小小年紀說話沒有一點禮數，你要怎麼個賭法？」

麥小明笑道：「這賭法最是簡單不過，等一下咱們遇上武當派或是少林派中人時，一起出手，看哪一個殺的人多，就算誰勝。」

鍾一豪聽他愈說口氣愈大，不禁大怒，正待反唇相激，忽然覺著對方不過是一個十三、四歲的孩子，自己如果和他斤斤計較，豈不失了身分？當下轉過頭去，裝出一副漠然未聞的神態。目光觸處，只見數里外兩列行人，直向「迷蹤谷」口走來。

他面上垂著黑紗，內藏兩片微小水晶石片視物，其他之人卻無法見到他臉上的神色表情，他雖凝目望著那兩列行向谷口的來人，但胡柏齡等仍無所覺。

突然間，一陣嗡嗡之聲，破空傳來。

胡柏齡已見過張敬安投擲過傳音竹哨，一聞之下，立時辨聽出來。

麥小明微微一笑，道：「大師兄，師父派人來找你了！」

胡柏齡「嗯」了一聲，還未來得及答話，鍾一豪已接口說道：「少林、武當兩派中大隊人馬，就要到了。」

原來那遠遠的兩列行人，突然加快了腳步，疾奔而來。

胡柏齡抬頭望去，果見一行肩橫禪杖，身著灰袍的和尚，和一行道袍佩劍的道人，急步奔了過來。驀地裡，谷中右面大石後，響起了一個熟悉的聲音，道：「胡師兄，家師特派小弟，抱傷趕來，有要事相商。」說著話，人已走近胡柏齡身側。

胡柏齡道：「只有師弟一人來麼？」

張敬安道：「雖然只我一人，但卻有要事和師兄商量。」

胡柏齡道：「你說吧！」

張敬安道：「此事關係重大，家師要我親口告訴師兄，最好能……」

胡柏齡微一沉吟，揮手對群豪說道：「你們都暫時退開。」

群豪紛紛退去，只有谷寒香仍然站在胡柏齡身側不動。

張敬安望了谷寒香一眼，道：「這位是……」

胡柏齡道：「她是你師嫂，不論何等重大的事，我都從不避她，有話請說不妨。」

張敬安轉臉望望那疾奔而來的少林、武當兩派中來人，不過只相距一里左右，低聲說道：「家師要師兄把少林、武當兩派中人，帶到距此『迷蹤谷』三里左右的『落雁谷』中。」

胡柏齡道：「『落雁谷』並非絕壑，後面還有路可通。」

張敬安道：「家師如此吩咐，想必早已有備，師兄就說家師在『落雁谷』中敬候兩派高人……」

他轉臉望了一下愈來愈近的少林、武當兩派中人，接道：「家師尚在等待師兄回話，小弟……」

胡柏齡接道：「師弟上覆師叔，就說小兄一切遵命。」

張敬安抱拳一揖，轉身而去。

胡柏齡高聲說道：「等一等，請麥師弟和你一道走吧！」

張敬安頭也不回地遙遙答道：「家師說要麥師弟留在師兄身側聽用。」

胡柏齡心知酆秋要留麥小明在身側監視自己，再多說也是無用。

就這一陣工夫，少林、武當兩派中人，已然到了谷口，大約相距谷口三丈左右之處，停了下來。

胡柏齡抬頭打量了一陣，只見少林僧侶不下四、五十人之多，武當派也有二十餘人之眾。

鍾一豪舉手一揮，低聲說道：「咱們衝上去保護盟主。」

群豪應了一聲，齊齊奔了上去，排列在胡柏齡兩側。

只聽一聲洪亮的佛號，一個五旬上下，平橫禪杖的老僧，大步走了出來，說道：「諸位施主，老僧這裡有禮了。」

胡柏齡道：「老禪師有何賜教？」

那老僧微微一笑，道：「如果老僧雙目不花，施主當是統率當今綠林的胡盟主？」

胡柏齡道：「在下是胡柏齡，老禪師有何教言，儘管請說。」

老和尚微微一笑道：「胡盟主函邀敝派和武當派到此，不知有什麼要事相商？」

胡柏齡沉吟了一陣，側目一望麥小明道：「老禪師可曾看到過在下奉上的邀約之函麼？」

那老和尚微微一怔，暗道：「你自己具名寫的請帖，難道就記不得了麼？」

只道他有意推諉取笑，不覺微生慍意，臉色一整，異常莊嚴地說道：「出家人一向不打誑言，你乃堂堂盟主至尊，還會有人冒名頂替，私發請帖不成？」

因那請帖雖有胡柏齡的具名，但卻是酆秋僞製代他而發，那邀請少林、武當兩派的請帖之上，究竟寫些什麼，他一點也不知道，心中想取來瞧瞧，但聽得那老僧之言，知他心中有了誤會，搬轉話題，說道：「不知老禪師法號如何稱呼？貴派的掌門方丈，來了沒有？」

那老和尚單掌立胸，冷冷笑道：「貧僧天儀，敝派方丈隨後就到，胡盟主有什麼話，對老衲說也是一樣。」

言詞之間，隱隱露出自己的身分，在天禪大師未到之前，他足以代表掌門的權威。

胡柏齡一抱拳道：「久仰，久仰！『迷蹤谷』中宴會，已改在數里外的『落雁谷』中舉行……」

天儀大師似是對宴會突然易地舉行一事，心中甚覺懷疑，沉吟良久，想不出該如何答覆？

胡柏齡回頭對鍾一豪道：「鍾兄請代我傳諭，召集全谷中人，即刻趕來谷口。」

鍾一豪應了一聲，轉身疾奔而去。

胡柏齡輕輕嘆息一聲，低聲對谷寒香道：「香妹也請回到谷中去吧……」

谷寒香似已預感不幸，黯然說道：「我不回去啦，我要和大哥走在一起。」

胡柏齡道：「動手相搏之事，你如何能夠去得……」

谷寒香星目轉動，望了望武當和少林兩派中人一眼，只見他們整整齊齊地列隊而立，一個個臉色莊嚴，凜然難犯，不自覺間，心中泛上來一股寒意，輕移蓮步，緩緩走了過去。

她微帶愁苦的眉梢，和圓圓眼睛中含蘊的瑩瑩淚水，襯著那天姿國色，絕世風華，只看得少林、武當兩派的僧侶、道士們，一個個垂下頭去，不敢多瞧。

天儀大師微微嘆息一聲道：「貧僧方外之人，不喜歡和婦女接近，女施主快請停步。」

谷寒香舉起衣袖，輕輕拂拭一下滾落在臉頰上的淚水，幽幽說道：「你們都是來找我大哥的麼？」

她這兩句話，問得甚是天真，天儀大師莞薾一笑道：「不知女施主的大哥是什麼人？」

谷寒香回目望了胡柏齡一眼，道：「我大哥就是當今綠林盟主。」

天儀道：「那就不錯了，貧僧等都是按令兄邀約之函而來。」

谷寒香道：「你們找他有事麼？」

天儀道：「令兄函約我們到此，自是有事，姑娘怎不問問令兄呢？」

谷寒香幽幽一笑，道：「他不是我哥哥，是我丈夫……」

天儀「嗯」了一聲，道：「胡夫人。」

谷寒香道：「我事先沒有對你們說明白，難怪你們聽不明白。」

也不待天儀大師回答，回身走到胡柏齡身側問道：「那老禪師說是大哥請他們來此，可對麼？」

胡柏齡沉吟了一陣，道：「是啊，我請他們來的！」
谷寒香道：「有什麼事？」
胡柏齡道：「請他們來此吃杯水酒。」
谷寒香道：「就在咱們『迷蹤谷』中？」
胡柏齡道：「不是，在距此不遠的『落雁谷』中。」
谷寒香道：「我也和大哥一起去瞧瞧，好麼？」
胡柏齡忖道：「這怎麼可以，一旦被少林、武當發覺了我是在相誘他們到『落雁谷』中，只怕在中途之上，就要動手；少林、武當兩派，盡出高手而來，一旦動起手來，定然是一場十分慘烈的惡鬥，那時只怕無暇兼顧於她。」
當下別過臉去，冷冷說道：「不行，你還是回谷中去吧！」
他自和谷寒香結識以來，從未這般對待過她，心中痛苦無比，不敢回目相望嬌妻。
谷寒香柔婉一笑，道：「大哥不要生氣，我回谷中等待大哥就是。」緩緩轉過身子，慢步而去。
山風吹的她綠裙飄風，背影流露出無限的淒涼。
胡柏齡強自振起精神，回首對群豪說道：「你們全部留在這裡，等鍾一豪會齊谷中高手之後，再趕往『落雁谷』中去接應我。」
抱拳對天儀大師一禮，道：「老禪師如若有膽，請隨胡某人到『落雁谷』一行。」
天儀大師道：「胡盟主只要肯去，老僧當得捨命奉陪。」

胡柏齡縱聲大笑道：「老禪師豪氣凌雲，在下佩服得很，不過，血氣之勇，智者不取，老禪師要小心了。」

大步向前走去，話中已隱隱相示「落雁谷」中，殺機四伏。

天儀大師只道他故用言語相激，冷笑一聲說道：「刀山劍林，貧僧何懼？」一揮手中禪杖，緊隨胡柏齡身後而行。

麥小明身子一側，滑溜無比地搶在天儀大師前面，回頭一笑，道：「你這老和尚滿兇嘛，回頭我得給你一點教訓。」

此言一出，群僧個個面色大變。

要知天儀大師在少林寺，和天禪、天望、天明，同一輩位，身分甚是尊高，麥小明這般出言無敬，自是群僧難以忍受。

只聽一個身材高大的和尚冷冷說道：「小小年紀竟敢這等目無尊長？不是看你年紀小，立時要讓你吃些苦頭。」

麥小明目光轉動，溜了那身材高大的和尚一眼，笑道：「等一會兒我先殺你。」

這一句話，反使群僧莊肅臉色，恢復了平靜。原來大家忽然覺著這年紀幼小的孩子，這等語無倫次，定然有什麼毛病。

胡柏齡原想丟開群雄之後，把酆秋準備在「落雁谷」中暗算武當、少林兩派中人一事，暗中透露給天儀大師，要他早做準備，免得遭受暗算。

但麥小明寸步不離，使他沒有機會洩露胸中之密，心中十分焦慮。

三里行程，片刻即到，落雁谷已經遙遙在望。

胡柏齡暗暗忖道：「如不藉此機會，把胸中之密，洩露給少林僧侶，一進『落雁谷』中，只怕再也沒有機會了，但卻又想不出遣走麥小明的辦法……」忖思之間，人已到了谷口。

他霍然停下腳步，回過身子，目光緩緩向武當、少林兩派中人臉上掠過，冷冷說道：「已到『落雁谷』口了。」

他一時間想不出說什麼，只好隨口溜了一句。

天儀大師抬頭打量了山谷一眼，道：「就是這座山谷麼？」

胡柏齡道：「不錯，三面高峰環繞，兩側立壁如削，谷中殺機步步……」

天儀大師宣一聲：「阿彌陀佛！」

打斷胡柏齡未完之言，接道：「邪難勝正，胡盟主盡請帶路入谷就是。」

胡柏齡暗暗嘆息一聲，忖道：「好一個冥頑不化的老和尚！」口中卻正容厲色地說道：「老禪師並非少林寺掌門，豈能隨便作主入谷？」

天儀大師怒道：「老僧雖非掌門，但早已得掌門人傳下佛諭，此乃我們少林門中之事，胡盟主大可不必費心。」

胡柏齡心中焦急，但是面上卻保持著鎮靜神態，抬頭望著天上幾片飄浮白雲，漠然說道：「我看還是等待貴派掌門人來了之後，再入谷中不遲。」

天儀大師怒道：「難道胡盟主自認谷中布置，當真就能把我們一網打盡麼？哼！未免太有

些自不量力了。」

胡柏齡暗暗忖道：「他既能想到谷中早有布置，也許已經有了準備，何況谷中情景自己並不了然，也難說出個所以然來。」當下冷笑一聲，道：「老禪師既想自尋死路，就不妨入谷一試。」

他再三強調谷中凶險重重，無非使天儀大師等提高警覺，步步謹慎，但天儀大師卻誤會胡柏齡故存輕藐之心，出言相激，不覺大怒，高聲說道：「天禪師弟曾和老衲談起過胡盟主……」

胡柏齡心中一動，怕他言語之中透露出自己相訪少林之事，趕忙接口說道：「談起過又怎麼?老禪師既然自詡不畏谷中布設，還是快請入谷吧！」當先放步，直向谷中走去。

天儀大師舉手一揮，低聲說道：「留下十二護法，迎護掌門大駕。」

少林僧侶群中，登時分出了一十二人，留在谷口。

武當門下一個五旬左右的道人率領，但他自和胡柏齡相見之後，一直未發一言，直到入谷之時，才簡簡單單說了一句，道：「留下五人。」急奔兩步，和天儀大師並肩而行。

胡柏齡暗中留神，見他們留下人守著谷口，忖道：「看來他們倒是早有安排了，少林掌門天禪大師和武當派紫陽道長，遲遲不肯露面，想必另有作用！」不覺心中一寬，緩步向前走去。

少林、武當兩派中人，和胡柏齡始終保持著五尺左右距離，因他走得很慢，使兩派中人，有著充分的時間，觀察谷中的形勢。

這條山谷異常窮惡，深入了里許之遙，未見到一樹一草，除了那嶙峋怪石之外，似乎不再生長其他的東西。

麥小明緊隨在胡柏齡身後，走得甚是不耐，低聲催促道：「咱們走快些好嗎？」

胡柏齡只道他心中動了懷疑，口中應了一聲，加快腳步。

少林、武當中人，亦隨著放開了腳程。

胡柏齡有意給兩派中人默查山勢的機會，凡遇到險要轉變之處，必然找幾句話和麥小明說，藉故放慢腳步。

轉過了七、八個山彎後，形勢忽然一變，只見一片半畝大小突岩上，端坐著四個服色不同的老人。

四人身後，排列了十二個綠衣美婢，除此之外，再不見其他之人。

那突岩距地面約四、五丈高，背後是一座插天高峰，突岩之下，滿是嶙峋的山石，無三尺平坦之地。

天儀大師目光緩緩由那並排而坐的四人臉上掃過，高聲說道：「哪一位名叫酆秋？」

最左爲首之人，輕輕一拂胸前長髯，道：「老夫就是。」

天儀大師合掌說道：「老衲少林寺天儀。」

酆秋冷笑一聲，道：「老夫邀請的是貴派掌門天禪大師。」

天儀回顧了群僧，也冷冷答道：「敝派掌門身分尊高，老衲奉命先代掌門開道，有什麼事，先和老衲談談再說！」

酆秋回目瞧了「鬼老」水寒一眼，笑答道：「果如水兄所料，少林掌門，不敢應約而來……」

天儀大師在少林寺中僅有「天」字輩五大高僧之中，脾氣最是暴急，也極少在江湖之上走動，閱歷甚少，聽得酆秋之言，大爲惱怒，一揮手中禪杖，高聲說道：「本寺方丈是何等人物?豈肯隨隨便便和爾等見面……」

酆秋微微一笑，道：「在貴寺方丈未到之前，先請諸位在岩下小息片刻，待貴寺方丈到了之後，老夫再降階相迎，盛開歡宴。」

天儀大師心中雖甚氣惱，但因酆秋言詞之間，似甚尊重少林方丈，使他不便出言反駁，只好忍著一肚子悶氣默然不言。

酆秋目睹天儀大師忿怒之情，溢於形色之間，心裡暗暗笑道：「這老和尙好暴急的脾氣，倒是好好的氣他一氣。」當下又高聲說道：「胡賢姪沿途奔行，想必已甚疲累，快請上來休息一下。」

胡柏齡心中雖然明知酆秋故意氣天儀大師，但卻也不得不裝出一副歡欣之情，抱拳一揖，大步直向突岩上面走去。

這座突岩，只有左側一道斜度較大的小徑，其他之處，都是壁立如削，除了沿那小徑上去之外，就得施展輕身提縱功夫，飛登突岩。但那突岩距地足足有四丈多高，除非身負絕佳的輕功，才能一躍而上。

胡柏齡暗中估計自己輕功，足可上去，但他心思細密，此地此情之下，不願鋒芒過露，當下緩步走向登上突岩的小徑之處，舉步而上。

麥小明緊隨在胡柏齡身後，亦步亦趨。

在少林、武當兩派人的眼中，麥小明緊隨相護，但胡柏齡卻是暗自焦急，忖道：「他這般一步不離地監視於我，甚礙手腳，得早些想個法子擺脫開他才好。」

正忖思間，忽聽天儀大師高聲說道：「法元、法淨，快上那突岩上瞧瞧有些什麼布設？」

只見兩個身材高大的和尚，由群僧之中，疾奔而出，直向突岩上面衝來。

麥小明突然回過身子，笑道：「好啊！你自己找上來了？」舉手一劍，疾向左面法元和尚點去。

原來法元，正是剛才出言相責麥小明的和尚。

胡柏齡心中暗道：「突岩之上，坐的四個老魔頭，個個心狠手辣，這兩個和尚如果衝上突岩，絕難留得性命，倒不如把他逼退得好，也許逼退二僧會激怒天儀和尚，不等掌門人來，提前發動，兩派人手眾多，五行劍陣、羅漢陣，又都是曠絕千古的陣法，酆秋等四位老魔頭，縱然武功高強，也難盡殲少林、武當中高手合擊之力，也許會因這提前發動，使酆秋早已預布的毒計，無法施展……」

他心中念頭百轉，也就不過眨眼間的工夫，大喝一聲，揮動手中鐵枴，攔住了右面的和尚。

那和尚手橫禪杖，不閃不避地硬接了胡柏齡一枴。

只聽一聲金鐵大震，那和尚雖被胡柏齡強猛的杖勢，震得向後退了一步，但胡柏齡卻也覺雙臂微微一麻，心中暗暗喜道：「少林派的威名，果不虛傳，如若這些赴會的和尚，大都和此人武功相若，單就實力而論，絕不弱於己方。」

只聽酆秋大聲笑道：「胡賢姪快請登上突岩，這兩個和尚由你師弟一人對付已足夠了。」

胡柏齡雖已見過他出手劍招毒辣，但這個和自己動手的和尚武功，非同小可，鐵禪杖上，蘊力極猛，麥小明武功再詭奇，究竟功力有限，獨力對付二僧，只怕難以勝任。

心中在想，人卻依言向後疾退上了突岩。

法淨一揮禪杖，正待相隨衝上，忽見白光一閃，斜裡一劍，橫刺過來，不覺心頭一震，疾退一步，舉杖封去。

那劍勢來得詭異迅速，收勢亦奇快無比，法淨杖勢出手，那寶劍早已收回，橫裡一轉，又向法元攻去。

法元、法淨乃少林寺中晚一代弟子輩中高手，眼看被一個十幾歲的孩子，獨擋去路，心中又是氣惱，又是羞愧，不約而同，全力揮杖搶攻。

剎那間杖影重重，排山倒海般，直逼過來。

麥小明仍然滿臉笑意，神態從容地揮動著手中寶劍，在重重杖影中運用自如，只要二僧向前逼進一步，他必出一招奇詭難防的劍招，重把兩僧迫退回去。

轉眼工夫，激戰了二十餘回合。

二僧仍被擋在原處，難越雷池一步。

胡柏齡眼看麥小明獨擋二僧奇奧劍勢，心中大感震駭，看他輕鬆神情，再加兩個少林高手，也不致落敗。

酆秋的目光，也一直投注在麥小明的身上，看他獨擋二僧的詭奇劍勢，臉上卻毫無喜色。

「毒火」成全、「鬼老」水寒，以及「人魔」伍獨，似都爲麥小明的精奇劍術，微生凜然之感；少林、武當兩派中人，更是個個神色大變。

「鬼老」水寒輕輕一捋顎下山羊鬍子，讚道：「酆兄調教這等弟子，實爲兄弟羨慕得很，十年後，怕將是江湖上第一流中的頂尖高手。」

酆秋漠然一笑，似是對「鬼老」水寒的頌讚之言，毫無歡悅之感。

激鬥中，忽聽一聲大叫，一道血光，直沖上來，法元和尙高大的身軀，疾向崖下摔去。

定神看去，只見麥小明右手持劍，左手卻拏著一顆光禿禿的和尙頭。

原來他突出奇招，巧妙地避開了法元禪杖的封架之勢，一劍橫削，斬落法元和尙人頭，一股鮮血沖了上來，人頭吃那鮮血沖起兩尺多高。

麥小明迅快地飛起一腳，把法元的屍體踢落崖下，左手一伸，接住了法元落下的人頭。

法淨被這突然的變故，驚駭地向後退了一步，愕然不知所措？

他和法元聯手和麥小明動手相搏，竟然沒有看清楚，法元如何被麥小明一劍劈死？

麥小明咯咯一笑，道：「接住。」左手一抖，把一顆血淋淋的人頭，直向法淨拋去！

法淨來不及細想該不該接，本能地伸手接住了法元人頭。

忽見白光打閃，麥小明的劍勢，緊隨著那拋來人頭刺到。

法淨左手端著人頭，再想用右手禪杖封架，已來不及，趕忙向後退了兩步。

麥小明笑道：「你還想躲開麼？」身隨劍進，突然向前欺進了一步。

法淨只覺右肩之處一涼，右臂生生被切了下來，一陣刺心的劇疼，不自覺地鬆開左手端著的人頭。

只聽「噹」的一聲，鐵禪杖撞在一塊山石之上。

麥小明緋紅的嫩臉上，毫無憫憐之色，微微一笑，道：「饒你不死，下崖去吧！」

法淨轉臉望著斷臂處，鮮血泉湧，伏下身子，撿起法元的人頭，大步向山崖下面走去，行至中途，體力難再支持，搖搖欲倒，再加上山道崎嶇，著足難穩，一腳踏在一塊浮石上面，跌倒在地上，滾了下去。

天儀和尚亦似是爲麥小明奇詭的劍勢所懾，呆呆地站著，竟然忘記了派人搶救。

少林派規禁森嚴，天儀大師沒有傳下令諭，竟是無人敢出手相救。

忽聽一聲清越的長嘯之聲，劃空而來，一條人影疾如雷奔電射而下，抓起了沿山滾下的法淨和尙，雙腳一點實地，人又騰空而起，落在少林寺群僧之前。

此人輕功奇高，來去如電，天儀大師低喝一聲：「阿彌陀佛，罪過，罪過。」似是對忘記搶救法淨一事，甚感愧咎。

胡柏齡凝目望去，只見來人一身銀色勁裝，劍眉星目，猿臂蜂腰，背插寶劍，英風迫人，年約二十三、四歲，但面目陌生，似是不常在江湖上走動之人。

只聽酆秋低微但卻極是清晰的聲音，在耳際響起，道：「胡賢姪，這少年是什麼人？」

顯然，酆秋亦爲這少年超絕的輕功，引起了關注。

胡柏齡本想同樣地施展千里傳音功夫，告訴酆秋，自己並不認識這少年，但他卻想到此時此地，應該盡量掩蔽自己的武功，回頭瞧了酆秋一眼，急急奔上突岩，答道：「弟子從未見過此人！」

酆秋輕輕一皺眉頭，默然不語。

那銀裝少年救了法淨和尚之後，伸手點了他右肩後「風府穴」，先止了他的流血，回首對天儀禪師說道：「貴派掌門和家父隨後就到，命晚輩先行趕來，稟報大師一聲，最好等待貴掌門到了之後，再和他們動手不遲。」

天儀大師一掌立胸，問道：「老衲甚少在江湖之上走動……」

那銀裝少年絕頂聰明，微微一笑，接道：「晚輩少不更事，從未在江湖露面，自難怪老前輩不識，不過家父卻和貴派掌門人天禪老前輩相交甚久，提起家父之名，老前輩或可知道……」

話至此處，故意提高了聲音，道：「豫南范銅山，不知老前輩是否曉得？」

天儀大師愕然說道：「廿年前總領大江南北俠義道上人物，『神劍』范銅山就是令尊麼？那閣下定是范公子范文傑了？」

那銀裝少年抱拳一禮，答道：「范文傑是家兄，晚輩叫范玉崑。」

天儀大師讚道：「長江後浪推前浪，由來英雄出少年，范公子剛才那等卓絕的輕功，舉世少見，老衲自嘆弗如。」

范玉崑欠身答道：「老前輩過獎了。」

兩人談話聲音甚大，高踞在突岩上的酆秋、胡柏齡等，都聽得字字入耳。

胡柏齡低聲說道：「想不到退隱甚久的范銅山，這次竟也參與此事了！弟子久聞其名，但出道不久，他已歸隱，始終未見其人。」

酆秋陰冷一笑道：「好，愈多愈好，能一網打盡，省了咱們甚多手腳。」

「鬼老」水寒回頭望了「人魔」伍獨一眼，說道：「咱們還未歸隱之前，范銅山已然名滿武林，想不到咱們再度出山之時，卻又和他相遇。」

「人魔」伍獨冷冰冰地答道：「范銅山和兄弟倒有過數面之緣，只是事隔數十年，見面後，不知還是否相識？」

酆秋忽然舉起手來一揮，道：「準備酒宴。」

他身後排列的一十二個綠衣美婢，立時同時轉身，向後奔去。

胡柏齡自登上突岩之後，一直暗中留神著突岩上的形勢，但他又知酆秋乃疑心最重之人，只怕太過注意，啓他疑竇，不敢回頭張望。

待酆秋吩咐那一十二個綠衣美婢，準備酒宴時，胡柏齡藉機回頭望去。

這座突岩，足足有近一畝地大小，岩下雖然怪石嶙峋，無三尺平坦之地，但這石岩之上，卻是一片平原。胡柏齡目睹那十二個綠衣美婢跑近那山崖之後，魚貫而下，消失不見，心中暗道：「這塊突岩，看去和相倚的插天高峰接連一起，怎地後面竟有可通之路？」心中雖然動疑，但卻不敢看得過久，轉過頭，向前望去，只見里許外，又一群人，緩緩對著突岩走來。那

群來人很多，除了灰袍、光頭、手執禪杖的和尚，以及椎髻佩劍的道士之外，還有甚多疾服勁裝、長衫儒巾的俗裝之人。

這些人走得很慢，雖只里許之遠，但卻足足走了一刻工夫之久。

天儀大師率領的少林、武當兩派弟子，齊齊轉過身去，列隊相迎。

胡柏齡凝目望去，只見身披黃緞袈裟的天禪大師，滿面肅穆之容，走在中間，左面是武當派的紫陽道長，右面是一位長衫福履，黃顏鶴髮，白髯飄飄的老者。

三人身後，除了少林的僧侶，和武當派弟子之外，還有十餘個高矮不等，分著不同服色的勁裝之人。

天禪大師目光緩緩掃掠橫陳岩下弟子的屍體，肅穆的神情中，泛起一絲淡淡的感傷，低聲問天儀大師道：「法元死在什麼人手中？」

天儀大師雙掌合十，躬身答道：「死在那道裝小童之手。」

天禪大師抬頭望了仍然橫劍守在登徑上的麥小明一眼，問道：「法淨也是傷在他的手中麼？」

天儀大師道：「老衲調度不當，致門下弟子受了甚大損傷，還請掌門師兄，依律治罪。」

天禪大師微微一笑，道：「動手相搏，難免傷亡，豈能怪及師弟？」

高踞在石岩上的鄷秋，回頭對胡柏齡說道：「你乃這次邀約他們赴宴的主人，不可失了禮數，咱們去迎接他們上岩。」霍然站起身子，大步向下走去。胡柏齡隨在身後，走下突岩。麥小明望了鄷秋和胡柏齡一眼，笑道：「師父，要不要動手？他們上來了。」

酆秋微一點頭，道：「收了寶劍，跟在我身後，未得我命，不許隨便出手。」

麥小明也不講話，微微一笑，把手中長劍還入鞘中，隨在酆秋身後而行。

天禪大師回顧了左右一眼，道：「道兄、范兄，那滿臉紅光的老人，就是息隱數十年的酆秋，那虯髯繞頰，相貌威武的大漢，就是當今綠林盟主胡柏齡。」

范銅山輕輕一拂顎下白髯，笑道：「那突岩上還有三位，不知大師是否認識？」

天禪大師道：「老衲極少在江湖走動，見面有限，范兄這等相問，想來是認識他們了？」

范銅山道：「那骨瘦如柴，全身黑衣，長著兩條白眉毛的人，名叫水寒；身穿土色長衫，面色金黃，一臉陰森之氣的人，是『人魔』伍獨；那陰陽臉的怪人，兄弟不敢肯定，但想來定是『毒火』成全了……」

天禪大師笑道：「范兄歸隱林泉數十年，仍能在一見之下認出對方，實使老衲佩服。」

范銅山微微一笑，接道：「這四人都已絕跡江湖甚久……」

他微一思索，接道：「多的已近四十寒暑，少的也有十幾年不在江湖上露面了，想不到這幾個天南地北，各自爲雄的老魔頭，竟然集會一起，興風作浪……」

紫陽道長笑道：「范兄久不過問武林是非，但對江湖上的形勢，卻是瞭如指掌……」

范銅山笑道：「昔年一些故舊好友，散居各處，我雖已歸隱，但他們仍然不時把江湖上的情勢，派人告訴於我；何況這幾個老魔頭，都是昔日黑道上叱吒風雲，紅極一時的人物，但憑記憶，就可以辨認他們的姓名了。」

談話之間，酆秋已和胡柏齡並肩走到，麥小明緊隨在酆秋身後相護。

十二　一網打盡

雙方相距約五、六尺遠，酆秋已停下腳步，抱拳作禮，笑道：「酆秋已敬候諸位大駕多時了。」

天禪大師合掌答禮道：「老衲等遲來一步，有勞久候！」

胡柏齡目光環掃天禪大師等一眼，接道：「突岩上已備好酒宴，替諸位接風洗塵。」

天禪大師微微一笑，道：「胡盟主別來無恙，老衲實難想到，這等迅快重睹胡盟主的丰采。」

胡柏齡怕他說出自己曾去少林寺相訪之事，趕忙岔開話題，道：「突岩之上，已備好替諸位接風洗塵的酒宴……」

范銅山拂髯冷笑道：「自古以來，宴無好宴，胡盟主如若準備在酒菜之中下毒，那可是白費一番心機了。」

酆秋冷哼一聲道：「如果我酆秋老眼不花，大駕可是昔年總領大江南北俠義道中人物的『神劍』范銅山，范老英雄麼？」

范銅山微微一笑，道：「范銅山正是老朽……」

鄷秋淡然一笑，接道：「范老英雄儘管放心，鄷秋在諸位心目中，雖被視作黑道上人物，但還不致在酒菜之中放置藥物。」

范銅山道：「鄷兄縱然心地磊落，不屑施展鬼蜮伎倆，但老朽等卻不得不防……」他縱聲大笑一陣冷諷地說道：「這要怪一般下五門的綠林人物，常用『迷魂藥物』等下流手段……」

鄷秋臉色微變，截住了范銅山未完之言，說道：「范兄說話，最好要有點分寸。」

范銅山道：「鄷兄不必多心，像鄷兄這等身分之人，自是不能和一般綠林中宵小之輩，同日而語。」

鄷秋早已被范銅山激諷之言，激得胸中熱血沸騰，無名火起，但他為人心地陰沉，不肯妄動小氣，致亂大謀，勉強按下胸中怒火笑道：「兄弟今日相請諸位到這『落雁谷』中，旨在排解少林、武當和天下綠林道中，數十年來積結的恩怨，免除冤冤相報的屠殺……」

天禪大師高宣一聲佛號，說道：「如果當真如此？老衲等就不虛此行了。」

紫陽道長微微一笑，道：「盡有人冥頑不靈，任你費盡口舌，用盡心機，但他們仍然我行我素，口是心非。」

鄷秋抱拳接道：「此地不是講話之處，突岩酒宴早已排好，諸位有什麼相示之言，請入席後再談不遲，兄弟當洗耳恭聽。」

天禪大師回頭吩咐隨在身後的少林門下弟子，道：「你們留在突岩下面等候……」

鄷秋急急接道：「兄弟準備席位甚多，大師隨行之人，亦請登岩小坐，吃杯水酒。」

范銅山笑道：「好啊！酆兄可是存心把我們一網打盡麼？」

此人見識博廣，句句字字無不如刀、如劍，深刺在酆秋心中。

酆秋冷然說道：「如果范大俠怕兄弟在酒、菜之中下毒，不妨留在岩下等候就是。」

范銅山笑道：「兄弟這次應天禪大師之邀，趕來北嶽，早已把生死之事置之度外了……」

酆秋接道：「兄弟只想到能和少林天禪大師、武當紫陽道長，會晤於一室，即可解決武林紛爭，並未想到范兄，也未奉函相邀……」

范銅山笑道：「老朽自尋死路而來，酆兄不是可以省卻了一番手腳麼？」

酆秋冷冷說道：「范兄自視未免過高了，縱然范兄活在世上，也於大局無補。」

這幾句說得尖酸、刻薄，范銅山那等老於世故的人，也不禁有些忿怒起來，臉色一變，冷然說道：「酆兄不可太過狂妄，今日之會，鹿死誰手，還難預料，口舌薄人，算不得什麼威風。」

酆秋未再反唇相激，拱手一笑，對天禪大師說道：「請恕兄弟先走一步，替諸位帶路了！」轉身向前走去。

天禪大師回顧了紫陽道長和「神劍」范銅山道：「咱們既然赴約，不可太失禮數，不妨先聽聽他們高論再說。」

紫陽道長點頭微笑，三人並肩向前行去。

登上突岩，酒席果已擺好，滿桌佳肴，騰騰熱氣，宴開五桌，每桌上有兩個綠衣美女執壺侍酒。

酆秋先行坐了主位，端起面前酒杯，一飲而盡，笑道：「酆秋以主人身分，先進一杯，以示酒中無毒。」

天禪、紫陽道長、范銅山等依次就座，但三人的相隨弟子卻留在突岩之下，沒有上來。

范銅山登上突岩，立時暗中留神打量四周景物，但見岩上一片平坦，毫無可疑之處，心中甚感奇怪？暗道：「這突岩背倚峭壁，三面又都清晰可見，不見藏人之處，以酆秋之老江湖，絕不致當真在酒、菜之中下毒。」

天禪大師就座之後，微笑問道：「兩位函邀老衲和紫陽道長到此，不知有何見教？」

酆秋看他滴酒不進，而且開口就談起正事，知他們心疑酒菜之中有毒，當先舉起筷子，在每盤佳肴之上，夾了一塊吃下，才大笑答道：「數百年來，少林、武當兩派，一直受武林中人物推崇，被譽正門大派……」

天禪大師道：「好說，好說，我們少林派中，也非絕無不肖弟子。」

酆秋笑道：「綠林中人也非個個都是可殺之輩。」

紫陽道長接道：「酆兄話雖不錯，不過綠林中人，大部分不知自惜羽毛，殺人放火，無所不爲，實難讓人看得下去……」

酆秋大笑道：「以貴派和少林派實力之大，和綠林中人相鬥數百年，也未能把綠林中人滅絕。」

天禪大師說道：「佛門弟子首戒殺生，能放手時且放手，得饒人處且饒人，數百年來綠林道中並非沒有過大豪傑、大英雄，盡力於改革綠林中諸多積惡之習，可惜這些人不但少如鳳毛

麟角，而且大都壯志未酬身先死……」

他輕輕嘆息一聲，無限感慨地說道：「而且這些人並非死於意外，或白道人物手中，大都是死於你們綠林人物手中……」

天禪大師說到此處，又感慨地嘆息一聲，目光緩緩由胡柏齡臉上掃過，面色十分莊肅地接道：「還有不少口是心非，借興革綠林道中積惡之名，假行善而暗中爲惡，這等人尤較殺人放火盜匪行徑可惡百倍，居心實在可誅。」

胡柏齡知他最後幾句話，指桑罵槐，針對自己而發，淡然一笑，默然不語。

范銅山目光緩緩由「鬼老」水寒、「人魔」伍獨、「毒火」成全臉上掃掠而過，笑道：「想不到這次北嶽之行，竟然和數十年不履江湖的諸兄相遇……」

「鬼老」水寒冷冷接道：「兄弟也未料到，范兄竟然還健在人世？」

「神劍」范銅山微微笑道：「閻王不要命，小鬼不來拏，老朽雖然想死，也是無法死啊！」

「人魔」伍獨冷冰冰地接道：「今天這『落雁谷』就是你葬身之地了。」

范銅山笑道：「咱們數十年不相見面，想來幾位都又各有幾手絕技，老朽今日能夠開開眼界，埋身『落雁谷』死亦無憾。」

酆秋拂髯一笑，接道：「諸位這等爭辯下去，於事無補；兄弟柬邀諸位到此小聚，還有正事相商。」

天禪大師道：「願聞高論，老衲洗耳恭聽。」

酆秋道：「貴派素有武林中泰山北斗之稱，實際也是數百年來，實力最強的正大門派，代代以來，常出才人，行道江湖，和我們綠林中人作對，但經數百年不停地搏鬥，使兄弟發覺了一件極爲重要的事情……」

紫陽道長道：「不知什麼要事？想來定是驚人之論。」

酆秋冷諷地說道：「近百年來，貴派崛起江湖，自標以內力、劍術，冠絕武林，鋒芒畢露，大有和少林一爭長短之勢……」

紫陽道長笑道：「敝派和少林唇齒相倚，酆兄再用心機，也難挑撥……」

「毒火」成全突然插口說：「貴派不過是脫胎少林派中一支分脈，竟然不知羞恥地自立門戶？貴派創始鼻祖張三丰，是出身於少林寺中的小和尚，天下武林，大概沒有不知其事的。」

這幾句話，大概說得太重，紫陽道長臉色微變，但他究竟是修養深厚之人，略一沉吟，淡然笑道：「敝派師祖，出身少林一事，本派素不隱諱，難道這也是落人口實不成？」

「毒火」成全冷笑道：「既是同一支派，大可不必再標新立異，自創門派。」

紫陽道長接道：「天下武功，百技同源，但因修法各異，其成就亦不盡同，是以武林中才有門派之分。」

酆秋微微一笑，道：「兩位高論，各有見地，但此等論爭，非兄弟邀請諸位此來之意……」

他長長嘆息一聲，故做一副悲天憫人之情，接道：「這數百年來不停地搏鬥之爭，綠林中人，仍然未被全數滅絕，而且每次大挫之後，必有絕技問世，代有高手，後繼有人，這搏鬥永

難禁絕，似此等冤冤相報，不知何時休止？而且雙方積忿愈來愈深，成了水火難容之勢，各走極端，使後輩中人，先有了難以並存之心……」

天禪大師道：「酆兄之論，果有見地，但不知有何高見，以息此綿延不休的紛爭？」

酆秋笑道：「這就是兄弟相邀諸位，到此『落雁谷』中的主要相商之事。」

范銅山輕輕一皺眉頭，道：「酆兄這些話，可都是出自肺腑麼？」

酆秋微慍說道：「難道兄弟還和諸位說笑不成？」

天禪大師低宣了一聲佛號，問道：「老衲自信有能束約門下，但綠林道上，多是各自爲雄，只怕難以聽命酆兄？」

他目光又從胡柏齡臉上掠過，接道：「北嶽綠林總寨，也不過只限於江南數省，酆兄既然提出此議，想必早已胸有成竹。」

酆秋道：「此事談來雖易，但做來仍需一番苦心，兄弟之意，想請大師和紫陽道兄……」

話到此處，忽見一股濃煙，沖天而起，范銅山霍然站起身子，還未來得及開口說話，酆秋已揮手對身側幾個綠衣美婢說道：「快去查查，哪裡起火？」

六個綠衣美婢躬身應命，急奔而去。

范銅山看酆秋神色自若地端坐不動，心中狐疑不定，暗道：「這老魔頭不知要的什麼花槍？目下天禪大師、紫陽道長，似都爲他一席說詞所動，我又無法揭出陰謀真相，看來今日之險，實叫人防不勝防。」

那濃煙就起在緊倚峭壁與突岩之間，相距幾人，也不過五、六丈遠。

鄷秋似是十分關注那突起火勢，人雖端坐未動，目光卻一直盯在濃煙暴起之處。

那六個綠衣美婢直奔突岩盡處，縱身而下，但立時重又躍上突岩，奔了回來，直至宴席之前，才停下腳步，說道：「掌爐廚師，不慎引燃爐邊野草，已然及時搶救，就要熄滅了。」

鄷秋微微一皺眉頭，擊案而起，大聲喝道：「濃煙暴漲，火舌隱現，分明火勢正在蔓延，哪裡像行將熄滅的樣子？」

天禪大師、紫陽道長，都不禁一起轉頭向那起火之處望去。

就這心神微微一分，六個綠衣美婢卻乘機突然疾躍而起，分向三人撲去。

范銅山大喝一聲，劍光閃動，登時把向自己撲來的一個綠衣美婢，活活劈成兩段，鮮血濺飛中，夾雜著一聲尖銳刺耳慘叫。

天禪大師和紫陽道長卻因分心於那突起的火勢，應變稍遲，但見眼前人影閃動，兩個綠衣美婢直向身上撞來。

紫陽道長冷笑一聲，道：「忝不知恥的老魔頭，弱女何辜，要她們白白送死。」

說話之間，舉手一掌，向近身的一個綠衣美婢劈去。

這三人雖然個個武功絕世，但因這六個綠衣美婢，大出意外的發難，使他們都有著措手不及之感，而且隱隱自覺功力深厚，這等粉拳、玉腿，挨上兩下，也不要緊。

哪知這一念仁慈，竟落入鄷秋的算計之中？

原來狡獪的鄷秋，早已算計出少林、武當兩派中掌門人，對這些嬌如春花的弱女，必然會生出惜憐之心，才利用六個綠衣美婢突然下手施襲。

但見幾個綠衣美婢衝近幾人之後，櫻口齊張，噴出一股疾沫，十隻玉腕齊揚，左袖打出一蓬銀雨，右袖中卻飛出一道藍焰。

這等近身相接發出的暗器，就算天禪大師、紫陽道長，身負絕世神技，也無法施展出手，而且又背臨懸崖，後退無路。

說來話長，但當時情景不過一剎那間。天禪大師、紫陽道長萬沒料到那綠衣美婢櫻口中，竟然暗藏了迷魂藥物，只覺一股異香，撲面而來，趕忙閉住呼吸，袍袖拂動，各運內力打出。

兩股強疾之風，由兩人袖底捲出，強風起處，四個綠衣美婢嬌軀，一齊被彈震開去，那打出的幾蓬銀雨，也吃那強勁之風，震飛去大半。

任兩人神功絕世，也難全部閃避開這等近身的暗器相襲，只覺肩頭和臉上一麻，各自中了數支毒火。

幾個綠衣美婢打出的藍焰，吃兩人拂出的強風一震，登時熊熊燃燒起來，化成一片碧綠火光。

幾道熾烈的火焰相接，火勢大張，貼物就燃，滿桌佳肴，卻成綠火附燃之物，眨眼間，就在席筵前湧起一片火海。

暴起的綠火中，響起了酆秋驚心刺耳的大笑之聲，道：「你們已中我費了三年心血淬煉的『三絕神針』和『七毒消魂散』，以及成兄苦心製成的『白燐箭』，識時務者快些喝令相隨爾等來此的門下弟子，要他們放下兵刃，聽候發落，如再頑強不悟，執意反抗，老夫隨時可使爾等立時橫屍窮谷。」

這時留在突岩下的少林、武當兩派中隨來弟子，早已紛紛向突岩之上搶登。

「鬼老」水寒、「人魔」伍獨在目睹天禪大師、紫陽道長和范銅山受傷之後，立時聯袂躍奔到那捷徑登山之處，守住要道。

麥小明已拔出背上寶劍，綠火映照下閃閃生光。

天禪大師黃色的僧袍上，已經有幾處熊熊綠火燃燒起來，同時身上中針之處，也覺出有一種痲癢之感；這位德高望重、身負絕世內功的老和尚，雖然身受毒針之傷，仍然能保持著鎮靜的神態，一面潛運內功抗拒身受之毒，一面施出少林絕技大力金剛掌，突然高宣一聲佛號，一掌推在身前席宴之上。

這一掌乃是他畢生的功力所聚，威勢非同小可，掌勢到處，狂飆突起，整個的席宴被震得飛了起來，一陣嘩嘩聲中，碗、筷、菜盤，滿天橫飛。

那碗盤酒杯之上，都燃著熊熊的綠火，但見一團綠色光焰，四外飛散。

酆秋目睹受傷後的天禪大師，仍有這等功力，心中暗生驚駭，忖道：「如若這一擊不逞，求勝只怕不易。」心中在想，口中也同時大喝一聲，打出一記劈空掌力。

一股強猛的暗勁，應手而出，把那些橫向身上飛來的碗盤之物，震得倒飛回去。

忽聽紫陽道長清嘯一聲，縱身而起，直撲過來，手中長劍幻起朵朵劍花，猛向酆秋罩下。

他在生死交關，身中毒針之後，仍然不願有失身分，先行長嘯一聲，才揮劍攻襲過來。

站在酆秋身側的麥小明，忽然微微一笑，振袂而起，一招「挾山超海」疾迎上來。

紫陽道長強忍著傷勢出手，早已心動殺機，出手劍勢乃武當派中極厲害的絕學，準備在毒

發身亡之前，一舉把酆秋劈死在劍下。

一見不知天高地厚的麥小明竟然揮劍迎了上來，心中大是忿怒，冷哼一聲，揮劍劃出一圈銀虹，擊在麥小明的劍上。

只聽一聲金鐵相觸的大震，麥小明吃紫陽道長貫注在長劍上的內家真力，震得連人帶劍一齊飛了起來。

只見他長劍揮動，在空中打了一個轉身，重又飛落到酆秋身側。

紫陽道長震飛麥小明後，手腕一抖，長劍幻出三朵金花，分襲酆秋三處要穴。

酆秋大喝一聲，拂袖打出一股疾風，一擋紫陽道長猛衝之勢，人卻突然向後退了三步，探手從寬大的袍袖之中，取出兩個腕口粗細，黃光燦爛的金圈，分執兩手。

就這一緩之間，紫陽道長已揮劍攻到。

兩方立時展開了一場慘烈絕倫的搏鬥。

紫陽道長含忿出手，有心要在毒發身死之前，先把酆秋劈死劍下，手中長劍連出絕學，綿綿的殺手劍勢，有如長江大河，一劍緊接一劍。

酆秋施展開一對金圈，幻化出一片光影，防守得嚴密無比。

但聞金圈和劍芒相觸之聲，不絕於耳，轉眼間已力拚六、七個回合。

酆秋一面打，一面暗暗驚駭於紫陽道長的奇奧劍勢，心中暗暗忖道：「如若他未中毒傷，攻勢想來更是凌厲，如他能再這樣連攻上百招，我勢非敗在劍下不可。」

原來在六、七招猛拚之中，酆秋被紫陽道長的奇奧劍勢所制，未能還攻一招。但他胸有成

竹，料定紫陽道長難以支持到百招，必然毒發而敗，是以，雖處劣勢，卻毫無緊張之感。

天禪大師一掌震開席宴之後，目光如電，盯注在胡柏齡臉上，滿臉悲忿之容，莊嚴地說道：「胡盟主，你們綠林中人，當真是個個心地陰辣，叫人防不勝防，老衲如不信你確有洗惡向善之心，也不致中你們的詭計了。」

胡柏齡道：「老禪師此話怎講？」

天禪冷笑一聲，道：「好一副奸僞的做作，留你在世上，還不知要害多少人？」舉手一掌，遙遙直劈過來。

胡柏齡知他這一掌，已動了殺人之心，威勢定然非同小可，暗中一提真氣，斜斜向一側縱開，身懸半空，拔劍取枴，腳未落實地，人已向天禪大師撲了過去，鐵枴、長劍，幻化起重重光影。

被籠罩在枴影、劍芒下的天禪大師，卻是毫無感受壓力。

胡柏齡藉著那重重枴影、劍光，掩護住身子，沉聲說道：「大師不要慌急，先請住手，運氣調息，別使身受劇毒太早發作。」

天禪冷哼一聲，一指點在胡柏齡脅上！

原來胡柏齡分心和天禪大師說話，又得顧到用那重重枴影、劍光，擋遮住鄷秋和毒火成全的視線，心分數用，精神已分散甚多，何況他又想到以天禪大師的武功，定可覺出自己沒有傷他之心，以少林掌門之尊在武林中的地位、身分，自是不會藉機出手傷人，這一個錯誤的判斷，使他疏忽了自己的防守。

要知天禪大師在身受毒傷後，已動了怒火，神智不似平時那般清楚，覷得空隙一指點出。

胡柏齡只覺身軀一震，被強勁的指力點中，肋骨登時斷了兩條，悶哼一聲，從空中跌了下來。

天禪大師殺機已動，揚起右手，暗運功力，就在他掌勢揚起未落之際，一道白光電射而到，疾如風旋，猛向下盤攻去。

胡柏齡勉強提聚一口真氣，挺身而起，噴出一口鮮血，手扶鐵枴，閉目而立，暗自運氣調息。

他傷勢慘重，內腑都已受到震動，但他心中卻十分平靜，毫無怨恨天禪大師之心，只覺受此一擊，乃是他昔年積惡之報，心中沒有了怨氣，人也平靜了甚多，這對他調息傷勢上有著甚大的幫助。

天禪大師被那急襲而來的劍光，迫得無法再分心旁顧，只好藉勢克敵，那揚起的右掌，疾向那急襲而來的劍光上劈去。

一股強猛的潛力，應手而出。

那襲來之勢，似是知道厲害，旋地一滾，讓開數尺，竟然不肯硬接那股強猛劈空掌風。

但他一退即上，讓開一擊之後，立時又揮劍攻了上去。

天禪大師凝目望去，只見那揮劍猛攻自己之人，竟然是一個道裝小童，不覺微一猶豫。

就這猶豫間，已被麥小明搶了先機，長劍左右揮掃，倏忽之間，連攻五劍。

這時，范銅山已和「毒火」成全動上了手，兩方都以迅快奇辣的招術，爭取先機。

守在突岩下的少林、武當高手，已紛紛向上衝來，但卻被「人魔」伍獨、「鬼老」水寒聯手擋住。

這兩位老魔頭功力深厚，聯手之勢，更是銳不可當，武當、少林，兩派中高手，數番猛衝，均被兩人擋了下去。

范銅山和「毒火」成全力拚了數招之後，已然覺著中針之處麻木逐漸擴大。

原來天禪大師、紫陽道長，都是童身，內功已入爐火純青之境，傷勢發作較慢，范銅山功力雖然深厚，但他不是童身，內功方面不若天禪大師和紫陽道長的基礎紮實，是以毒傷發作要較兩人快速。

這時，燃燒在幾人周圍綠焰，卻已被幾人動手的強勁掌風，震得四外飛散，幸得這突岩上下，寸草未生，那團團綠火雖然頑強，燃燒一陣之後逐漸自行熄去。

范銅山又勉強支持了幾個回合，已漸覺運轉不靈，暗自嘆息一聲，突然一緊長劍，疾攻三招，迫退了「毒火」成全之後，大聲喝道：「住手！」

天禪大師、紫陽道長，聽得范銅山大喝之聲，果然都停下手來。

鄷秋仰臉一聲長嘯，震得滿山回鳴不絕。

「人魔」伍獨、「鬼老」水寒、「毒火」成全，聽到那長嘯後，紛紛向後躍退，聚在一起。

這時，少林、武當，以及范銅山帶來的高手，都已衝上了突岩。

天禪大師目光緩緩一掠身旁環視群僧，說道：「我已身負重傷，只怕難再支持多少時間，我如不幸身逝，方丈一職，由天明師兄接替……」

少林、武當、以及范銅山隨來高手，都因三人受傷，心生震駭，一時之間，顧不得出手追擊強敵。

天儀大師黯然嘆息一聲，道：「掌門方丈內功絕世，縱然身受宵小暗算，也不致有何凶險……」

忽聽一聲驚叫，震得群山回鳴，轉頭望去，只見范玉崑扶著范銅山的身子，不住低喚爹爹。

原來范銅山傷勢發作，暈倒在地上。

天禪大師似是難再支持，低宣了一聲：「阿彌陀佛！」緩緩坐在地上，低聲問道：「道兄如果傷勢無礙，本寺中人，由此時起，聽從道兄調度……」

只聽紫陽道長答道：「貧道也已經不行了，毒傷已開始發作……」他微微一頓，回頭對站在身側弟子說道：「我身埋此山，武當掌門一職，由你們青陽師叔接掌。」

被譽爲江湖上實力最強大的兩大門派的掌門人，似是都覺出了傷勢難再復元之勢，口諭選出了接替自己之人。

只見少林、武當門下弟子，臉上都逐漸泛現殺機，數十道目光，齊齊投注向停在兩丈外的酆秋身上。

胡柏齡強忍著傷疼，裝做一副若無其事之情，暗中留神四下的動靜，他內功精粹，雖然斷

了兩根肋骨，但經及時運氣調息之後，行動之間，甚難看得出來。

鄷秋目睹對面群豪，已然群情激動，大有立即出手合擊之勢，冷然一笑，低聲對成全說道：「成兄，快些動手！」

「毒火」成全冷冷一笑，也不理會鄷秋，也不見出手動作。

胡柏齡卻聽得暗暗驚駭，忖道：「他們不知尙有何種詭計，這老魔頭最是善於用火，想來定是什麼火功了？」

只聽鄷秋縱聲大笑了一陣，目光環掃了少林、武當群豪一眼，說道：「眼下他們三人都已中我『三絕神針』和『七毒消魂散』絕毒的暗器、藥物，四個時辰之中，必死無救，遍天下只有我獨門解藥可救，爾等如果不顧三人生死，儘管出手就是。」

他這幾句話，果然發生了強大的嚇阻之效，少林、武當門下躍躍欲試的弟子，果然都爲之一怔！齊齊垂下手中兵刃。

天儀大師大步走了出來，說道：「目下之情，大可不必再繞圈子說話，什麼條件才可以交換到你那獨門解藥？」

鄷秋目光緩緩投瞥了橫屍在地上的四個綠衣美婢一眼，說道：「我們已死了四個人……」

天儀大師道：「如若我那掌門師兄和紫陽道長，不是心存一縷仁慈，這幾個女施主，縱有暗器，也難以傷得他們。」

鄷秋冷冷一笑，說道：「也許這四個弱女子的性命，無法和貴派等掌門生死相比……」

忽聽長嘯傳來，數十條人影，遙遙直奔而來。

那些人影來勢甚快，眨眼之間，已可看清楚當先之人，正是「羅浮一叟」和鍾一豪，帶著「迷蹤谷」中高手，趕來助戰。

胡柏齡暗暗一皺眉頭，低聲對酆秋說道：「弟子屬下趕來助拳了。」

酆秋漠不關心地答道：「要他們守住突岩之下出口要道，不用上來助戰了。」

胡柏齡道：「弟子遵命。」當下一提真氣，高聲說道：「你們守在突岩下面要道之處，不用上來了。」他這一運氣，只覺肋骨折斷之處，疼如刀割一般，說還未完，已疼得滿身大汗。

天禪突然睜開了緊閉的雙目，霍然站起身來，神情肅穆，滿臉悲壯之容，莊嚴地說道：「今日之事，非是老衲等數人生死，而是關係我今後武林道上，正邪武林道的大局，爾等如若為我等三人生死，受人要挾，束手就縛，白白放過這等殲敵之機，只怕以後的江湖道上，永無清靜昇平之日了。」他這幾句平平常常的話，但說來義正詞嚴，大氣磅礴，頓使人生出崇敬之情。

他微微一頓，又道：「錯過今日殲敵之機，當為我後輩武林道上留下千秋大恨。」探手從身旁一僧手中，取過一支禪杖，大步直向酆秋等停身之處走去。

天禪大師這等舉動，只瞧得酆秋大為震駭，暗忖道：「這老和尚內功如此精深，實是罕聞罕見，『三絕神針』奇毒，已然發作，他竟然能仗精深的內功，壓制著劇毒。」

忖思之間，天禪大師，已然走近幾人。

只聽他低宣一聲佛號，說道：「酆秋，老衲和你談不上一點恩怨，再說佛門中人，也沒有貪嗔愛惡之心，少林派數百年來，常常和你們綠林道上衝突，那是事非得已，佛門弟子，雖然

首戒殺生，但卻不能眼看著那些善良人家，妻離子散，骨肉流亡……」

話至此處，倏然住口，抬頭望天，喃喃低語數句，接道：「你施放絕毒暗器，傷了老衲，老衲並無恨你之心，但卻不該使那四個綠衣女子，為你送命，利用老衲和紫陽道兄等一點憐憫弱女的慈悲心腸，遂你暗算老衲等之願，用心不覺著太卑劣麼？」

他經過一陣調息之後，心情似已平靜了甚多，不似和胡柏齡動手之時，那等忿怒之情。

酆秋冷然一笑，道：「兵不厭詐，既然彼此勢難並存江湖，難免一場生死之拚。」

天禪大師微微一笑，接道：「好一個勢難並存江湖，我佛慈悲，恕弟子要大開殺戒了。」舉手一杖，當頭向酆秋劈去。

酆秋急舉手中金環，硬接了一擊。

但聞一聲金鐵大震，酆秋被震得向後疾退五步，雙肩晃動，身軀搖搖欲倒。

這等驚世駭俗的神功內力，不但使「人魔」伍獨等大為震驚，就是天儀大師也不知師兄近年功力，精進如許之多，心中大是驚佩。

只見天禪大師又緩緩舉起手中禪杖，平和地笑道：「酆秋，老衲已為你那『三絕神針』之毒所傷，而且劇毒正緩緩向內逼攻，眼下我憑著數十年精修的一口真元之氣，壓制著劇毒不讓它發作，只要你能接得老衲三杖，老衲就無力再攻了。」說罷又是一杖，當頭劈下。

酆秋剛才接得一杖，已被震得氣血浮動，馬步不穩，哪裡還敢硬接這一杖猛劈？但在眾目睽睽之下，又不好縱身讓避，正待硬著頭皮，再接一杖，忽聽「毒火」成全冷冷說道：「酆兄快退。」

一道綠焰隨著他冷喝之聲，激射而出，撞在山石上，立時爆烈出一片熊熊的綠火。

酆秋藉機向後一躍退出了七、八尺遠，讓開了天禪大師的禪杖。

「人魔」伍獨、「鬼老」水寒同時大喝一聲，聯袂劈出一掌，一股狂飆夾帶著陰寒之氣，呼嘯而出。

天禪大師大袖一拂，疾向那狂飆上迎去。他舉袖一拂之勢十分平和，毫無破空嘯風之聲；但那股夾著陰寒的狂飆，卻似被一股無形的力道擋住，轉成一股旋風，吹得地上砂石橫飛。

「人魔」伍獨和「鬼老」水寒，同時覺著心頭一震，那出去的掌力，被一股無形的勁力，擋了回來。

兩個老魔頭，表面上看去，彼此合作無間，相處甚洽，其實相互猜忌，各具私心，這等強勁的反震之力，乃生平罕遇勁敵，兩個人心中都明白，誰要首先加發內力，誰即和那反震之力，接實硬拚，是故，誰也不願先擋鋒銳，蓄力不發，相互瞧了一眼，雙雙躍開。

天禪大師拚盡全力，運起無相神功，發出一掌，人已累得出了一身大汗，張口噴出一口鮮血，栽倒地上。他勉強忍受著重傷，掙扎著和酆秋等動手，自知無疑是飲鴆止渴，促使毒傷早時發作；但他心中明白，如若自己不死，少林僧侶，心中存有顧忌，不敢出手，勢必受酆秋要挾，如若自己傷重而死，勢必激起了群僧同仇敵愾之心，群僧才能放手搶攻。果然少林寺僧侶目睹掌門方丈，栽倒地上之後，齊齊高宣一聲佛號，揮動手中兵刃，疾衝而上。

這當兒，胡柏齡突然疾飛而起，躍越群僧而進，腳落實地，運枴如風，迫開了兩個護守少林寺掌門方丈的和尚，探手一把，竟把傷至奄奄的天禪大師抱入懷中，舉起手中寶劍，架在天禪大師項頸之間，厲聲喝道：「住手！」

少林群僧侶果然全都停下腳步，垂下手中兵刃，數十道目光，一齊投在胡柏齡的身上，滿臉都是悲忿之容。

胡柏齡縱聲大笑，道：「哪一個敢擅自動手，我立刻斬落他項上人頭。」大步直對酆秋走去。

少林僧侶眼看掌門方丈被他仗劍挾持，只好俯首聽命，誰也不敢出手攔阻於他。

胡柏齡走近酆秋之後，高聲說道：「師叔，這和尚還能活多久？」

酆秋微微一笑，道：「賢姪膽略過人，果是一代豪雄之才，他大概還可活上……」突然住口不言。

胡柏齡微微一皺眉，道：「師叔身上可有解毒藥物麼？」

酆秋略一沉忖道：「你可是不要他死？」

胡柏齡笑道：「他能多活一刻時光，咱們就可用他要挾少林寺僧一刻時光。」

酆秋笑道：「好。」探手入懷取出一只玉瓶，倒出一粒遞了過去。

胡柏齡接過丹丸，仔細一瞧，只覺得那丹丸色呈淺紅，一股清香之氣，撲面襲來，立時把丹丸投入了天禪大師口中。

一代高僧的天禪大師，此刻已然有些神志暈迷，丹丸入口，不自主地嚥了下去，如若他神志清醒，絕不肯服用敵人對他相贈的藥。

酆秋把藥物交到胡柏齡手中之後，似已有些後悔，正想喝令胡柏齡把藥物退回，已是遲了

片刻，胡柏齡已把手中丹丸，投入了天禪大師口中。

以天禪大師爲首的少林群僧，已形成對胡柏齡的包圍之勢，各橫手中兵刃，怒目相視，只要天禪大師一聲令下，立時出手搶攻。

這時「毒火」成全打出一片綠火，已然蔓延燃燒起來，平坦的石地上，高燒著一片三尺方圓的綠火。突然間山峰之巔，傳下來一聲長嘯，遙遙傳入耳際。

「毒火」成全忽然雙手齊揚，連打出四支白燐箭，和先前一片綠焰，連接在一起，形成了一道火焰。

胡柏齡心知大變即將爆發於頃刻之間，但仍然沒有看出對方詭計，心中大是焦急，目光投注在酆秋身上，一瞬不瞬。

忽見酆秋揚手一揮，「鬼老」水寒、「人魔」伍獨，同時劈出一掌。

一股狂飆捲起了滿地火焰，疾向少林群僧攻來。

酆秋低聲喝道：「胡賢姪快退回來！」

胡柏齡暗中留神觀察甚久，仍然未發覺酆秋等預先安排一網打盡少林武當群豪的詭計，心中暗暗忖道：「酆秋早有預謀，安排必甚周詳，我如不俯首聽命，無疑正面背叛於他，倒不如跟他去看看再說，或能事先發覺他們陰謀，預先防止。」心念一轉，突然大喝一聲，縱身直向外面衝去。

天儀大師疾跨兩步，攔住去路，揮動手中禪杖，當頭劈下。

胡柏齡急中生智，舉起手中方丈身軀，直向天禪大師迎了上去，口中大聲喝道：「請貴派

掌門方丈代在下擋受大師一杖。」

天儀大師吃了一驚！疾收禪杖，倒躍而退。

就這一剎那工夫，群僧已紛紛追了上來，分由四面八方攻到。

胡柏齡大聲喝道：「哪一個不怕傷了你們掌門方丈，儘管出手就是。」竟把手中的天禪大師，當作兵刃，橫掄出手。

群僧果然被迫得紛紛向後退去，無人再敢逼近於他。

酆秋縱聲笑道：「胡賢姪果是一代豪雄之才，老朽爲令師衣缽有人慶幸。」

胡柏齡強忍傷疼，縱身一躍，在酆秋身側說道：「少林僧侶爲顧及他們掌門方丈性命，絕不敢再向我們逼攻，眼下只要想辦法對付武當一派和『神劍』范銅山帶來的人就行了。」

酆秋一揮手笑道：「賢姪快請退下，此地由老夫和水、伍二兄，人手已足夠了。」

胡柏齡還未來得及答話，突聽一聲山崩地裂般的一聲大震，石碎紛飛中，濃煙四起，整個突岩四周，火燄閃動。這座「落雁谷」中，本來寸草不生，但那聲大震過後竟然火燄閃閃，就在山石上蔓延燃燒起來。

紫陽道長經過一陣調息，人已好了不少，睜眼見群豪被困在一片濃煙大火之中，不禁心頭大駭，當下強行一提真氣，站起身來。他雖在慌急之境，仍能保持著心神鎮靜，先打量一下四周形勢，說道：「今日之戰，咱們已滿盤皆輸，眼下只有先行脫此凶險，再設法找敵人復雪今日之辱……」

他微微一頓又道：「范少俠請就隨來兄弟之中，選出四位武功高強之人，保護令尊，餘下

之人，最好走在一起，以免分散實力……」話至此處，突然提高了聲音道：「武當門下八個護法弟子，仗劍開路，衝出火圈，窮追強敵，不論遇上何等凶險，均不得擅自退回，如有違犯，不必再回武當山了。」

只聽八個中年道裝大漢，齊齊應了一聲，寒光閃動，八支長劍一齊出鞘，縱身直向酆秋等停身之處衝去。這時，少林、武當中，已和酆秋等相距有丈餘遠近，中間熊熊燃燒著一道火牆，八個仗劍道人，揮舞著手中長劍護住身子，冒著焚身烈焰，奮不顧身，硬向前面衝去。

范玉崑施展推宮過穴之法，不停在父親全身經穴推拿，直待范銅山輕輕吁一口氣，醒了過來，范玉崑才把他交由隨來高手保護，翻腕抽出長劍，長嘯一聲，施展家傳輕功絕技，一式「潛龍升天」拔起了兩丈多高。

半空中揮劍一掄，舞出一團白光，藉那旋轉的劍勢，穩住身子，換了一口真氣，施展「八步登空」上乘身法，從那熊熊的騰空烈焰之上，疾飛而過，人如天馬行空般，橫渡四丈多遠，劍化「穿雲取月」，連人帶劍，一起罩了下來。

酆秋大聲喝道：「胡賢姪，快退！」袍袖一拂，一股激蕩的勁力，直向范玉崑迎了過去。就這一瞬工夫，武當門下八大弟子，已經衝過火牆，仗劍撲到，雖然已有兩、三個人道袍著火，但他們仍然是不顧生死地揮劍而上。

酆秋打出的內力十分強猛，范玉崑向下急落之勢，吃他打出的一股疾勁的潛力，逼得無法落下，斜斜一讓，避開了三、四尺遠，才落到實地之上。

這時，整個突岩之上，大部都是蔓展的綠色火焰，無火之處，都站有人。

但見掌風呼呼，不時擊向那蔓展綠焰上，可是那綠火頑強無比，掌勢擊中雖然可撲滅一些，但一眨眼間重又燃燒起來。這是一場滿布著死亡的惡戰，兵刃和滿山閃爍的火光相映。

八個武當弟子分成了兩下動手，四個揮劍猛攻酆秋，四個疾攻胡柏齡。

范玉崑腳落實地之後，卻揮劍疾向「毒火」成全衝去，長劍揮處，灑出重重劍影，護住了身子，從那綠焰中直衝過去。

酆秋力鬥四個武當弟子，雖然游刃有餘，但一時之間，想把四人迫退，卻也非容易之事。

胡柏齡卻被四個武當弟子連環猛攻的劍勢迫得險象環生，他身負重傷，懷中抱著天禪大師運轉已不靈敏，幸得他枴勢重大，四個武當道人都不敢硬接他的枴勢，才算勉強支持下去。

少林群僧原本被胡柏齡以天禪大師的生死要挾，迫得不敢出手，但見武當弟子已在紫陽道長統領之下，紛紛出手，范銅山帶來三人，也都拔出了兵刃，準備攻敵，那突岩上的火勢逐漸蔓延，一大半都燃了起來，如不是「鬼老」水寒、酆秋還留在這突岩之上，群豪面對著這驚人的火勢，恐怕早已心神慌亂了。

天儀大師冷眼默查大局，心中暗暗忖道：「這突岩火勢，愈來愈大，再過片刻，只怕就難有立足之地，就眼下情勢判斷，酆秋等早有預謀，幾人只要一衝出突岩，定然有毒謀發動，爲今之計，只有把這班老魔頭們，生困在此岩之上，不論這突岩爆裂火燒，什麼毒計，有這幾個魔頭陪葬，死的也稍有代價。」

心念一轉，突然高聲對群僧說道：「眼下處境，已成了九死一生之局，雖然掌門方丈陷入敵人之手，咱們也不能坐以待斃。」群僧早已有了出手之心，但因天儀大師，沒有下令，群僧不敢擅自出手，聽得天儀大師一說，立時群僧激昂地接道：「我等早已存下必死之心，也不讓咱們少林威名受損。」

天儀大師淒涼一笑，道：「好！既然出手，就別再顧及……」一揮禪杖，當先向酆秋衝去。

酆秋力敵四個武當弟子，雖佔優勢，但加上天儀大師之後，立即強弱互易，老和尚功力深厚，鐵禪杖招招如巨斧開山一般，不到十回合，酆秋已被迫得沒有了還手之力。

胡柏齡一面揮動手中鐵楞拒敵，一面暗中打量四外戰局，但見少林僧侶排成了一個首尾相接的陣式，用掌力、禪杖掃開蔓展的綠色火焰，布成了合圍之勢，群僧臉色一片肅穆、平靜，在蔓展的大火中，毫無一點驚恐之容，似是每一個人，都未把生死之事，放在心上。他雖沒有見過少林寺聞名天下的羅漢陣，但這些人在這等毒火蔓延，生死關頭的當兒，不肯出手，以求先斃強敵，卻好整以暇地排成一座陣式，緩行合圍之勢，如非此陣妙用無窮，威力強大，絕不會在這等生死決於頃刻之間的時光中，耗時排成陣式。

正忖思間，忽聽「人魔」伍獨大聲喝道：「酆兄快退，少林寺和尚已排成羅漢陣，如待他們合圍之勢已成，再想脫身，勢比登天還難。」

少林寺羅漢陣的威名，早已震撼天下黑、白兩道，伍獨大聲一叫，酆秋、成全，都爲之大吃一駭。

酆秋當先發作，大喝一聲，左手金圈硬架天儀大師，右手金圈一招「雲霧金光」，封擋開武當門下四弟子的長劍，衝出圍困，袍袖拂處，打出一記強猛絕倫的暗勁，直向圍攻胡柏齡的四個武當道人擊去。這一拂乃是他畢生功力所聚，威勢非同小可，四個武當弟子，立時被強猛的暗勁逼得退向一側。

鄷秋縱身一躍，人已到了胡柏齡身前，右腕振處，手中金圈脫手飛出，直向天儀大師打去，回臂伸手，沉聲喝道：「賢姪快把懷中天禪大師交付於我。」說著話，人已伸手向天禪大師抓去。

胡柏齡疾退了兩步，讓開鄷秋右手，說著：「師叔主持大局，豈可帶人誤事，這老和尚還是由弟子帶著吧！」飛身一躍，直向「鬼老」水寒、「人魔」伍獨身側飛去。

鄷秋冷笑一聲，反手一掌，猛向范玉崑後背劈去。

范玉崑獨鬥「毒火」成全，施展開家傳劍法，竟然能和成全打一個半斤八兩，不分勝負，成全功力較深，范玉崑劍招卻較爲精奇，一時之間，誰也無法勝得。

正激鬥中，范玉崑忽覺一股勁道由身後直撞過來，心頭一驚，縱身向前躍去。

就這一緩手工夫，天儀大師和武當門下八大護法，重又揮動兵刃攻到。

「鬼老」水寒、「人魔」伍獨同時大喝一聲，聯手劈出一掌，一股冷飆掠過熊熊的火焰，直向天儀大師等攻去。

兩人的「寒陰氣功」都已有相當的火候，這聯手一掌，威力強大無比，天儀大師和武當門下八大護法弟子，都覺著一股冷氣，掠體而過，在四面熊熊火焰熱氣蒸烤之下，仍然感到全身一涼，不自覺地打了一個冷戰。

「毒火」成全和鄷秋，藉幾人攻勢一挫之機，已雙雙躍落「鬼老」水寒、「人魔」伍獨身側。

這時，少林寺僧侶們的羅漢陣尚未能來得及發動，眼看群魔都已退出包圍，立時一擁而上，合圍過去。本來群僧都是久於熟習羅漢陣式之人，動作異常迅快，但因這突岩之上，大部地方都高燒著熊熊火焰，阻礙了群僧排陣的速度。

只聽酆秋沉聲說道：「咱們快些退吧！」當先打出一記劈空掌風。

「鬼老」水寒、「人魔」伍獨相互瞧了一眼，又雙雙聯發一掌。

「毒火」成全冷笑一聲，探手入懷摸出一個白絹包裹，猛力向地上投去。

那白絹落地之後，突然爆裂出一地黃色粉末，那黃色粉末一見綠焰，立時暴起一片大火。

這一陣火光，和那蔓展的綠色火焰暴起了兩丈多高，群僧立時被那片火牆擋住。

「毒火」成全洋洋自得地笑道：「兄弟這片毒火，足可燃燒一盞熱茶工夫之久，咱們有著足夠的工夫，從容離去。」

酆秋拂髯大笑道：「這一戰盡殲少林、武當兩派中精銳，一洗咱們綠林道上數百年所受屈辱，諸兄日後當都是綠林道中傳誦不絕的人物了。」說完，縱聲長笑，轉身向前走去。

「鬼老」水寒、「人魔」伍獨、「毒火」成全等魚貫相隨身後，疾向突岩下面奔去。

胡柏齡走在最後，心中暗自焦急，眼看少林、武當中人被困在火焰之中，自己卻無法相救，心中甚是不安。

酆秋似是早已預計好應走之路，一路行去，奔行甚速，片刻工夫，已到突岩之下。

胡柏齡一面奔行，一面不停回頭張望，心中暗自盤算道，那道火牆，雖然甚難通過，但其

長度，不過二丈左右，如若群僧繞道而行，現在應該趕上來了。

忖思之間，遙見幾條人影，急追而來。

那幾條人影來勢極快，眨眼之間已到兩、三丈外，正是天儀大師和范玉崑，在兩人身側還跟著四個和尚，和兩個身著長衫的中年大漢。

這時，酆秋等人已奔下突岩，只有胡柏齡還在突岩旁邊。

原來他藉那奔行之勢，暗中施展推宮過穴手法，推活了懷中天禪大師的經脈。

范玉崑首先發難，一指胡柏齡對天儀大師說道：「大師父請對付此人。」縱身一躍，直向下面飛去，人如蒼鷹下擊，劍化經天長虹，直向酆秋撲去。

只聽一聲清脆聲音，起自酆秋身側，道：「師父這人由弟子來對付他吧！」

麥小明仗劍疾躍而起，直向范玉崑迎了上去。

兩柄長劍相觸，響起了一陣龍吟之聲。

范玉崑居高下擊，佔先不少，麥小明吃他強猛一劍的撞擊之勢，震得身軀疾墜而下。此人年紀雖小，但卻凶悍無比，跌出約七、八尺時，突然一提真氣，懸空打了一個轉身，猛然又向范玉崑衝了過去。這一著倒是大出了范玉崑意料之外，趕忙一提真氣，穩住向下急落的身子，斜斜掃出一劍。

只聽「噹」的一聲，兩人又懸空硬接了一劍，兩人同時感到心頭一震，誰也提不住丹田真氣，一起由空中摔了下來。這一下兩人都摔得甚重，那岩下又是尖稜的山石，都摔了幾處傷口，皮破血流。

胡柏齡推開天禪大師脈穴之後，低聲說道：「酆秋等早已預計暗算貴派和武當派中之人，大師仍請裝做暈迷不醒之狀，暗中運氣調息，仍由我帶著大師，以便俟機救應。」

天禪大師微微一啓雙目，但重又迅快地閉上，未置可否。他脈穴初解，正需要暗自運氣調息，心中雖然不願，但一時也無掙扎之能。

這當兒，天儀大師已經追到，舉手一杖，直向胡柏齡背心上面點去。

胡柏齡身子一側，大聲喝道：「你們再苦苦追逼於我，可別怪我辣手對付貴派掌門方丈了。」他這一喝果然效用宏大，天儀大師自行收了禪杖，不敢再出手逼他。

胡柏齡縱身而起，一連兩、三個急躍，飛落到酆秋身側。

抬頭看去，只見突岩四面，都是熊熊烈焰，只有酆秋等這一條退路，沒有火勢。

胡柏齡一直強行運氣，支持劇烈的傷疼，他心中極明白這一場正、邪大決鬥的結果，不但關係今後武林道上正邪消長的形勢，而且關係著無數善良人家安樂與流亡，萬一少林、武當兩派精銳，在酆秋預謀布設之下，盡化飛灰，幾個老魔頭勢必乘大勝餘威，直逼嵩山少室峰少林本院，以及武當派的三元觀開派重地，做斬草除根的掃蕩，如若這維護武林正義的兩大門派根基動搖，江湖勢非掀起滔天的殺伐不可……

一種贖罪向善的精神，支持住他重傷的身軀，使他在傷疼之中，仍能保持了冷靜。他默察形勢，已隱隱察出酆秋預布詭計，憂慮的是自己一人之力，不知能否解救群豪大危？

回頭向來路望去，只見麥小明和范玉崑各帶著滿身鮮血，揮劍力拚。

這是一場渾忘生死的惡鬥，雙方都帶著石稜劃破的傷痕，和涔涔而下的滿身鮮血，在熊熊

火焰中捨死忘生的衝擊，只爲了勝負之名。

胡柏齡黯然地嘆息一聲，別過頭去，不忍多看。

忽聽酆秋冷笑一聲，說道：「胡賢姪，嘆息什麼？」

胡柏齡吃了一驚！輕輕地咳了一下，道：「麥師弟浴血而戰，似已大可不必，少林、武當中人，早已成籠中之鳥，何苦再讓……」

這幾句隨機應變之言，說得十分恰當，酆秋疑慮之心，似是消減了甚多，提高了聲音，叫道：「小明不可戀戰，快些退下。」

麥小明聽得相喚之言，立時揮劍猛攻了幾招，縱身而退。

范玉崑正待揮劍追趕，瞥見天儀大師手橫禪杖站在那裡發楞，不覺心中大急，高聲說道：「老禪師還不追擊，站在這裡等死麼？」

天儀輕輕地嘆息一聲，道：「老衲如何能眼看著敝派掌門方丈，送命在他人之手？」

范玉崑急道：「眼下四面大火，只此一條去路，如非藉追趕強敵之機，衝出火勢，哪裡還有生路？」一揮手中長劍，大步當先追了過去。

那兩個身著長衫的中年大漢，同時望了天儀大師一眼，道：「二公子說得不錯，咱們不能坐失這唯一生機。」緊隨范玉崑身後趕去。

天儀大師回頭望去，只見突岩上的火勢更爲強烈，火光中人影，一條長龍般直向岩下衝來，立時回頭吩咐身側四個弟子，說道：「你們留兩人在此迎接岩上之人，兩人隨我追敵。」

縱身一掠，直飛兩丈多遠，疾向前面衝去。

酆秋等群魔似是有意誘敵，一面打，一面後退，待到一處山角轉彎所在，突然振腕反擊，登時把范玉崑和天儀大師的凌厲攻勢擋住，纏鬥三回合，少林群僧和武當弟子已紛紛趕到。

因爲那山道狹窄，少林、武當門中弟子雖多，卻無法一起出手。

酆秋一面動手，一面留神默數對方人數，只見紫陽道長赤手空拳在六個武當門下弟子環護之下，閉目而立，顯然他正運用數十年精修的內功，對抗著發作的毒性。

范銅山卻被兩個勁裝中年大漢抬著，仍然暈迷未醒。

少林僧侶和武當門下的弟子，多都被那毒火灼傷，但卻無一人發出呻吟之聲，也無人包紮傷勢。

酆秋等默計過對方人數，共計有五十四人，立時暴喝一聲，手中金圈一緊，把天儀大師和范玉崑的招術，盡都接了過來。

「毒火」成全和麥小明都一起躍退下面，轉過山彎不見。

麥小明奔退之時，隨手一拖胡柏齡的衣角道：「師兄快退下去。」

胡柏齡轉過山彎一瞧，登時心頭一震，暗道：「好一片凶險的所在！」

只見兩側峭壁挾持著一道三尺寬的通道，那狹窄的山道在四丈之後，卻突然開闊成一片數丈方圓的平地，過了那段平廣之地，又是一條狹窄的山谷，形如葫蘆一般。

胡柏齡忖道：「四面一片大火，勢非從這狹窄的山谷中通過不可，酆秋只要先在兩側絕峰上埋伏下人手，再用大火封住兩面窄谷，投下木柴枯草等易燒之物，少林、武當門下弟子，無

一能免被大火燒死的厄運……」

忖思之間，人已穿過那段平闊之地。

「毒火」成全突然停了下來，冷冷地對胡柏齡道：「你們退到後面去，別站在這裡礙事。」

麥小明冷冷地瞧了「毒火」成全一眼，道：「你對我這樣無禮，咱們不能就這樣算了。」

「毒火」成全怔了一怔，怒道：「你還能把老夫怎樣？」

麥小明微微一笑，道：「你不用生氣，先忙你的正經事吧，等對付過少林、武當兩派，咱們再算賬好了。」

「毒火」成全大聲喝道：「反了，反了，你師父也不敢對老夫這等無禮。」

麥小明滿身傷痕，仍不停地向外流著鮮血，但他連擦也不擦一下，兩隻圓圓的大眼睛，溜了成全一眼，笑道：「我師父從來不管我和別人打架的事，你要不信？等一下你對他講吧！」

「毒火」成全乃自負極高之人，如何能受得一個小孩子的激辱？不覺怒火高漲，正待發作，「鬼老」水寒冷冷地接道：「成兄別爲了和一個小孩子嘔氣，耽誤了大事。」

「人魔」伍獨重重地咳了一聲，接道：「酆兄一人獨擋少林、武當兩派高手搶攻，以便成兄有充分的準備時間，眼下寸陰如金，這一戰成敗全繫在成兄身上，小不忍亂了大謀，豈不滿盤皆輸？」

「毒火」成全冷哼一聲，探手從那山壁間一條石縫之中，取出一條粗如蠟燭的火藥引子拏在手中，左手晃了一個火摺子，待機點燃。

胡柏齡打了一個冷戰，暗暗忖道：「如是用枯草乾柴等火攻，少林、武當兩派中弟子雖然難免重大傷亡，但還不致全軍盡沒，如在這山谷狹道中埋上火藥、桐油之類，只怕兩派中人，難有一個逃得性命。」暗中用手指輕輕一彈懷中的少林掌門方丈。

天禪大師強行運集功力和酆秋動手，促使了劇毒提前發作，雖經運氣調息，仍覺提聚不起全身真氣，心知縱然掙扎出手，也難擋強敵一擊，只好暫時安於現狀，爭取運集真氣的時間，胡柏齡輕輕彈他一指，他裝作不知，眼皮也未睜動一下。

胡柏齡只道他傷勢沉重，神智未復，不禁暗暗一嘆。

忽聽麥小明咯咯笑道：「我師父來啦！」

胡柏齡抬頭望去，只見酆秋衣袂飄飛，疾如離絃弩箭一般，電奔而來。

「毒火」成全一晃手中火摺子，點燃了手中火藥引子。

但見一道閃閃火焰，快速絕倫地燃燒起來。那火藥引子早經酆秋等用山石掩遮起來，不留心根本無法看到。

就這一時工夫，酆秋已奔過那片開闊的盆地，到了胡柏齡等停身的谷口之處。

「毒火」成全又探手摸出一個布包，抖手投了出去，右腕隨著一揚，打出一支「白燐箭」。

「白燐箭」去勢奇快，不出三丈已擊在那布包之上。

只聽「波」的一聲輕響，那布包突然爆烈出一溜火焰，眨眼間化成一片火海，阻擋住天儀大師、范玉崑等急追之勢。

胡柏齡凝目望去，只見少林群僧和武當門下弟子，都已追到那塊開闊的盆地之中，只急得一身冷汗涔涔而下。

「鬼老」水寒、「人魔」伍獨都已運足了「寒陰氣功」蓄勢待發，只要有人衝過那攔阻去路的火勢，立時將聯手發掌。

酆秋卻是雙目神凝，盯定燃燒的火引之上，一瞬不瞬。

胡柏齡看那火引愈燃愈短，心中愈感焦念，腦際中念頭千轉，胸腹熱血沸騰。

少林僧侶和武當門下弟子，都被那高燒的火焰擋住了前進之勢。

胡柏齡看那火引即將燃盡，時機稍縱即逝，數十個少林、武當門下弟子，立時將身化飛灰，只覺一股熱血，直沖上來，放下天禪大師，直衝過去。

他這突然的舉動，在場之人，無不感到意外。

酆秋反應靈敏，一見胡柏齡奔行方向，正對著那火引燃燒之處，立時有所警覺，高聲喝道：「水兄、伍兄，快些發掌。」

水寒微微一怔，道：「打什麼人？」

酆秋急道：「胡柏齡。」

就在兩人講話的工夫，胡柏齡已奔到那片高燃的烈火之處。

水寒、伍獨雙雙大喝一聲，劈出一掌。

一股疾猛的陰寒之氣，直撞過去。

胡柏齡正奔行間，忽覺身後一股狂飆撞了過來。時間倉卒，使他無暇躲避，藉勢縱身一

躍，騰身而起。

只覺後背那股疾撞而來的強猛之勁一撞，身子凌空而起，他縱身急躍之力，再加上那強猛之勁的衝撞之力，直飛起三丈多高，橫越過了那片攔路火牆。

胡柏齡原已被天禪大師施展金剛指武功，點傷內腑，肋骨也被打斷了兩根，再擋受水寒、伍獨聯手一擊之力，只覺身子一震，全身氣血登時向上翻湧，不自主地張嘴吐出一大口鮮血。

他心中一直惦念著搭救少林、武當兩派中人，雖受重擊，神志已然暈迷，但他心中還記著撲滅那燃燒著的火引，吐出一口鮮血之後，仍然向那火引之處撲了過去。

武當、少林中人，眼看著胡柏齡直越火牆而過，立時紛紛包圍過來。

胡柏齡強忍提一口真氣，心知只一開口說話，真氣勢必散去，也無法對群僧解說，只好一語不發，掄動手中鐵枴，猛擊過去，衝開一條出路，直向那火引之處撲去。

那火引燃燒附近，正是范銅山停身的地方，胡柏齡直衝過去，范玉崑只道他要傷害父親，不禁心中大急，大喝一聲，連人帶劍化作一道銀虹，直飛過去。紫陽道長相距范銅山甚近，眼看胡柏齡衝向范銅山，立時掙扎而起，揮劍直向胡柏齡前身刺去，胡柏齡揮枴一擋，卻不料范玉崑一劍刺到，由後背直入內腑。

這一劍傷到要害，胡柏齡再難支持，手中鐵枴「噹」的一聲，跌落在地上。

紫陽道長以重傷之軀，勉強運劍對敵，吃胡柏齡一枴震開劍勢，回手一劍，又刺過去。

胡柏齡雖然身受重創，但目光仍然盯在那藥引之上，而且人已有些頭暈眼花，哪裡還能躲避紫陽道長劍勢，只覺前胸一疼，又被紫陽道長一劍刺入前胸。

胡柏齡神智忽清，大喝一聲，舉手一掌，猛向紫陽道長前胸劈去。紫陽道長神志也有些恍恍惚惚，吃胡柏齡強勁的掌力，震得向後退了三步，刺入胡柏齡前胸的長劍，也隨勢拔了出來。

一股鮮血，急噴而出！

胡柏齡身子向前一傾，直向那火引上面倒去，口中大喝道：「火藥、火藥……」

那一股由前胸噴出的鮮血，直噴在那火引之上。

火引被那噴出的鮮血熄滅，但胡柏齡也因盡了他最後一點氣力，溘然長逝。

紫陽道長聽得心頭一震！恍恍惚惚的神志，陡然清醒過來。

凝目望去，只見一片石塊前面，有著一條尺許長短的藥引，隨手舉劍一挑，那石塊應手而起，敢情那石塊早已經人挖開過，裡面藥引交錯之外，還埋滿了黑色火藥，只要再晚了片刻，不但石堆下藏的火藥要被引發，那交錯盤旋的藥引，勢將盡被點燃，那交錯藥引，不下數十條，如被引發之後，這廣場所有之人，盡將化作飛灰。

只感一種深沉的愧疚，泛上心頭，目注胡柏齡橫臥的修偉屍體，落下兩行傷悲之淚，如非他捨死用鮮血熄滅那火藥引子，只怕少林、武當中人，此刻盡已被那爆發火藥炸得血肉橫飛。

忽聽一尖脆的哭叫之聲，劃空急來，傳入耳際。

轉頭望去，只見一個全身玄裝的美麗女人，冒著騰騰烈焰，直奔過來，她身後緊追著兩個身著黑、白兩色衣服的女子。

那玄衣女相距胡柏齡屍體還有七、八尺遠時，突然叫了一聲：「大哥。」

縱身直向那屍體上面撲去，伏在那屍體之上，放聲大哭起來。

紫陽道長以劍撐地，支持著自己搖搖欲倒的身子，大聲喝道：「快衝過那道火牆……」他勉強說出這兩句話，人已支撐不住，身軀已軟，倒了下去。

這時，范玉崑也已看到那片石塊下面滿埋火藥之事，不覺呆了一呆！抬頭望去，只見前面谷口之處人影閃動，打鬥甚烈！

少林群僧和武當門下弟子，看到那山石下埋有火藥，全都爲之一呆！

天儀大師冷哼一聲，道：「好毒辣的手段！」一揮手中禪杖，當先由那烈焰中穿奔而過。

少林群僧齊隨在天儀大師身後，由那熊熊的烈焰中奔穿過去。

「毒火」成全打出一包藥物，經這一陣燃燒之後，火勢已經小了很多，群僧奔越時一陣踐踏，火勢已是將要熄滅。

武當派中弟子抬起了紫陽道長，重重圍護著，衝了過去。

這時，那谷口之處，正展開慘烈絕倫的惡鬥。

天禪大師奮盡餘力，獨擋「鬼老」水寒、「人魔」伍獨的強猛攻勢，不時抽出手來，猛攻「毒火」成全，以牽制他無暇再放陰火傷人。

天禪大師內功深厚，武功高強，雖然身負傷勢未癒，但他經過一陣調息之後，體力已恢復了不少，胡柏齡突然丟下他，急奔而去時，他真氣尚未能運轉一周，幸好當時都把目光投注到胡柏齡的身上，也沒有人注意到他。

胡柏齡捨身相救群豪時，他已運息完畢，悄然站了起來。

恰好此時，鍾一豪和「羅浮一叟」帶著「迷蹤谷」中綠林群雄也繞路趕到。谷寒香一眼之間，已瞧出了胡柏齡正越過那火牆，陷入了少林群僧包圍之下，不禁心頭大駭！大叫一聲，直向裡面衝去。

萬映霞、苗素蘭齊聲叫道：「夫人，不可涉險！」急急追了過去。

鍾一豪、余亦樂正待隨後追去，卻被酆秋回身攔住了去路，回頭一瞥之下，只見天禪大師悄然倚壁而立，不禁微微一怔！舉手一掌劈了過去。

天禪大師揮掌接了一擊，一指戮去。

麥小明身子一晃，衝了過去，舉手一劍，橫掃過去。

他來勢慌急，鍾一豪只道他向自己施襲，揮動手中緬鐵軟刀，接了一劍。

「鬼老」水寒、「人魔」伍獨，大喝一聲，聯袂劈出一掌。

兩人掌風強猛，把站在旁邊的余亦樂震得直向旁邊退去。

天禪大師橫跨兩步讓開一擊，縱身一躍，向兩人衝了過去，強控傷勢，提聚真氣，和兩人打在一起。

麥小明被鍾一豪擋開一劍，心中大怒，立時展開了劍招，綿綿攻上。

鍾一豪雖明知他是酆秋門下之人，但心惡他狂妄之態，不願多費唇舌解說，施開緬鐵軟刀，和麥小明展開一場搶制先機地快攻。

「羅浮一叟」帶著數十個綠林高手趕來，眼看著一場自相殘殺，卻不知如何處理才好？

就這一瞬工夫，天儀大師已帶著群僧衝到谷口，紛紛揮動兵刃，衝了過去。

鄷秋眼看功敗垂成，心中雖氣怒至極，但見局勢已成混亂之狀，再打下去，也難討得好去，立時長嘯一聲，道：「水兄、伍兄，這等混戰，於事無補，咱們早些走吧！」

他乃心地陰沉，大奸大惡之人，一見不利於己，立時不再戀戰，當先一拔三丈多高，疾奔而去。

水寒、伍獨聯手劈出一掌，強猛的掌風，迫得帶傷力戰的天禪大師，橫向一側閃開，兩人藉勢衝出，聯袂疾行。

「毒火」成全大喝一聲，「呼呼」劈出兩掌，迫退兩個少林弟子，隨在兩人身後退走。

「羅浮一叟」霍元伽在這等混亂局勢下，倉卒間也不知如何處理，閃向一側，讓開了一條去路。

幾人去勢迅快，片刻間走得沒了蹤影，只餘麥小明一個人，還在和鍾一豪全力相拚。

天儀大師抬頭望了霍元伽一眼，一揮手中禪杖，衝了過去。

少林寺僧侶一見天儀出手，紛紛揮動兵刃。

天禪大師突然叫道：「師弟不可……」

他身負重傷後，又勉強運氣，經過一番激戰，身體早已支持不住，這一開口說話，提聚的真氣，立時散去，倒在地上。

天儀大師停下腳步，正待回頭請示，天禪大師已暈倒在地上。

這時，突然響起一聲冷笑和悶哼，纏戰在一起的鍾一豪和麥小明，霍然分開。

只見麥小明左肩上鮮血淋漓而下，鍾一豪右大腿上，也是血如泉湧。

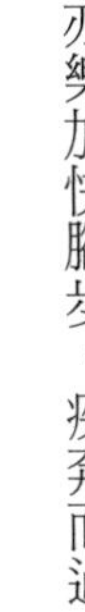

原來兩人都負了傷，鍾一豪削中麥小明左肩一刀，麥小明刺了鍾一豪右腿一劍。

余亦樂低聲對霍元伽道：「霍兄請主持大局，約束屬下，別和少林、武當門下衝突。」

霍元伽低聲說道：「這是怎麼回事？兄弟實在是看得有點糊塗了？」

余亦樂道：「此時談話不便，咱們等會兒再說出不遲。」

縱身躍落鍾一豪身側道：「鍾兄傷勢如何？」

鍾一豪搖頭笑道：「一點皮肉之傷，打什麼緊，余兄快去看看盟主怎麼樣了？」

由於天禪大師的喝止，少林僧侶們，已不敢隨便出手，靜靜地排在谷中。

少林派門規森嚴，群僧訓練有素，雖經大險，仍然個個鎮靜，毫無紊亂現象。

余亦樂回顧了麥小明一眼，道：「小兄弟滿身創傷，又陷在重圍之下，最好別再橫衝直闖，或能保得性命。」

麥小明望也不望余亦樂，放下手中寶劍，席地而坐，閉目養息，放任傷口處鮮血橫流，也不包紮，神色間亦無驚慌之感，對四周重重包圍的群僧，恍似不覺。

余亦樂微微一皺眉頭，大步直向谷中走去，那列隊而立的少林僧侶雖無出手攔阻之意，但亦無讓開去路之心。

余亦樂輕輕咳了一聲，拱手說道：「諸位大師父，請借一步……」

天儀大師沉聲接道：「讓他過去。」

少林僧侶迅快向兩側分開，讓開一條去路。

余亦樂加快腳步，疾奔而過。

這時，谷中火勢，大部已熄，只有零零星星的火頭還在燃燒。

要知這條山谷之中，草木不生，除了酆秋等預先置放乾柴、枯草，和一些藥物之外，別無可燃之物，所以火起時濃煙蔽天，猛烈異常，但火勢消落，亦是十分快速。

一陣陣沙啞的哭聲，隨著山風吹來，這聲音雖不高昂尖銳，入耳驚心，但一聞之下，卻叫人有一種沉痛無比的感覺，似是發出哭聲的人到了絕望的邊緣，世界上已無物一事可以留戀。

余亦樂奔行的腳登時感覺沉重起來，似是突然在他心上放置一塊千斤重鉛。他負著沉重的心情，緩步走了過去，目光觸處，只見谷寒香懷抱著一個魁梧的身軀，斜倚在一片大山石上，雙目微閉，淚水如泉，湧下雙頰，那低沉如訴的哭聲由她的櫻唇中發了出來。

苗素蘭、萬映霞分守在她身側，大概兩人都受了谷寒香沉痛的哭聲感染，臉上淚水縱橫。

余亦樂輕輕嘆息一聲，暗道：「這兩人怎麼連勸也不知道勸呢？難道讓她哭死不成？」突然加快腳步，走了過去。

只覺那幽幽如訴的哭聲，不停繚繞耳際，當他走近谷寒香時，已被沉痛絕倫的哭聲感染，不自覺淚水滾滾而下，竟然把相勸谷寒香的事情忘去。

美麗的笑容，百媚橫生，使六宮粉黛失色，但最傷心的哭聲，亦有強烈的感染之力，只覺那幽幽如訴聲中，蘊著無比的沉痛，聽上一陣，登時有一種末日降臨，生機全絕之感。

只聽那哭聲愈來愈是微弱，逐漸地聲息全無。

余亦樂拭拭臉上淚水，神志忽然一清，急口叫道：「夫人，夫人……」

原來谷寒香傷心過度，暈了過去。

他這一叫，苗素蘭和萬映霞也同時清醒了過來，同時驚叫了一聲：「夫人！」雙雙蹲下身子，扶起了谷寒香。

谷寒香人雖暈了過去，但她手中仍然緊緊地抱著胡柏齡屍體不放。

這時，一陣雜亂急促的步履之聲，傳了過來，鍾一豪、霍元伽帶著「迷蹤谷」中群豪，蜂湧而至。

鍾一豪面上蒙的黑紗，一陣波動，顯示他心中已爲這驚人的變化感到了無比的悲傷，只是無法瞧出他的神情。

霍元伽重重地嘆息一聲，道：「盟主還有救麼？」

苗素蘭緩緩抬起頭來，幽幽說道：「兩處重創，都在致命所在，屍骨已寒多時了。」

霍元伽抬頭望天上浮動的白雲，沉聲問道：「盟主傷在何人手中？」

苗素蘭搖搖頭道：「這個賤妾沒有看到，不敢亂說。」

鍾一豪道：「不是少林僧侶手中，就是武當門下……」

余亦樂道：「盟主身上之傷，似都是劍傷，少林僧侶們從不用劍。」

一陣急勁的山風吹來，飄起了群豪的衣袂，也驚醒了暈迷過去的谷寒香，只見她緩緩睜開星目，滿臉茫然神色，望了群豪一陣，突然尖叫一聲，抱起胡柏齡的屍體，狂奔而去。余亦樂嘆息一聲，回頭對苗素蘭、萬映霞道：「她悲痛過深，神智已有些迷亂，兩位快追去，別讓她尋了短見。」

萬映霞目蘊淚光，點點頭，放腿疾追而去。

苗素蘭卻低聲對余亦樂道：「盟主已死，夫人一個女流，如何能主盟大局？何況『迷蹤谷』只不過根基初奠，爾後事務正多，千頭萬緒，均非夫人之力所能勝任，幾位不妨會商一下，早些有個決定……」

鍾一豪一揮手，道：「苗姑娘不用再說下去，除了盟主的大膽大識，可以領導天下綠林之外，今世之中，不作第二人想，快去照顧夫人，此事用不著你來擔心！」

苗素蘭也不反駁，縱身一躍而起，疾奔而去。

霍元伽道：「眼下少林、武當中人，尚在谷外，強敵當下，不宜研論誰接盟大事，咱們還是先回『迷蹤谷』去，再說不遲。」

余亦樂道：「少林、武當兩派中掌門之人，似都受了重傷，兩派和咱們敵意，看去亦不甚重，在下之意，如果能不和兩派中人動手，還是不動手的好。」

霍元伽道：「兩派中人，久戰身疲，恐已無餘力再和咱們動手，余兄如若誤認他們對咱們消了敵意，未免有些自作聰明了。」

余亦樂皺皺眉頭，未再接口，大步直向谷外走去。

鍾一豪突然冷冷說道：「兄弟之意，也是暫不和兩派中人衝突爲宜。」

也不待「羅浮一叟」回答，縱身疾躍而起，他輕身功夫造詣特深，兩、三個起落，已到了谷口所在。

十三　椎心泣血

只見十個少林僧侶一排橫立，一個個手橫兵刃，擋住了去路，谷寒香、苗素蘭、萬映霞、余亦樂等，都被攔在谷口。

谷寒香似已支持不住，在苗素蘭、萬映霞扶持之下，閉目而立，美麗臉頰上，仍然不停地滾下淚水。

鍾一豪突覺一股怒火沖了上來，一鬆腰中扣把，抖出緬鐵軟刀，大步直向群僧走去。

余亦樂低聲說道：「鍾兄不可造次。」縱身一躍，追了上去。

那列隊而立的少林僧侶，突然開始移動位置，兵刃交錯，片刻之間，布成了一座陣式。

鍾一豪雖未見過少林寺的羅漢陣，但此陣名傳天下，數百年來，從未有人闖出羅漢陣的圍困，一看少林寺僧排成陣圖，不禁心中一震，暗道：「看來今日之局，只怕難以善休了。」回顏望去，霍元伽已帶著「迷蹤谷」中群豪趕到。

余亦樂搶前兩步，橫身攔在鍾一豪前面拱手對群僧說道：「諸位大師父擋守住谷口要道，不知是何用心？」群僧一個個臉色莊嚴，默然不答。

鍾一豪冷冷說道：「看來今日難免一戰，余兄大可不必多費無謂口舌了。」

忽聽一聲低沉的聲音，遙遙傳了過來，道：「閃開路讓他們過去。」

這聲音低沉得只隱隱可以聽到，但群僧卻迅快地退到兩邊，讓開一條大道，手中橫舉的兵刃也同時垂了下去。這意外變化，反而使余亦樂和鍾一豪有些茫然無措之感，呆了一呆！

鍾一豪才低聲說道：「余兄請走前面開路，兄弟隨後保護夫人。」

轉過身去，抱拳說道：「恭請夫人上路。」

苗素蘭黯然答道：「她傷痛過深，人已暈了過去。」

鍾一豪大步走了過去，低聲說道：「時機難再，不宜拖延，姑娘不妨運功暗擊命門要穴，試試看能否使她清醒片刻。」

苗素蘭點點頭，暗中運集功力，舉手一掌按在谷寒香背後「命門穴」上，輕輕向前一送。

但見谷寒香身子向前一傾，緩緩地睜開了雙目，環掃了眾僧一眼，突然大步向前走去。

鍾一豪縱身一躍，搶在谷寒香前面，低聲說道：「夫人身體不適，把盟主屍體交給在下代爲抱著如何？」

谷寒香似是害怕鍾一豪搶去懷中的屍體一般，忽地一個轉身，搖搖頭，道：「我自己抱著也是一樣。」當先由群僧之間，走了過去。

鍾一豪、余亦樂、苗素蘭、萬映霞，分在她兩側相護，「羅浮一叟」帶著「迷蹤谷」一干高手，走在後面。

忽聽一個清脆的童音，傳了過來，說道：「胡師兄斷了氣？」麥小明右手撿起地上寶劍，起身走了過來。

他和鍾一豪動手受傷之後，就原地坐了下來運氣調息，少林僧侶們雖然記著他殺死同門之仇，但見他一個孩子，又滿身鮮血，閉目坐在地上調息，少林派乃江湖上正大門戶，門下弟子，個個心胸磊落，不願對一個滿身重創的孩子出手，只好任他盤坐運氣調息，此刻見他站了起來，立時有一個和尚橫身擋住去路，沉聲喝道：「站住，你也想走麼？」

麥小明微微一笑，道：「我爲什麼不能走？」舉手一劍刺了過去。

但見寒芒閃動幻起朵朵劍花，迫得那和尚，疾向一側閃去。

群僧知他劍招辛辣，不可輕敵，見他一出手，立時凝神戒備，左面一個和尚「呼」的一杖「橫掃千軍」，攔腰擊了過來。

麥小明不退反進，突然向前一躍，靈快無比地欺了過去，長劍左掃右刺，倏然之間，連攻三劍，迫退了幾個攔路的僧人，衝出重圍，奔到谷寒香面前，探頭望了胡柏齡的屍體，搖搖頭道：「沒有救啦！」

鍾一豪怕他突然出手，傷了谷寒香，語音未發地拍出一掌，掌勢出手，才大聲喝道：「快閃開去。」

麥小明右手提劍，頭也不回，揮動左手，硬接鍾一豪擊來一掌。

鍾一豪只覺心頭一震，腳下馬步浮動，不自主地向後退了三步。

麥小明卻被鍾一豪一掌震得連連向後退了五步。

就這一瞬工夫，四個少林僧侶已疾奔而出，形成了合圍之勢，把麥小明圍在中間。

谷寒香柳眉一揚，大聲喝道：「住手！」她生得嬌美如花，姿容絕世，發起狠來，亦別有

一番風情，群僧回頭瞧了她一眼，都不自主地停下手來。

麥小明微微一笑，走到谷寒香身側說道：「我和胡盟主師兄弟相稱，那要叫你嫂嫂了。」

谷寒香瞧了他一眼，也不理他，放步向前走去。

天儀大師目睹門下弟子，竟然被一個少女喝叱之威所懾，心中甚是忿怒，但又不便立時斥責群僧，一揮手中禪杖，親自迎了上來，攔住了谷寒香的去路。

谷寒香圓睜星目，怒道：「你要幹什麼？快閃開去。」

她盛怒之下，美麗中別有一種威嚴的風韻，天儀大師打量了兩眼，不自覺地向後退了兩步。要知谷寒香天生絕色，一代尤物，一顰一笑，盛怒薄愁，都具有不同的醉人嬌態。

天儀大師只覺她叱喝之中，有一種使人無法抗拒的力量，不自禁地向後退去，但他究是有道高僧，定力甚強，退了兩步，忽然覺出不對，又趕忙上前兩步，說道：「老衲不願和女人動手，夫人不妨就貴谷所屬之中，選出一位高手，只要能勝得老衲手中禪杖，老衲立時讓開去路。」他微微一頓之後，又道：「或是由夫人下令所屬衝出谷去，兩者任憑夫人選擇。」

谷寒香怔了一怔！不知如何回答於他？

鍾一豪已抱拳說道：「夫人快請退回，屬下願與此人決一死戰。」

麥小明一揚手中寶劍道：「我生平最愛打架，還是讓我和這老和尚打吧！」一揚手中長劍，衝了上去。

忽聽一個低沉的聲音傳了過來，說道：「師弟讓開，不許再攔阻他們。」

天儀一聽之下，立時辨出是天禪大師的聲音，急忙倒退，揮手說道：「夫人請過，但這娃

兒傷了我們寺中弟子，卻得留下。」

谷寒香望了麥小明一眼，道：「我偏要帶他過去，你們傷了我的丈夫，就不算人命麼？」

天儀大師臉色一變，道：「夫人這等強詞奪理，就叫老衲爲難了。」

遙遙又傳來天禪大師一聲深長的嘆息，道：「放他們一起走吧！」

天儀大師不知胡柏齡捨命相救少林、武當兩派之事，也不知掌門師兄一直爲金剛指點傷胡柏齡一事，抱咎甚深，但少林門規素嚴，他雖和天禪大師師兄師弟相稱，但也不敢有違天禪令諭，心中雖是不願，卻不敢多言，默然退到一側。

武當門下弟子，眼見少林僧侶不肯攔阻敵人，立時布成一座五行劍陣，擋住了去路。

余亦樂抬頭打量了那五行劍陣一眼，低聲對鍾一豪道：「武當派和咱們『迷蹤谷』素有嫌怨，通過此關，只怕不易？」

鍾一豪道：「武當派的五行劍陣雖然馳名江湖，但兄弟倒不信真能把咱們去路攔住，可慮的是眼下盟主夫人已有些失常，先要想個法子使她安靜下來，咱們才能放心動手。」

余亦樂微微一怔！暗自忖道：「夫人美艷絕倫，只怕此人，已動了惜愛之心，盟主活在世上，也還罷了，如今不幸死去，要她這樣的絕世美人，來統領這一群凶野成性、無法無天的綠林人物，只怕不是容易之事，說不定美色賈禍，鬧成自相殘殺之局……」

鍾一豪看他甚久不發一言，趕忙接道：「兄弟之意，是勸夫人最好在後隊，只是她現在傷痛盟主慘死，神志有些不清，不聽咱們勸告。」

余亦樂道：「在下已聽出鍾兄言中之意……」

轉臉望去，只見谷寒香卓然玉立，美麗的粉頰上，泛現著一種奇異的神情，明亮的大眼睛中，閃動著忿怒和殺機，眉宇間卻又流露出重重的悲苦，由這複雜的神情中，顯示她內心正有無比的激動。

偏西的太陽光，由兩座山峰的空隙中照射過來，照在她美麗的臉上，那混雜著各種不同神情的臉上，艷如流照的晚霞，耀眼生花，不論多深的悲苦、憂傷和忿怒，都無法掩遮住她那動人美麗。

余亦樂第一次留心打量了這位盟主的夫人，卻瞧得呆了一呆，暗暗地讚道：「世界上當真有這樣艷麗的人麼？她眼下正有深沉的痛苦，如果她笑起來，那定然更好看了，無怪以鍾一豪那等倨傲的人，也會被她美色征服……」他忽覺自己也有些把持不定起來，趕忙長長地吸一口氣，別過頭去。目光觸處，只見武當派中門下弟子，一個個目光癡呆，靜站不動，敢情這些跳出三界外的三清弟子，亦爲谷寒香耀眼奪目的容色所吸引？

只見谷寒香抱著胡柏齡屍體大步向前走去，闖入了五行劍陣之中。她沒有呼喝要人閃開去路，只因那雙美麗的眼睛，望著那些道人，群道卻不自覺地向後退去，讓開了一條去路。

這時，只要有一個道人，突然帶劍刺去，不用憑藉五行劍陣奇奧的變化，立時可把谷寒香傷在劍下。

鍾一豪、余亦樂，都看得提心吊膽，但卻不敢出言勸阻，或隨相保護，因爲谷寒香已進入劍陣正中，任何迅快的身手，都無法及時阻攔那道人刺出的劍勢。

但見谷寒香蓮步姍姍，坦然而過，群道竟然紛紛後退，讓開了一條去路。

片刻之間，她已穿過劍陣，緩步向前走去，美麗的背影中流露出無限的淒涼，她走得異常緩慢，似是根本不知道，這片刻時光之中，已經歷生死大劫。

苗素蘭含滿著淚水的星目，一直盯在谷寒香的背影上，一瞬不瞬，直待谷寒香身子轉過了山角不見，才長長嘆一口氣，說道：「夫人變了。」

鍾一豪、余亦樂看她脫險而去，才放下心中一塊石頭，目光又轉投在武當派的五行劍陣之上，極仔細地察看那劍陣形勢。

萬映霞回過臉來，低聲問道：「蘭姊姊，夫人怎麼變啦？」

苗素蘭淒涼一笑，道：「她變得堅強了，唉！這次慘變，對她打擊太大啦！」

萬映霞道：「爲什麼那些道人不出手攔擋她呢？他們排成劍陣，不就是要阻攔我們的去路麼？」

苗素蘭低聲說道：「她長得太好看了，叫人不忍對她下手。」

萬映霞點點頭，默然不語。

只聽鍾一豪朗聲大笑，道：「余兄，武當派的五行劍陣，譽滿天下，和少林寺羅漢陣齊名武林，咱們兄弟先入陣試試，看看傳言是否真實？」

余亦樂還未及答話，麥小明已接口說道：「我也算一份好麼？」

他年紀雖然幼小，但武功劍術，卻極高強，鍾一豪曾和他動手相搏過幾招，知他劍招的詭異，不在自己刀法之下，當下說道：「好吧！算你一份。」

余亦樂爲人較爲持重，緩緩說道：「咱們三人硬闖武當劍陣，能否闖得過去，且不說它，

但總先對霍兄招呼一聲。」

鍾一豪回頭望去，只見霍元伽正低聲對「迷蹤谷」中群豪說話，只是聲音甚低，聽不出他說的什麼？搖頭答道：「此人心地陰沉，久已存心染指盟主之心，但他對盟主卻心存顧忌，目下盟主既死，兄弟已成他眼中之釘，和他商量，無疑與虎謀皮，單看他帶來助拳之人，盡都是江南綠林道中人物，用心就可知了，不用理他，咱們自己幹吧！」當先振袂而起，直向五行劍陣之中衝去。

麥小明笑道：「等我一下，咱們聯手闖陣，也好有個照應。」

余亦樂想阻攔已自不及，兩人已極快地衝入了劍陣中，不禁暗裡一嘆，回頭對苗素蘭、萬映霞道：「兩個姑娘在陣外等候吧？」

苗素蘭道：「賤妾雖然技不如人，但也可略助三位一臂之力，請……」

萬映霞道：「我也要去，我爹爹被武當派人逼死，此等大仇大恨，早已在我……」

余亦樂看兩人神色，已知無法勸阻，低聲接道：「好吧！不過兩位入陣之後，最好能和在下守在一起，也好有個救應。」

苗素蘭道：「我們唯命是從就是。」

萬映霞道：「孀孀神態失常，一人走去，實在難以叫人放心，咱們得快些追上去啦！」

余亦樂聽她一提，亦覺著此時嚴重，非同小可，右手一翻，拔出背上鐵板，左手取過脅間銅鑼，噹噹一敲，道：「兩位請隨在下身後進陣。」大步直向前面走去。

這時，鍾一豪、麥小明已聯袂衝入了陣中，這五行劍陣，早已馳名天下，江湖上黑、白兩

道，無人不知此陣乃武當派中合力拒敵的絕學，兩人入陣之後，鍾一豪右手橫刀，左手握拳，運集了全身功力戒備。

麥小明也一反平常輕佾頑皮的神態，凝注全神，長劍斜向上指，劍尖微微晃動，幻化點點青芒，但卻不肯出手。兩人奔入劍陣的速度，異常迅快，但入陣之後卻走得十分緩慢，一步一步地移動著身軀，四目亂轉，注視著那劍陣的變化。

因為兩人行動的緩慢，使五行劍陣也無法迅快地變化，但見五柄長劍，齊齊指著兩人，腳下的方位，也慢慢地開始移動。

突見正中一個道人長劍左右一擺，寒光閃動，分向兩人各刺一劍。

麥小明一劍「丹鳳撩雲」，迅快絕倫地向那道人劍上擊去，此人年紀雖小，但卻聰明過人，而且出身良師門下，雖未見識過武當派的「五行劍陣」，但卻常聽師父談此陣奧妙變化，只要能一舉制服住那帶動劍陣之人，此陣威力即難發揮，是以入陣之後，立時全神運劍，伺機出手。

他的打算雖是不錯，但那布陣道人，都是武當門下久練此陣的高手，劍勢一點即收，待麥小明揮劍擋出之時，他的劍勢，已轉向鍾一豪刺去。

麥小明一劍刺空，「五行劍陣」已經發動，但見寒光流動，一劍迎面刺來，麥小明一伏身，讓開迎面一劍，反手一招「劃分陰陽」，「噹」的一聲擋開了背後襲來的一劍。

攻向麥小明的兩個道人，身形一錯而過，雙劍左右並進，攻向鍾一豪。

鍾一豪大喝一聲，打出一股拳風，一擋迎面攻來的道人，緬鐵軟刀，一招「風起雲湧」掄

出一片刀影，封開了兩面急襲而來的劍勢，正待揮刀搶攻，背後又是一劍忽地刺到。

兩人原想入陣之後，以急速地快攻，制住對方劍陣變化，哪知一動上手，全不是那麼回事，只覺對方劍如輪轉，盡失先機。

鍾一豪一面揮刀接架那連環攻來的劍勢，一面留神察看劍勢來路，想從幾人銜接不絕的攻勢中，看出一點路數，再設法奪回主動，制敵機先。

但是滿天劍影分由四面八方湧了上來，別說瞧出對方變化了，單是招架已感到應付不易。

初時，鍾一豪、麥小明還能相互呼應，彼此相接，過了十幾個照面之後，「五行劍陣」威力逐漸發揮，兩人只覺被困在重重劍影之下，一個失神，即將被那四周湧上的劍勢所傷，別說彼此相互救援了，就是想互相看上一眼的機會，也是沒有。

這當兒，余亦樂和苗素蘭、萬映霞等，已到「五行劍陣」之外，但見劍氣漫天，光影如山，竟不知從何下手？並肩站在那劍影翻滾的劍陣之外。

霍元伽也帶著「迷蹤谷」中群豪趕到，各人手中都橫著兵刃，準備出手，但因那劍陣變化推動太快，陣外看去，只見一片白光，群豪都有著無從下手之感。

鍾一豪、麥小明又勉強支持了十七、八回合，已被那連環變化衝擊的劍勢，鬧得有些手忙腳亂，應接不暇。兩人的危急情勢，劍陣外的余亦樂和霍元伽，卻無法看到，是以，鍾一豪、麥小明已被逼得汗落如雨，險象環生，余亦樂、霍元伽兩人，仍在貫注全神，察看那劍陣的變化。

正當兩人情勢危殆，難再支撐下去的當兒，突聞一聲輕喝，白光忽斂，攻勢頓住。鍾一豪

拭拭臉上汗水，抬頭望去，只見五個中年道人，手中橫著長劍，各人站定一個方位讓開了一條去路說道：「諸位請過吧！」

這幾個道人經過了一陣激烈的相搏，仍然氣定神閒，面不改色。

鍾一豪對那道人放行之言，似是不敢深信，怔了一怔，道：「什麼？」

正東方位上一個道人，輕輕一揮手中長劍，道：「諸位請過！」

麥小明舉起左手，用衣袖擦拭一下頭上的汗水，微微一笑，道：「我們就快要敗啦，你們為什麼不動手了？十回合之內我們兩人不死也要重傷。」

那適才答話的道人，沉吟了一陣，道：「此乃家師之命，諸位快點請吧！」

當先把手中長劍一沉，向後退去，其餘四個道人，緊隨退下。

鍾一豪轉臉望去，只見紫陽道長在四個道人保護之下，倚在山壁之上，雙目微啓，神情萎靡，似是身受重傷一般。鍾一豪和「迷蹤谷」中群豪，都不知天禪大師和紫陽道長受傷之事，心中甚感奇怪，難道紫陽道長抱病而來不成？

麥小明忽然咯咯大笑道：「我師父那三絕毒針，乃調合數十種毒藥，淬鍊之物，不論內功何等精深的人，只要中上一支，必死無疑……」他這句話，都是武當門人個個欲知之情、欲聞之言，是以個個凝神靜聽。

哪知頑皮的麥小明說了一半，忽然住口不言，好整以暇地掏出一塊絹帕，擦過了頭上汗水，又擦拭傷口處的血跡，只急得群道個個心如火焚，卻又不好追問。

麥小明擦拭好傷口的血跡，順手把絹帕投擲地上，一揮手中寶劍說道：「你們這群牛鼻

子老道，如果想救紫陽道長，就都把手中兵刃丟在地上。」他自己身著道裝，罵別人牛鼻子老道，聽得萬映霞和「迷蹤谷」中群豪，一個個暗中偷笑。

群道臉色齊變，數十道忿怒的目光，一齊投注在麥小明的身上。

麥小明揚了揚手中寶劍，喝道：「怎麼？你們如果不服氣，咱們就一對一拚上一陣試試。」他已嘗試了「五行劍陣」的威勢，心知萬萬難敵，故意出言相激，要一對一地動手。

忽聽「噹」的一聲，不知何人，當先投去了手中寶劍。一人如斯，群起相應，但聞一陣叮叮噹噹之聲，武當門下的弟子們，都依言丟了手中兵刃。

麥小明微微一笑，搖動著手中長劍，回頭對余亦樂等說道：「諸位請啊！」

鍾一豪低聲對余亦樂道：「這娃兒膽氣過人，悍不畏死，而且人小鬼大，他必然已有了脫身之策，咱們就先走吧！」當先舉步向前走去。

余亦樂、苗素蘭、萬映霞、霍元伽等「迷蹤谷」中群豪，魚貫地由武當門下弟子之間，穿行而過。片刻工夫，走得一個不剩，只餘下了麥小明一人仍站在原地未動。

麥小明目注「迷蹤谷」中人轉過了山彎，探手從懷中摸出一粒丹丸道：「這粒丹丸，可療『三絕神針』劇毒。」

十幾隻手一齊伸了過來，要接麥小明手中的丹丸。

麥小明微微一笑，蹲下身子，把手中一粒丸藥，放在一塊山石上面，然後突然一提丹田真氣，振袂而起，凌空飛躍，從群道頭頂上，橫越而過。

武當派中弟子讓他躍空橫渡，並未追趕，卻齊齊把目光投注到山石上那粒丹藥之上。那是

一粒白色的丹丸，只不過有黃豆大小。

幾十幾道目光，雖然一起投注那粒丹丸之上，但卻無人伸手去取，因爲誰拏起這粒丹藥，誰就要負起把這粒丹丸送給紫陽道長服用下的責任，麥小明刁鑽古怪，武功陰辣，已在群道心目之中，留下了深刻的印象，誰也不敢確定他這粒丹藥，是解藥？還是毒藥？萬一此藥，不是解藥，誰送給紫陽道長服用，誰就要擔負起弒師的罪名，這罪名在武林之中，列爲首惡不赦，將永爲天下武林同道所鄙棄。

只聽一聲輕微的嘆息，正東方位上，急然伸出一雙手來，撿起了地上的丹丸。

他左手撿起藥丸的同時，右手同時抓起了丟在地上的一柄長劍，臉色莊嚴，眉宇間泛起一股堅毅的神色，大步直向紫陽道長走去。

群道紛紛地爲他讓開了路。那道人年約四旬上下，尺許的黑髯，長垂胸前，穿一件灰色的寬大道袍，右手提著實劍，左手平胸正放，掌心中托著那粒丹丸。

他舉步落足，似拖帶著千斤重物一般，顯示他心中沉重無比，一段數十步行程，他足足走了將近一盞熱茶的工夫。數十道驚懼和希望混合的目光，一起盯在他手中那粒白色的丸藥上面，每人的臉色，都是一片莊嚴，隨在他的身後，緩緩走近了紫陽道長。

夕陽從山峰的間隙中，透過一抹陽光，照在他的臉上，幾顆汗珠，由莊肅的臉上滾了下來。只見他張開嘴巴，長長呼一口氣，似是單用鼻子，已無法吐出胸中的憂悶之氣，舉起手中的丹丸道：「師父，請服下這粒解毒的丹丸。」

目下在場的人，誰也無法確定這粒丹丸是解藥？還是毒藥？但聽他叫出解毒丹之後，都覺

著心中一鬆，似是他那一句話，是可使毒藥也變解毒的藥物。

紫陽道長緩緩睜開眼，瞧了他一眼，很快重又閉上，微弱地說道：「他們都走了麼？」

那道人答道：「師父之命，弟子等怎敢不遵？放他們過去了。」

紫陽道長臉上毫無表情，似是根本沒有聽到他答的什麼。

群道同時覺到心頭一震，齊齊地叫了一聲：「師父。」這一聲師父叫得甚是低沉，但字字有如鐵絃彈出一般，聽來沉重無比。

紫陽道長微一啓動雙目，望了群道一眼，又緩緩閉上。

那手捧丹丸道長，臉色更見嚴肅，投了右手寶劍，抓住紫陽道長肩頭，低沉地說道：「弟子清一，撿得敵方留下的丹丸，此丸究是毒藥、解藥，弟子也無法認得清楚，但我師傷情沉重，弟子願以撿得丹丸，奉師服用，如若此藥並非解毒藥物，弟子願擔待弒師之罪。」

這番話說得莊嚴沉痛，只聽得群道一個個目蘊淚光。

清一道長目光環視四周，道：「諸位師兄、師弟，哪個反對師父服用此藥，快請說話。」

群道目光一齊投注在清一道長身上，但卻無一人接口說話。

清一道長輕輕嘆息一聲，道：「師父傷勢沉重，已難再拖延時間，諸位師兄師弟，既不反對，我就擅做主意了。」突然提高了聲音，連喊了兩聲師父。

紫陽道長對那大聲呼喝之言，恍如未聞，眼皮也未睜動一下。

清一道長微微一皺眉頭，右手向上一抬，抓住紫陽道長下顎，大指、食指同時加力，紫陽道長的牙關立時張了開來，清一道長左掌一舉，把手中的一粒丸藥，投入了紫陽道長的口中。

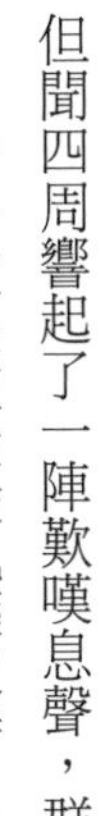

但聞四周響起了一陣歎嘆息聲，群道齊齊垂下了頭去。

清一道長在投送丸藥之時，雖然滿臉堅毅之色，但當紫陽道長吞下了那粒丹丸後，立時變得緊張萬分，圓睜著一雙圓目，望看紫陽道長的反應。

要知那弒師的罪名，太過重大，清一道長雖然是存了相救師父之心，但如這一粒丸藥無法挽回紫陽道長的性命，清一也無法逃得罪名。

這本來就是一場可怕的冒險，因爲紫陽道長的傷勢，已到奄奄一息之境，不服此藥，也難以支持多久了。

時間過去了一盞熱茶工夫，紫陽道長仍然是毫無反應，閉著雙目靠在山壁上。

這暫短的一刻時光，在清一道長來說，感覺到比他四十多年的生命還長，他頭上開始泛現出顆顆汗珠，泉水般滾了下來。

太陽沉下了西山，山隙間透過來的一抹陽光，也隨著向下沉落的陽光隱去；山風吹飄群道的衣袂，但他們的臉色、神情，卻是愈來愈見緊張，幾十道目光，閃動著期望的光輝，盯住在紫陽道長的臉上，只見他氣息愈來愈微弱，生命有如那漸暗的天色，已是將近黃昏時分。

清一道長的臉色，逐漸地變得鐵青，探臂撿起地上的長劍，沉痛地說道：「諸位師兄、師弟，別忘了替恩師復仇，他老人家傷在酆秋的『三絕神針』之下，送命在那小娃兒手中……」突然舉起手中寶劍，疾向頸上抹去。

人群中響起了兩聲大叱，兩隻疾如電奔的手臂伸了過來，一隻抓向清一握劍的手腕，一隻猛向那寶劍之上拂去。

清一似已存心必死，出手動作奇快，但見一閃，鮮血噴灑，待那疾來兩手，觸及清一道長的衣袖時，清一的人頭已被那急湧噴出的鮮血，沖起了三尺多高。

群道齊聲驚叫一聲，熱淚奪眶而出。就這紛亂當兒，紫陽道長突然睜開了雙目。

不知什麼人先看到紫陽道長清醒過來，低低的喚了一聲師父。

群道一齊把目光投注在紫陽道長的身上，驚嘆與呼喚師父的聲音，此起彼落。

時間只相差這樣暫短的一瞬，但卻生死殊途，人鬼相隔。

紫陽道長目光一掠清一道人，神態十分奇異，對他的死，似是若有所知？又似茫然不解？凝目相望，沉吟不語。初由暈迷中醒了過來，神智似是尚未全復，沒有人願意把這沉痛的消息告訴他，一個個默然不語。遙遙的傳出來一聲佛號，天儀大師帶著少林群僧，魚貫而來。

天禪大師已可自己行動，在四個少林弟子環護之下，走在最後。

范玉崑倒提著長劍，滿臉沉痛地走在天禪大師身後，他不時用衣袖拂拭著滾下來的淚水，兩個勁裝大漢，抬著范銅山的屍體，隨後而行。

紫陽道長忽然舉步而行，低聲說道：「收了他們的屍體，走吧！」

暮色蒼茫，山風呼嘯，一道長長的行列，穿行在山谷中，聽不到一人說話，聽不到一點哭聲，莊嚴的氣氛中蘊藏了無比的沉痛。

在這山谷的數里之外，也有一道長長的行列，當先一人，懷抱著一具屍體，淚水像不停的雨滴，由玉頰邊滾落向她懷中的屍體，是誰造成了這樣黯然傷神的局面？

她身後緊隨著白衣、白裙的苗素蘭，和頭梳雙辮，鬢插素花的萬映霞，余亦樂、鍾一豪、霍元伽，和「迷蹤谷」中群豪，沙沙的步履聲，劃破了崎嶇山道的幽寂。

這一行人中，雖然個個步履沉重，但心中所想之事，卻是大不相同；霍元伽在想著胡柏齡這一死，遺下天下綠林盟主之位，如何才能順利取得？目下濟濟群豪之中，只有鍾一豪一人和自己實力在伯仲之間，只要設法把他除去，或是設法安撫下來，便極易取得綠林盟主之位，如若鍾一豪要從中作梗、阻撓，勢必還得一場慘烈絕倫的拚搏。

「迷蹤谷」中群豪，雖然有很多人武功和兩人相差有限，但多是各自為政，屬下眾多，實力均衡的只有一個鍾一豪……他反反覆覆思索此事，難以決定一個妥善之策。

抬頭望去，只見鍾一豪低頭而行，似也有著極重心事，不覺暗暗警惕道：「我這裡挖空心思籌思對付他的手段，只怕他也在想著對付我的方法，看來這盟主之爭還得有一場火拚。」

其實鍾一豪心念千迴，想的卻是另一件事情。

天色逐漸地暗了下來，群豪也到了「迷蹤谷」外，谷寒香突然停下身子，回頭望了隨在她身後的群豪一眼，說道：「你們回去吧！」

轉身向另一條道上走去。

苗素蘭低聲說道：「夫人，我跟你一起走吧！」

谷寒香回頭望了苗素蘭一眼，微一點頭，又轉身向前走去。

萬映霞道：「嬸嬸，我也跟著你去。」

谷寒香回過頭來，幽幽地說道：「我要去葬你叔叔，你們幹什麼？」

萬映霞道：「我要去叔叔墳前祭拜一番。」

谷寒香無可奈何地說道：「好吧！」

鍾一豪大步走了上來，接道：「夫人，埋葬盟主的棺木尚未準備，不如先回『迷蹤谷』去，準備好棺木之後……」

谷寒香搖搖頭道：「如若裝入棺木之中，我以後如何還能見他？用不著了！」轉身而去。

鍾一豪怔了一怔！低聲對余亦樂道：「夫人神志未復，讓她一人行去，萬一遇上什麼凶險，如何是好？咱們暗中隨去保護她吧。」

余亦樂道：「好吧。」當下遠遠隨在她身後走去。

霍元伽目睹鍾一豪、余亦樂暗中相隨谷寒香而去，心中忽然一動，暗道：「盟主既死，我何不先回『迷蹤谷』去，先行布置一番。」

帶領群豪，直向「迷蹤谷」去。

且說谷寒香抱著胡柏齡的遺體，沿著一條小徑，直向一座高聳的山峰之上走去。

萬映霞看山道愈來愈是崎嶇，谷寒香懷中抱著屍體，向上攀登，行動之間，艱險百出，萬映霞幾次要趕上前去相助，均被苗素蘭出手阻止。

天色已完全黑了下來，山風卻愈吹愈是強勁，盈耳松濤，如一曲悲壯樂章，使這夜暗的荒山中，更顯得悲滄淒涼。

山道愈來愈崎嶇，山勢也愈來愈險惡，加上夜暗如漆，難辨路徑，更令人有一種舉步維艱

之感。

苗素蘭和谷寒香相處時日雖是不長，但她爲人精明，洞察細微，對谷寒香的武功，知道的卻甚清楚，在這等夜暗之中，險惡的山勢之下，要她抱著一具高大的屍體攀登險途，簡直是一件不可思議的事，但卻不知她從哪裡來的力量，竟然能一口氣不停地攀登百丈多高，而且看樣子仍然無休息之意。

萬映霞一直瞪著一對圓圓的大眼睛，一瞬不瞬地瞧著谷寒香的背影，準備她萬一失足跌下時，好出手搶救。

在兩人身後的鍾一豪和余亦樂，更是早已有了搶救的準備，兩人瞄著谷寒香的身影，分在兩側緊隨而上。

在鍾一豪和余亦樂兩人身後二丈左右之處，悄無聲息地跟隨著一條人影。

這人，正是武功詭異絕倫的麥小明。

正行走間，忽見谷寒香的身子向下一滑。

苗素蘭吃了一驚！縱身一躍，就懸崖絕壁之上，冒險飛了過去。

哪知谷寒香的身子，滑落了兩、三尺後，突然停了下來，似是抓住了一條山藤，身子盪了兩盪，重又向上爬去。

待苗素蘭落她身側之時，她已經脫了險境。

凝目望去，只見谷寒香面色鎮靜，毫無恐懼之情，似是對剛才那幕驚險之事，根本不是她遇上的一般。

苗素蘭暗自鬆了口氣，問道：「夫人，傷著沒有？」

谷寒香搖搖頭，道：「沒有。」

苗素蘭暗暗忖道：「她似已不把生死之事放在心上了，雖是遇上了粉身碎骨的驚險，也全然不動聲色。」

只見谷寒香把懷中屍體翻了兩次，說道：「還好，沒有碰著大哥！」

這兩句說得自自然然，好像她懷中之人，仍然活著一般。

苗素蘭低聲說道：「夫人跑了這許多路程，只怕早已累了，讓賤妾代夫人抱他一程如何？」

谷寒香搖搖頭道：「以後再沒有機會抱他了，今晚上我要抱他一夜不放。」

苗素蘭知她口中之言也就是心中所想之事，勸也沒用，她生性和藹溫柔，不善心機，但此刻卻似陡然換了一個人般，每言每字之間都流現出無比的堅毅，斬釘截鐵，毫無商量的餘地。

抬頭望去，距峰頂已不過二十餘丈，谷寒香餘勇大振，行速突然加快，不過片刻之間，已經奔上峰頂。

苗素蘭暗暗嘆息一聲，忖道：「這等峭立的山壁，縱然是我，抱一具屍體，也難以攀登得這樣迅快，難為她哪裡來的氣力？」一提真氣，疾奔而上。

這是一座突出群山的高峰，峰頂之上，不過三、四丈方圓，而且突岩嵯峨，無三尺平坦之地，不知谷寒香，為什麼要爬到這座山峰之上？

谷寒香爬到峰頂，人已似累得難再支持，抱著胡柏齡的屍體，倚在一塊突岩之上睡去。

強勁的山風，吹得人站不穩腳，苗素蘭左顧右盼，找不出一點引人注意之處，只覺這山頂之上，一無可取，實無法找出谷寒香攀登此峰的原因何在？

輕輕嘆息一聲，忖道：「這麼看將起來，她當真是有些神智迷亂了。」

忽聽身後響起了一陣步履之聲，萬映霞、鍾一豪、余亦樂、麥小明等，魚貫登上了峰頂。

萬映霞目光一掃，不見了谷寒香，不禁心頭大慌，急急問道：「我嬸嬸哪裡去了？」

苗素蘭道：「她累了，在那邊一塊突岩下面休息。」

萬映霞急急奔了過去，只見谷寒香抱著胡柏齡的屍體斜靠在山石上，鼻息微聞似已睡熟。山風吹得她衣袂飄飄，萬映霞一皺眉頭，暗暗忖道：「此地山風如此強勁，她熟睡在這裡，豈不要被風吹病？」伸手向谷寒香左臂之上抓住，想把她叫醒。

忽聽身後響起了一個低沉聲音，道：「不要動她。」

萬映霞縮回手來，轉臉望去，只見鍾一豪蒙面黑紗拂動，站在她身後尺許之處，心中甚感不服地說道：「此地山風強勁，讓她熟睡過去，如何可以？」

鍾一豪一向冷傲，但此刻卻忽然變得十分溫和，輕輕嘆息一聲，道：「她如不睏倦至極，如何能在這等山風勁吹的峰上睡著？」

當時脫下身上長衫，蓋在谷寒香身上。

苗素蘭、萬映霞都看得呆了一呆！萬映霞看不過眼，待要開口說話，卻被苗素蘭輕輕一扯衣角，忍了下去。

要知那時代，男女之間的防界，十分森嚴，所謂授受不親，鍾一豪這等舉動，自是太過膽大，余亦樂似是也覺著此舉大不應該，但又不好出言責問，趕忙別過頭去，裝作沒有看到。

鍾一豪卻若無其事一般，說道：「她在極度的睏倦之下，這一睡，只怕不是片刻間能夠醒來，咱們不妨趁機在這山頂上休息一下，養養精神，一面也好等候於她。」

余亦樂道：「這座山峰之上，除了一片嶙峋山石之外，連一株野草也未生長，夫人如非神智迷亂，兄弟實在想不出她跑到這山峰上的原因何在？」

鍾一豪接道：「如以余兄之見呢？」

余亦樂道：「在夫人神智迷亂之中，咱們絕不能依她之意，兄弟之見，不妨先點了她的穴道，把她送回『迷蹤谷』去，先讓她養息幾天再說。」

鍾一豪還未來得及接口，苗素蘭已搶先道：「余先生雖有見地，但賤妾卻不敢苟同。」

余亦樂微微一笑道：「承蒙謬獎高論，但卻又不敢苟同，這話怎麼說？」

苗素蘭道：「余先生之見，適於常情，適於常理，自是當得高論。」

余亦樂搖搖頭道：「苗姑娘最好打開天窗說亮話，這樣繞彎兜圈，在下愈聽愈糊塗了？」

苗素蘭道：「夫人天姿國色，世所罕見，天性善良，待人和藹可親……」

鍾一豪道：「這個我們早就知道了，用不到苗姑娘再多褒揚。」

苗素蘭淡淡一笑，接道：「賤妾得蒙胡盟主相救，追隨夫人左右，據我短短一段時日中觀察所得，胡盟主能以立志向善，大勇不屈，全是受夫人感化，她的善良性格，使盟主自愧形穢，一念悔悟，昔日的血腥往事，養成了心頭的懺悔，自盟主和夫人結識之後，盟主從未再做

過一件傷天害理的事，妄殺過一個好人，是以盟主在夫人心目之中，是一個十全十美的好人，胡盟主立念贖罪，想仗憑一身所學造福蒼生，兼善天下，如說他立念博大，還不如說他受夫人善良的感召，要以數十年有爲之身，移轉綠林中殺劫之風，以酬紅顏知己。可憐天忌英才，竟使他壯念未酬，這打擊對善良無邪的夫人太大了……」她滔滔不絕的一席話，說得鍾一豪、余亦樂，不住暗暗點頭，萬映霞更是雙目圓睜，凝神靜聽。

她長長地吁一口氣，嘆道：「她溫柔、美麗，胸無城府，看去略帶幾分嬌弱，但事實上卻是位聰明絕倫的人，只是她一切盡都依附在盟主身上，無法發揮她的天賦才華，如若她一旦傷心忿世，性情大變，勢必要把江湖鬧一個天翻地覆……」

余亦樂一皺眉頭道：「她那等善良嬌怯之人，對一蟲、一蟻都甚憐惜，豈會……」

苗素蘭道：「正因平常太過善良，如若一旦性情大變，天下都將成爲她洩忿對象……」

余亦樂道：「苗姑娘論事之見，未免太過武斷，在下之見，她不過一時激忿而已，養息上十日半月，即可復元，問題是對她未來的去處、歸宿，甚難想出善策，胡盟主豪氣干雲，膽識過人，就咱們『迷蹤谷』人才而論，能繼盟主大任之人，實難找得出來……」

鍾一豪突然接口說道：「不知霍元伽能否身擔大任？」

余亦樂道：「霍元伽和鍾兄，都屬霸才，但卻缺少胡盟主那等做人氣度，膽識豪風，恕兄弟放肆直言，兩位之才，雄居一方則可，欲想統率天下綠林，只怕還有不足之處。」

鍾一豪縱聲大笑道：「兄弟自知武功、智計、氣度、膽識，均和胡盟主相差甚遠，但如和霍元伽比較起來，兄弟自覺毫不遜色，這盟主之位，如若讓他，兄弟實難甘心。」

余亦樂道：「就目下大局而論，鍾兄和霍元伽的實力分庭抗禮，新繼盟主自非兩位莫屬，但如兩位爭執不下，鬧成了火拚之局，勢非玉石俱焚不可；鍾兄不提，兄弟也要和鍾兄推心置腹，論決大局，眼下兩全之策，只有暫時由夫人出面，暫代盟主之位，或可免除一場風波。」

鍾一豪笑道：「不必加上『暫代』二字，就由夫人出任大局就是了。」

余亦樂道：「鍾兄雖然慨允擁護夫人，但霍元伽是否肯苟同兄弟之見，還難預料？」

站在旁側一直聽的麥小明，此刻卻突然插嘴道：「霍元伽如要搗蛋，就把他殺了算啦！」

余亦樂已見過他的武功，心知此人看去雖然猶是孩童，但武功極高，人小鬼大，而且悍不畏死，倒是開罪不得，微微一笑，道：「江南、嶺南綠林人物，大都聽命於霍元伽，殺一個霍元伽雖然不難，難在如何消滅他屬下黨羽？」

麥小明忽然眨眨大眼睛，問道：「不錯，那霍元伽屬下一共有多少人？」

余亦樂道：「大約總要佔去咱們『迷蹤谷』中一半人數。」

麥小明道：「那還不簡單？殺一半還餘下一半咱們自己人，那何不把霍元伽和他的黨羽，一齊誅絕，免得留作後患了。」

此人年紀雖是幼小，但說起話來，卻是大有無毒不丈夫的氣概。

余亦樂一皺眉頭道：「小兄弟認爲那霍元伽是位很好對付的人麼？」

麥小明微微一笑道：「好吧！等我嫂嫂醒來時，問她要不要殺？如她叫殺，我就殺給你們瞧瞧。」

余亦樂心中對他這等狂妄之態，雖是不滿，但知他性情暴躁，三言兩句的爭論，就可能拔

刀相向，鬧個以命相拚，當下不再理他，轉過臉去，低聲對鍾一豪道：「霍元伽雖是狂傲，但他對盟主，已然生出敬服之心，咱們如能曉以大義，他或能擁護夫人，也未可知？」

鍾一豪縱聲一笑，道：「霍元伽心中顧忌和他爭權之人，第一就是我，如若我甘拜下風，他至低限度可消去胸中一口忿怒之氣，他如肯答應，那就罷了；如若不肯答應，真的動手相搏，咱們實力也不弱於他們，但也強不過別人，這是一場勢均力敵的拚搏，不論勝敗如何，雙方面都將有極慘重的傷亡。」

余亦樂嘆道：「眼下『迷蹤谷』這點基業，不過是剛剛建立起來，盟主這一死，基礎更是微弱，如果再不能同心協力，那就不如早些散去的好……」

鍾一豪道：「你認爲這局面還能維持下去麼？哈哈，縱然霍元伽同意了由夫人出掌盟主之位，也不過是個一月、半月的暫時平靜局面，老實說，除了胡盟主那等大膽大識、大魄力外，沒有人能夠撐得住這個局面……」

麥小明又接口說道：「『迷蹤谷』這點基業，既無法抵擋少林、武當兩派侵襲，又非世外仙境，有什麼好爭執的？以我看不要算了。」

鍾一豪道：「此事咱們無法決定，等夫人醒來之後再說吧！」

轉臉望去，只見谷寒香滿腮淚水，自言自語地說：「大哥，你等著我吧！等我替你報了仇，就去找你。」

她心有所思，發起夢囈來，也不忘替胡柏齡報仇之事。

苗素蘭、萬映霞分在她身邊坐了下來，兩人經過一陣爬山奔行，都有了倦意，不知不覺間

也睡熟了過去。

不知過去多少時間，鍾一豪運息完畢醒來，睡眼看去，忽然發覺不見了谷寒香，不禁心頭爲之一驚，站起身來，四下張望。

這座山頂，不過數丈方圓大小，鍾一豪目力過人，雖在夜暗之中，仍可辨識景物，他看遍了全峰頂每一處突岩，仍然不見谷寒香芳蹤何處？心中大感焦急，暗暗忖道：「山勢險惡，她一個人抱著一具屍體，不知哪裡去了？」他心中雖是焦急異常，但卻仍然不願叫醒其他的人。

夜風拂面，斗轉星移，天色已經快到三更時分。

這是個無月之夜，只有幾顆明亮的星星，發射出微弱的光輝。

鍾一豪站在絕峰頂端，四下張望了一陣，但見空山寂寂，哪裡能見到谷寒香的芳蹤？不覺心頭大急，暗道：「這等深山大澤之中，四面都有可通之路，不知她行蹤何處？如何能夠找得著她？」

他輕輕嘆息一聲，道：「我非得叫醒他們不可了，我們每人找一個方向，事先約定聯絡的信號，找到夫人之後，再用信號聯絡……」

正待喚醒余亦樂，忽聽一陣山石相擊之聲，遙遙傳了過來。

這聲音綿延不絕，鍾一豪傾聽一陣，立時辨出是一塊山石，由峰上滾落下去，撞擊在峰腰的突岩上，發出的聲音。聽那山石相擊的聲音巨大，那滾落的山石，似是不小，靜夜中這聲音聽來特別的清晰、悠長。

鍾一豪暗暗忖道：「這山石定然是谷寒香無意中碰落了。」

當下縱身一躍，直向那傳來響聲處疾奔過去。

他身法迅快，心中又惦記著谷寒香的安危，奔行之勢，迅快無比，片刻之間，已登上了前面一座高峰。

這時，那滾落的山石，似已到了崖底，夜又恢復了靜寂。

鍾一豪雖然身負上乘輕功，但這一陣拚命急奔，也不禁有些微微喘息，停在峰腰運氣調息，一面抬頭向上看去。

只見峰頂之處，一條人影在蠕蠕而動，心頭突感一陣跳動，暗道：「那不是谷寒香麼？深更半夜，這等深山之中，哪來的爬山之人？不是她又是誰呢？」

心中忖思之間，人已疾如離絃流矢般，向上爬去。

他似是怕驚動了谷寒香，將要追上那條人影時，突然放緩了腳步。

暗淡的星光下，仍然看出那爬行之人，正是自己要找的谷寒香。

未見谷寒香時，他心急如焚，恨不得立刻找到她，待見到了谷寒香，心中又忽然害怕自己這等鬼鬼祟祟的舉動，不知她是否會瞧得起？心中患得患失，竟是不敢現身相見。

谷寒香爬登上峰頂之後，用衣袖拂拭一下頭上的汗水，低下頭望著懷抱中的屍體說道：「大哥，就要到了。」伏下身去，在那屍體上親了兩下，又繼續向前走去。

鍾一豪暗暗奇道：「她這般的翻過一山又一山的，不知要到哪裡去？」

抬頭望去，只見一座高聳的絕峰矗立在此山之後，山上積雪皚皚，一片銀白，不禁吃了一

驚！暗暗忖道：「那座高峰不但高聳入雲，而且積雪甚多，就以我這身輕功來說，也得手足並用，艱難萬分，何況她武功較我甚低，懷中又抱著胡盟主屍體，爬上那座絕峰作甚？」

心中雖感奇怪，但竟是鼓不起相喚谷寒香的勇氣，只好暗暗隨在她身後而行，暗中運氣準備，谷寒香如一旦失足，立時出手相救。

果不出他所料，谷寒香越過山峰之後，直向那座積雪的絕峰上面爬去。

這座高峰，高出群峰甚多，方圓三十里內，一峰獨秀，再無高過它的山峰。

不知谷寒香哪裡來的氣力，竟然抱著胡柏齡的屍體，攀登而上。

接近峰頂，行動更覺艱難，岩上積雪，岩下堅冰，滑溜難著手足，谷寒香扯破自己衣服，把胡柏齡的屍體縛在背上，手足並用地向上爬去。

鍾一豪怕她失足跌下，在這等險惡的山形之下，只怕不易接救，立時一提真氣，追到谷寒香身後三、四尺處，隨行而進。

只見谷寒香一雙白玉般的手掌，重重地擊在突岩之上，震飛積雪，抓緊岩石，然後再移動腳步，向上爬去。

鍾一豪看得心頭暗生憐惜，忖道：「原來她是這樣爬上來的？也虧她想得出這個辦法。」

忽然聽得一聲低嬌的「哎喲」之聲，但一聲響過，立時重又寂然。

鍾一豪凝神望去，突然看到那皚白山岩的積雪上，染上了紅色的血跡，鮮血印成了一個婉然的掌痕。

這顯然是谷寒香手掌被堅硬山岩震破，或是爲尖稜的山石劃破流出的鮮血，每一個她手掌

觸過的山岩上，都有一塊清晰的紅色掌痕。

這是多難忍受的痛苦啊！破了的手掌，還要用力地擊在冰冷的山石上，但她竟然能咬牙苦忍，不出一點呻吟之聲。

他爲之黯然一嘆，一個看去十分嬌弱的女孩子，竟然能有著這樣堅毅不拔的精神！

忖思之間，谷寒香已登上了峰頂，停下身來，回頭探看，鍾一豪迅快地隱起身子，躲在一塊突出的山岩後面。

只聽山峰上傳下來谷寒香脆如銀鈴的聲音，道：「這座峰當真是高……」

說完一句話後，再不聞一點聲息，似是又離此而去。

鍾一豪探出頭來，向峰上望去，果然已不見谷寒香的影兒，心中大急，提聚真氣，一口氣爬上峰頂。

一陣寒風，拂面吹來，鍾一豪不自覺地打了一個冷戰，這山峰之上寒冷無比，和山下溫和的氣候相較，真是兩個季節，寒冷令人頭腦清醒，分外精神百倍。

放眼望去，四面一片冰雪，仍是不見谷寒香的行蹤，他又不敢大聲呼叫，空自心頭焦急。

忽然間，一陣輕微冰雪相擊之聲，傳了過來，這聲音低微異常，如非鍾一豪這等身負上乘武功，耳目靈敏過人的人，實難聽到。

他循聲找了過去，轉過一個突岩，果見谷寒香跪在雪地上，不停用手扒著冰雪。

她身上既沒有佩帶兵刃，雙手亦被山岩震破，此刻用手扒著冰雪，痛苦可知，何況這山峰

上寒風刺骨，她手指早已凍僵，扒集的冰雪，愈來愈少。

鍾一豪看那一雙纖細動人的玉掌，早已血肉模糊，再也無法克制下心中激動之情，大步而出，走到谷寒香身側，問道：「夫人，你扒集冰雪做甚？」

谷寒香先是一怔！繼而微微一笑，道：「我在這兒建築一座房子。」

鍾一豪心中暗暗忖道：「原來她對我突然出現之事，並無責備之意，早知如此，我該早些現身了。」口中卻說道：「夫人可是要用這冰雪造成一座房子麼？」

谷寒香道：「嗯！我要把大哥放在那冰雪造成的房子中，想念他時，就可以來看他。」

鍾一豪心中雖覺好笑，但卻不敢形諸神色，正容說道：「夫人雙手傷破甚重，也該休息一下，這扒冰雪之事，由屬下代夫人做吧！」

谷寒香道：「好吧，我也實在累了。」

鍾一豪解開懷中緬鐵軟刀，開始扒集冰雪，他功力深厚，又有利器相助，片刻之間，已扒集了一大堆冰雪。

回頭望去，只見谷寒香斜倚在一座大岩石上，雙目微閉，狀似熟睡一般。

鍾一豪連喚了兩聲夫人，均不聞谷寒香相應之言，不禁動了懷疑之心，大步走到谷寒香的身側，鼓足勇氣，伸手在她頂門之上一摸。

只覺如觸冰鐵之上一般，心頭大吃一駭！原來她精神一懈，寒風勁吹之下，人被凍得僵了過去。

鍾一豪仰臉吸一口氣，鎮靜一下心神，伸手一按她前胸，餘溫卻猶存，心臟尚在跳動。

他低頭望望那日夜縈繞在他心頭的美麗臉兒，只覺一股激動之情，難以抑制，不自主地低下頭丟，輕輕在那冰冷的粉臉上親了一下。

他心內雖然知道谷寒香已凍得失去了知覺，縱然親上她一千次、一萬次，她也懵無所覺，但他平時對她的崇仰之心過深，一親之下，登覺犯了大罪，自愧形穢，舉起手，乒乒乓乓，打了兩個耳光。

他雖是自相責打，但出手卻是很重，兩記耳光打過，臉上甚覺疼痛，但迷亂的神智，卻被這兩記耳光打得清醒過來，暗暗忖道：「她此刻已是奄奄一息，還不快想法子救她？」

這念頭在腦際轉了一轉，登時把其他之念完全排除，探手抱起谷寒香，急急縱躍而下。

他武功高強，又在急慮之間，奔行十分快速，片刻之間，已到峰下，找一處避風的山谷，放下谷寒香的身子，提集真氣，在她身上推拏。

那高峰上酷寒無比，冷風砭骨，但這山谷之中卻是十分溫暖，谷寒香凍僵的時間不長，又稍具武功基礎，經他一陣推拏，立時清醒過來。

只聽她長長吁一口氣，緩緩地睜開了眼睛。

鍾一豪一和那美麗的目光相觸，立時凜然而退，急急說道：「夫人請恕屬下放肆……」

哪知谷寒香微微一笑，毫無怒意地接道：「你心裡害怕麼？」

鍾一豪怔了一怔，道：「夫人凍……」

谷寒香道：「不用說啦，你抱著是爲了救我，我是不會怪你的，你心裡怕什麼呢？」

鍾一豪道：「夫人量大如海，屬下感激不盡。」

谷寒香嗤的一笑，道：「你救了我的性命，我應該感激你才對，你爲什麼要感激我呢？」

鍾一豪道：「這個，這個……」

谷寒香挺身坐了起來，指指身旁一塊山石，說道：「過來，坐這裡，我有話要對你說。」

鍾一豪恭恭敬敬走了過來，依言在山石上面坐下，說道：「夫人有什麼教示？」

谷寒香忽然流下淚來，幽幽嘆息一聲，問道：「我大哥是好人？還是壞人？」

鍾一豪道：「胡盟主氣度、膽識，無人能及，心懷救人救世的宏願，不計本身毀譽，冒險犯難，捨身爲人，用心之善，天下無人能比。」

谷寒香突然放聲大哭起來，一面哭，一面說道：「可是他卻死了，我沒有見到他殺一個人，做一件壞事，可是上天爲什麼不容他活在世上呢？」

她說哭就哭，而且哭起來淒涼無比，鍾一豪登時被她的哭聲困擾，而不知如何處理？呆呆站了一陣，才勸道：「盟主已經死去，夫人哭也無補於事，咱們要設法替他報仇才對。」

谷寒香突然停起哭聲，慢慢地抬起頭來，望著天空閃爍的星辰，默然不語。

鍾一豪凝神望去，只見她臉上神情變化不定，忽而雙眉緊鎖，忽而茫然無措，似是她心中正在爲一件極大的問題，而感到煩惱。

足足有一頓飯工夫之久，忽聽她用力地說道：「你說得不錯，我要設法替大哥報仇，我要殺盡傷害大哥的人，我親眼看到他死在什麼人的手中。」

這幾句話，字字句句都似從她口中迸射出來，用盡了她所有氣力，入耳驚心，震人心紘。

鍾一豪只覺心頭微微一震，道：「替盟主報仇之事，非一年半載之功，夫人要好好保重身體，從長計議。」

谷寒香突然回過臉來，目光凝注鍾一豪垂面黑紗之上，問道：「咱們『迷蹤谷』中，有誰能替盟主報此大仇？」

此言問得太是突然，鍾一豪沉吟了良久，道：「這個很難說了……」

谷寒香輕輕嘆息一聲，道：「你能麼？」

鍾一豪道：「如若單憑武功，屬下自知無能報得盟主的大仇！」

谷寒香忽然若有所悟的「啊」了一聲，道：「是啊！我大哥武功那等高強，都無法勝得那些和尙、道士，你武功不如我大哥甚多，自是難以勝他們了。」

鍾一豪微微一嘆道：「屬下雖然無能勝得少林、武當兩派中人，但能夠勝兩派的天下綠林人物，只怕難得找出幾個。」

谷寒香道：「霍元伽能麼？」

鍾一豪生性冷傲，連番被谷寒香言語所激，不覺激起了豪壯之氣，冷笑一聲，道：「霍元伽武功未必強過屬下，夫人如若不信，屬下願和他當著『迷蹤谷』中群豪，決一死戰。」

谷寒香道：「唉！這麼說將起來，咱們『迷蹤谷』中之人，算你的本領最大了。」

鍾一豪道：「屬下雖無能勝得少林、武當派中的高手，但在咱們『迷蹤谷』中，自信除了胡故盟主之外，無人能使屬下心服。」

谷寒香突然站起身來，柔聲說道：「你可肯幫我爲大哥報仇麼？」

天香飆

骨，也心甘情願……」

鍾一豪道：「夫人之命，萬死不辭。」

谷寒香長長吁一口氣，笑道：「只要你是真心幫我替大哥復仇，我絕不會虧待於你……」

鍾一豪也不知是喜是樂，呆了半晌，才接口說道：「屬下但得能追隨夫人左右，粉身碎骨，也心甘情願……」

谷寒香笑接道：「不要說啦，我知道你心中一直對我甚好，是麼？」

鍾一豪道：「夫人艷絕塵寰，世無其匹，在下如非被夫人艷光吸引，絕不甘屈居人下。」

谷寒香星目轉動，嬌媚橫生，這一剎之間，她有似端莊美麗的天使，變做了人間尤物，嫣然一笑，說道：「我生的當真如你說的那般美麗麼？」

鍾一豪道：「有過之而無不及，屬下口齒拙笨，詞難達意，千萬句頌讚之詞，也難描繪出夫人之美麗了。」

谷寒香舉起傷痕纍纍，血跡斑斑的右手，理一理鬢邊散髮，說道：「我從未注意自己的美麗，難道美麗的容色，也能夠這樣的使人傾心麼？」她這話，似是自言自語，又似是自相質問，目光中充滿著一種惘然的迷惑，似是她突然間知道了自己的美麗，竟能使男人這般傾心。

鍾一豪輕輕地嘆息一聲，問道：「夫人在想什麼？」

谷寒香道：「我在想一個人的美麗，除了供人欣賞外，不知還有沒有別的用處？」

鍾一豪默默不語，緩緩退出兩步，說道：「夫人手傷甚重，也該療治一下，免得傷勢轉變惡化！」

谷寒香似是突然之間，想起了一件重大之事，轉過臉來，望著鍾一豪道：「你為什麼臉上

常常垂著黑紗，可是面孔生得太難看麼？」

鍾一豪身子微微一頓，道：「夫人可是想一睹屬下的真面目麼？」

谷寒香道：「如果你臉上有什麼缺憾，那就不用瞧了，我瞧了，你心中定然十分難過。」

鍾一豪縱聲大笑道：「天下無我瞧得上眼的人，因而屬下也不願以真面目示天下人……」

突然舉起手來，揭了臉上覆垂的黑紗。

谷寒香在他舉手揭去臉上黑紗的剎那間，突然別過頭去，說道：「不要取下你臉上覆紗，我不要看了。」

鍾一豪奇道：「爲什麼？」

谷寒香道：「這世上，除了我死去的大哥之外，你是第一個和我說話最多的男人了，我不想看到你臉上的缺憾，看到了，也許我心中會不好過。」

鍾一豪低沉的笑道：「夫人請轉過臉來瞧瞧吧！除了我父母、恩師之外，你也是見我真面目的第一個人了。」

谷寒香緩緩地轉過臉來，慢慢地把目光投注到鍾一豪的臉上。

當她緩慢轉動目光時，心中也開始劇烈地跳動，被風吹拂她長長的秀髮，一陣陣急快嬌喘，顯示她心中正有著無比的緊張。

在她想像之中，鍾一豪一定有著大缺憾，才經常在臉上垂著一層黑紗，不是瞎一隻眼，定然是少了一隻耳朵，再不然臉上有著一塊一塊的疤痕。

哪知事情完全出乎她意料之外，鍾一豪竟是一個五官端正，面目娟秀的人，這全出她意外

的發現，反而使她失聲大叫，呆了一呆，忽然放聲嬌笑，道：「你原來長得很好看啊！那你爲什麼要每天在臉上覆垂著一層黑紗？」

鍾一豪笑道：「我面覆黑紗原意，只爲了不願以真正的面目示人，但現在卻有了極大的用處了。」

谷寒香奇道：「有什麼用處？」

鍾一豪沉吟了半晌，道：「天下武林道上，見過我真正面目之人少之又少，我如一旦拋棄覆面黑紗，就沒有再認識我的人了……」

谷寒香笑道：「我明白啦，日後咱們走在一起，別人就不認得你是誰了！」

鍾一豪全身一顫，道：「夫人……」下面之言有如梗在喉頭，急得面紅耳赤地講不出來。

谷寒香微微一笑，道：「你怎麼啦？爲什麼不說下去呢？」

鍾一豪道：「屬下不敢接說下去。」

谷寒香道：「爲什麼？」

鍾一豪道：「冒犯了夫人，如何是好？」

谷寒香道：「不要緊，你說吧！就是罵了我，我也不生氣。」

鍾一豪道：「夫人如肯答應在下永相追隨，在下就拋去這覆面黑紗，永不再戴。」

谷寒香呆了一呆，道：「你常常追隨著我……」忽覺著下面之言，難再出口，一笑而住。

鍾一豪自從第一眼看到了谷寒香後，就被她絕世的容色吸引，甘願臣服胡柏齡的手下，而且赤膽忠心，求得胡柏齡的信任，無非想得以常親芳澤，此刻玉人相對，四外寂寂，哪裡還能控制得住一縷刻骨銘心的仰慕之心？突然伸出手去，一把抓住了谷寒香的左腕……

但一握之下，突然又覺著此舉太過莽動，登時又放開了手，退後兩步，垂下頭去，不敢再望谷寒香一眼。

在他心中想來，谷寒香定然要大為震怒，大罵幾句之後，拳腳交加的，狠狠打上自己一頓，然後掉頭不顧而去。

可是天下事常常出人意外，只見雪白的玉臂送了過來，耳際間響起谷寒香甜柔的聲音道：「你喜歡抱住我的手臂麼？」

鍾一豪誠惶誠恐地說道：「屬下一時失態，萬望夫人原宥！」

抬起頭來，目光盯注在谷寒香的臉上，神情極是奇異。

這時，他仍然未戴上蒙面黑紗，端正的五官上，泛起一層紅暈。

谷寒香微微一笑，緩緩把雪白的手腕，放在鍾一豪的手中，說道：「我手中傷痕累累，又髒又疼，你握著我的手腕也是一樣……」

鍾一豪受寵若驚地仰天望著夜空，說道：「我這兒是作夢麼？」

谷寒香笑道：「咱們都沒有睡覺，哪裡會是作夢呢？」

鍾一豪慢慢地伸出手來，抓住谷寒香的玉腕，只覺滑膩無比，柔似無骨，心中一陣激熱地跳動，道：「得夫人如此垂顧，鍾一豪死而無憾。」

谷寒香只覺他握在自己手腕的五指，不停地顫抖，手心之中，冒出一陣熱氣，心神微覺蕩漾，笑道：「你的手抖什麼呢？」

鍾一豪道：「我……心中太快樂了。」

谷寒香緩緩掙脫鍾一豪的手掌，問道：「你累麼？」

鍾一豪道：「不累，夫人有什麼事，儘管吩咐。」

要知鍾一豪並非喜貪女色之輩，如以他的武功和才貌而論，盡可獲得不少的少女傾心相愛，但他自負甚高，對平常女子不屑一顧，自得遇谷寒香後，一眼之下，就被她絕世無儔的容色吸引，才甘願屈居人下，暗助胡柏齡奪取盟主之位，得以常睹谷寒香之面。

不想到江湖大變，倉卒而起，胡柏齡遇難身死，谷寒香亦成了新寡文君，潛藏在他心中一縷愛慕之意，也隨著高漲暴發。

尤其當他知道谷寒香對他並無厭惡之感時，更是難以忍受胸中的高燒情焰，那日夜縈繞他腦際的倩影，早已深植他心靈深處，一旦面對玉人，哪裡還能把持得住？

谷寒香掙脫他緊握之後，緩緩向一處山口所在走去，強烈的山風，吹飄起她的衣袂，和鬢邊散垂的秀髮，顯然，她要藉山風的力量，使自己微感蕩漾的心情，平靜下來。

鍾一豪緊隨她走了過去，關懷地問道：「山口處風勢強勁，夫人還是到裡面避避風吧！」

谷寒香道：「我不要。」

鍾一豪默然了一陣，嘆道：「夫人可是恨屬下舉動放肆？」

谷寒香突然回過頭來，說道：「別問這些，好麼？」

鍾一豪怔了一怔！退後兩步，心中暗暗忖道：「女人之心當真難測，她這等忽喜忽怒神情，實是不可捉摸。」

他哪裡知道，谷寒香此刻，正徘徊萬丈懸崖的邊緣，胡柏齡之死，給了她極慘重的打擊，使她開始對善良發生了懷疑，她目睹身經數年相處，胡柏齡從未做過一件損人之事，不論胡柏齡如何對她說昔年積惡如山，兩手血腥，但在她心中，胡柏齡卻是一個仁俠可風，毫無惡跡的英雄人物，也是她生平之中最敬仰、最親愛的丈夫，如今，她最爲敬愛的人，卻捨她而去，而且死得又是那樣悽慘。

她親眼看到了殺死她丈夫的仇人，這致命的打擊，使她對人性該善？該惡？再也無法分辨清楚。

她開始了從前所有的煩惱，純潔的心靈裡，開始孕育著仇恨。

山風吹醒了她蕩漾的心神，但卻無法吹散她復仇的怒火。

一顆播種在她心田復仇的種子，在悲傷、忿怒的灌溉下開始成長、茁壯，迅快地改變了她，一位容顏絕世，善良純潔的天使……

她緩緩抬起頭來，望著無際夜空，喃喃地自語道：「我要替大哥復仇，我要殺盡傷害丈夫的仇人，我要用一百條、一千條命，來抵償大哥的死。」

突然間，另一個念頭，閃電般由她腦際掠過：「大哥的武功是何等的高強，是何等的英雄，但他仍然傷亡在別人的手中，我這點武功，如何能替他復仇？」但覺此仇渺渺，此恨茫茫，有生之日，永無替大哥報復之望，想到傷心痛苦之處，不自覺地放聲哭了起來。

鍾一豪站在一側，看她喃喃自語了一陣，忽然放聲大哭起來，心中大感奇怪，

他對她由愛生敬，由敬生畏，剛才受到一頓申斥，本已不敢再多說話。

幽婉如訴，似是傷心非常，只怕傷了她的身體，忍耐不住，大步走了過去，勸道：「夫人，夜寒露重，山風勁吹，夫人哭壞了身子……」

谷寒香突然回過臉來，哭道：「大哥死了，我活在人世上，還有什麼意味？不如早些死了算啦，生爲夫婦，死同穴。」

鍾一豪忽然覺著心中有些酸溜溜的感覺，輕輕地咳了一聲，接道：「話不是這麼說，夫人要節哀順變，留得有用之身，也好設法替胡故盟主報仇。」

谷寒香拂去臉上淚水，問道：「咱們武功都難及我大哥，如何能替他報得了仇？」

鍾一豪道：「替盟主報仇之事，雖然需要武功高強之士，但也並非只有武功一途才能達到此願，要知少林、武當已是當今兩大武學主派，能和兩派相抗衡的人物少之又少，如要替盟主報仇，非得別走蹊徑！」

谷寒香仰臉望著滿天閃爍的星光，沉思良久，突然緩緩說道：「我要替大哥報仇，有生之年，守此不渝，縱然此願永無達到之日，但我也要盡我心力，粉身碎骨，在所不惜。」

她言詞之中，充滿了堅決，一字一句地說出口來。

十四　復仇之火

鍾一豪輕輕嘆息一聲，欲言又止。

谷寒香星目眨動，臉上流現出從未有過的堅毅之色，慢慢地轉過頭來，目光投注在鍾一豪的臉上，冷冷地問道：「你嘆息什麼？可是心中害怕麼？」

鍾一豪道：「不論能否替盟主報得此仇，但屬下卻願終生追隨，聽候差遣，死而無怨。」

谷寒香冰冷的神情中，忽然綻開了一絲微笑，道：「你爲什麼肯這樣幫助我呢？可是爲了我長得好看麼？」

這位美麗絕倫的天使，已開始在變，而且變得異常驚人，不論她的說話、爲人，都在發揮主宰的力量，她已開始摒棄了嬌柔、怯懦，不甘雌服於命運的安排，強烈的情愛點起的復仇怒火，使她堅強了自己，她不但想主宰自己，而且進而主裁別人，向命運挑戰，這轉變，她自己也許還不知道。

鍾一豪作夢也想不到，她竟然有這樣的一問？呆了一呆，道：「這個，這個……」

谷寒香道：「別這個這個啦，你大膽地說吧，既然是我要問你，說錯了也不要緊……」

她似是言未盡意，緊接著又道：「但你一定要說出肺俯之言，不能騙我。」

說完，閃動著星目，盯著鍾一豪一瞬也不瞬，臉上微現出焦急之色。她開始測驗自己，憑藉著天賦的美麗，能否主宰別人的命運？

由天使轉入了邪惡，她似是已覺到了美麗是她唯一能夠運用的力量，但她卻不知這力量有多大？鍾一豪是她第一個測驗美麗魔力的對象。

鍾一豪在她目光逼視之下，竟然不自覺地低下了頭去，他原覺自己是她的保護者，但當他和她的目光相觸時，他忽然變得怯懦，她那眩目的容色，使他變成了被征服者，他囁嚅地說道：「屬下不敢相欺……」

只覺如鯁在喉，下面之言，竟然無法說出口來。

谷寒香微微一笑道：「你早就被我的容色迷惑了，是麼？」

鍾一豪沉吟了一陣，道：「夫人艷絕塵寰，爲夫人容色陶醉，何止屬下一人？」

谷寒香笑道：「這話可是當真？」

鍾一豪道：「千真萬確，字字皆出肺腑。」

谷寒香長長吁一口氣，道：「果真如此，那就好了。」

鍾一豪聽得微微一呆，愕然說道：「什麼好了？」

谷寒香答非所問地笑道：「你現在還累不累？」

鍾一豪道：「不累，夫人有什麼事？」

谷寒香道：「咱們上峰上去把我大哥的屍體埋起來吧！」說著當先向前走去。

她睏倦未復，精神力量亦爲之鬆懈下來，爬行了數十丈後，已覺力難勝任，嬌喘不息，舉

止攀登之間，一副怯弱不勝之態。

鍾一豪急急趕到她身側說道：「夫人，要不要屬下相扶一把？」

谷寒香回頭一笑，緩緩把玉臂搭在鍾一豪的肩上，柔聲說道：「我真的很累了，跑不動啦，最好你抱我上去。」

鍾一豪受寵若驚地怔了一怔，喜道：「夫人請恕我放肆了。」

單手抱住谷寒香纖纖柳腰，施展開提縱身法，直向山峰之上奔去。

他似是有意表現自己輕功的成就，手足並用，捷如猩猿，一口氣攀登上百丈絕峰。

谷寒香嫣然一笑，讚道：「你的輕身飛躍之術，除了我大哥之外，是我見到最好的了。」

鍾一豪笑道：「夫人誇獎了！」

谷寒香緩步走近胡柏齡身側，蹲了下去，低聲祈禱道：「大哥陰靈有知，助我替你報仇。」

忽覺一陣羞愧，泛上心頭，暗自忖道：「大哥屍骨未寒，我已讓別人抱過，如何能夠對得起他？」這念頭一閃而逝，迅快地被復仇的怒火逐走。

鍾一豪大步走了過來，對著胡柏齡的屍體大拜三拜，雖未說一句話，但他心中卻是深覺對不住這位胸懷仁慈的英雄人物，只覺一陣惶惶不安，想藉這大拜之禮，稍減心中一份愧疚。

耳際間響起谷寒香柔媚的聲音道：「你把我大哥屍體用冰雪埋起來吧，埋得愈厚愈好。」

聲音雖是柔婉動人，但語詞之間，卻是含著命令的權威。

鍾一豪緩緩站起身來，一鬆腰中扣把，抖出緬鐵軟刀，開始挖掘峰上的冰雪，他功力深

厚，緬刀鋒利，片刻之間，挖了一個深坑。

谷寒香輕輕嘆息一聲，叫道：「鍾一豪……」

她的聲音柔媚悅耳，鍾一豪一轉身大步走了過去，說道：「夫人有什麼吩咐？」

谷寒香道：「把我大哥屍體埋在此地，不知會不會壞？」

鍾一豪道：「這個很難說了，屬下這一生之中還無此經驗……」

他微微一頓後又道：「不過此處嚴寒無比，終年冰雪不化，以常理論，大概不致壞吧！」

谷寒香沉吟了一陣，道：「埋下去吧，但願上天保佑他屍體不壞……」

她聲音突然間轉得十分低微，聽不出她說的什麼？

鍾一豪隨手把緬鐵軟刀放在雪地上，抱起胡柏齡的屍體放入冰雪坑中，縱身而上，正待埋下冰雪，忽聽谷寒香叫道：「慢著，我要下去再看看大哥。」

緩步走了過去，縱身躍入坑中，低呼了一聲：「大哥！」伏下身子，伸出手去，整理他身上的衣服。

手指觸處，忽覺他胸腰之處，有一個圓圓之物，用手取了出來，只見一個龍眼大小的銀珠，球上似是雕刻著花紋，可惜夜色之中，無法看清楚雕刻的什麼？

心中暗暗忖道：「大哥沒有留給我一件遺物，這銀珠甚是好玩，不如把它收在身上，日後想念他時，也好取出來瞧瞧。」隨手把銀球放入了口袋之中，整理好胡柏齡身上衣服，才躍出雪坑。

鍾一豪道：「可以填上冰雪了吧？」

谷寒香道：「可以填了。」

鍾一豪推下冰雪，不大工夫，已把那雪坑填滿。

谷寒香遙指著數丈外一株矮松說道：「去把那棵松樹移過來吧！」

鍾一豪撿起地上緬刀，笑道：「如無這把可削金鐵的緬刀，在這等堅冰之上，屬下本領再大一點，也難把那矮松移植過來。」

大步奔了過去，憑仗利刀之力，把那株松樹連根起出，抱了過來。

谷寒香微微一笑，道：「把它栽到埋葬我大哥的屍體旁邊，日後我來遷他遺體之時，就不致找不到了。」

鍾一豪默然不語，又揮動緬刀，把那株矮松，種植在胡柏齡的身邊。

他雖然武功甚好，但在飢寒交迫之中，連續做了這多事情，也不禁累得有些輕聲喘息。

谷寒香待他植好矮松，緩步走了過來，星目流轉，嫣然一笑，道：「你辛苦了！可覺得有些累麼？」

鍾一豪長長吁一口氣，笑道：「雖然有一點累，但不要緊。休息一下就可復元，此地氣寒風冷，夫人不宜在此多留。」

他知她內功毫無基礎，在這等嚴寒之下，絕難耐受多久。

谷寒香微微一笑，道：「我抱著大哥來時，一點也不覺著冷，現在倒是感覺到有些寒意了，咱們下山去吧！」當先向下走去。

鍾一豪追了上去低聲說道：「要不要我抱你下去？」

谷寒香回眸一笑，微微一點頭。

她往常心地聖潔，雖然姿色絕世，笑容醉人，但笑時美而不媚，縱然爲她笑容所迷，也只是覺著她美麗可愛，絕不敢妄動邪念。

但這短暫的一宵中，她那聖潔的心地，已被一種強烈的復仇怒火掩遮，滿布污穢，回眸一笑，美媚兼具，動人魂魄。

鍾一豪被那勾魂奪魄的一笑，吸引住全部心神，呆了一呆，突然伸出強有力的雙臂，一把抱住了谷寒香纖纖柳腰。

他這出於心念衝動的動作，不但迅快，而且去勢異常狂暴，毫無憐香惜玉之心。

谷寒香被他一把抱緊纖腰，疼得嬌呼一聲，說道：「你慢一點好不好？抱斷了我的腰啦！」

鍾一豪似是亦覺到自己的孟浪，微微一鬆雙臂，歉然笑道：「屬下罪該萬死，夫人生氣了麼？」

谷寒香笑道：「我如生氣，也不讓你抱了；你埋我大哥屍體後，又移植了那棵樹，定然覺著很累了，抱抱我，也算給你一點慰藉。」

鍾一豪輕輕嘆息一聲，道：「夫人是憐憫我麼？」

谷寒香微微一笑，道：「怎麼？你不要我可憐你？」

鍾一豪突然低下頭去，用力地在谷寒香櫻唇之上，親了一下，道：「在下今生一世，從不肯受人憐憫，今夜此言，如出自別人之口，我當時就要揮刀把他碎屍萬段。」

谷寒香雖然心中已漸入邪惡，但她生平從未遇上這等事情，當下呆了一呆，舉手一掌，擊在鍾一豪臉上。

這一掌打得很重，鍾一豪臉上登時浮腫起了五個宛然的指痕，但谷寒香手上也被震得傷口破裂，鮮血直流。

鍾一豪似已失去理性，放聲大笑道：「夫人如覺著還未解恨，再打屬下幾個耳括子吧。」

谷寒香大聲叫道：「放開我。」用力掙動嬌軀。

但鍾一豪臂力何等強大，她雖然用力掙扎，仍是難以掙脫，只覺一陣委屈，泛上心頭，伏在鍾一豪臂上，嗚嗚咽咽哭了起來。

這變故，大大地出了鍾一豪意料之外，一時間心神惶惶，不知如何是好?呆了良久，突然想到寒氣浸骨，不宜多所停留，先把她抱下這山峰，找處避風之地再說。心念一轉，也不言語，抱起谷寒香來，直向峰下奔去。

谷寒香似是有無限的感傷，只管放聲而哭，也不問鍾一豪要把她帶往何處。

鍾一豪一口氣奔下絕峰，把谷寒香抱到一處山谷中避風所在，放下谷寒香的嬌軀說道：「夫人不要再哭了，屬下舉動失態，願受責罰。」

谷寒香緩緩舉起衣袖，拭去了臉上淚痕，嘆道：「這也不是你一人之錯，我如不讓你抱我，也不致發生這件事了。」

鍾一豪突然放聲狂笑道：「在下早已爲夫人容色所動，此生今世，只怕已難自拔……」

谷寒香道：「不要再這樣叫我了。」

鍾一豪倏而收住了狂笑之聲，怔了一怔，道：「那我如何稱呼夫……」

忽然停了下來，改口說道：「在下要如何稱呼於你？」

谷寒香幽幽一嘆，道：「我大哥是何等英雄人物，他屍骨未寒，我已背叛了他，還有何顏面為他之妻？你仍然叫我夫人，我如何能受得了……」

她微微一頓，又道：「你就叫我名字吧！胡夫人已經死了，她的心已然相伴在她大哥身側，長眠泉下，餘下的只是一具沒有心肝的行屍走肉……」

鍾一豪仰首望天，長長吁了一口氣，默然不言。

谷寒香放聲大笑道：「鍾一豪，你知我為什麼還要活在世上麼？一具沒有心肝的行屍走肉，活著比死去，還要痛苦上千百萬倍？」

鍾一豪道：「這個在下就難以猜得出來了？」

谷寒香道：「我留下這具軀體，要為死去的丈夫報仇，我要不惜各種手段，殺死害死我大哥的人。」

鍾一豪道：「少林、武當實力強大，弟子眾多，放眼當今武林，甚難找得能和兩派相抗的實力，何況你一個柔弱女子，要想得償此願，只怕不是容易的事？」

谷寒香道：「縱然此願難償，我也要盡力去做。」

鍾一豪道：「你如有此用心，眼下『迷蹤谷』中現在實力，且不可任它散去……」

谷寒香突然低聲說道：「『迷蹤谷』中之人，大半都是無用之輩，我要選出一些武功高強之人，其他的任它散去。」

鍾一豪道：「只怕這班人野性難馴，統馭不易？」

谷寒香笑道：「那且不管，但你已盡知我心願，不知肯否相助於我？」

鍾一豪沉吟了一陣道：「情甘效死，性難馴服。」

谷寒香一皺眉頭，道：「這話怎麼說？」

鍾一豪笑道：「在下生具狂傲之性，除了恩師之外，世上無我佩服之人……」

谷寒香笑道：「那你爲什麼要助我大哥，奪取綠林盟主之位？」

鍾一豪道：「爲了夫人。」

谷寒香訝然說道：「那時候我大哥還活著呀？咱們過去又從不相識？」

鍾一豪道：「匆匆一見之下，已爲夫人容色所動……」

谷寒香嘆道：「如我大哥不死，你難道也敢這樣對我？」

鍾一豪道：「胡盟主大仁大義，在下和他相處一段時日之後，倒是真的對他生出了敬仰之心……」

他微微一頓後，接道：「他雖甚可敬佩，但如讓在下甘心效命，也是極不可能之事……」

谷寒香嘆息一聲，道：「我明白啦，說來說去，你還是爲了我，所以才甘心聽命於我大哥，是麼？」

鍾一豪道：「不錯！在下生平之中，從未爲女色柔情所惑，但自一見你面，竟然心神搖動，情難自禁。」

谷寒香突然臉色一整，道：「你對我倒是滿好啊？」

鍾一豪道：「傾心相愛，生死不渝。」

谷寒香道：「你可知道我是不是也喜愛你？」

鍾一豪道：「這個屬下甚難判論。」

谷寒香道：「你對我一番真情，我也不願欺騙於你，我一片真情早已隨大哥埋葬泉下，此後一生，永無傾心相愛之人……」

鍾一豪突然長長一嘆，黯然說道：「難道你對我一點情意就沒有麼？」

谷寒香正容說道：「我如對你毫無半點情意，也不會對你說這些話了……」

她仰起臉來望著天上的星辰，幽幽接道：「牛郎、織女雖然一年只有一次相會之期，但他們卻千年萬載，長永不絕，大哥卻和我人鬼殊途，再無見面之日了……」

鍾一豪似是被谷寒香至情所感，也爲之聳然動容，輕聲一嘆，道：「胡盟主有此紅顏知己，雖死泉下，也該瞑目九泉，在下如得你如此相愛，立時粉身碎骨，也無半點遺憾之心。」

谷寒香淒涼一笑道：「念你埋葬我大哥的屍體，我不願欺騙於你，你快些走吧，至於你埋葬我大哥一番情意，我日後自然報答於你。」緩緩轉過身去，慢步而行。

鍾一豪長嘆一聲，追了過去說道：「你要到哪裡去？」

谷寒香道：「我要去找人。」

鍾一豪奇道：「找什麼人？」

谷寒香道：「找那些能替我大哥報仇的人。」

鍾一豪縱聲大笑道：「據我所知，當今武林之世，還沒有勝過少林、武當兩派的高人……」

他微微一頓之後，接道：「縱然是有，這般人也都隱跡風塵，深藏不露，天涯茫茫，你一個毫無江湖閱歷的女人家，到哪裡去找？」

谷寒香道：「我已經明白了如何去找，不用你多費心了。」

鍾一豪突然搶前兩步，一橫身攔住去路，說道：「你就要這樣走麼？」

谷寒香道：「那還要怎麼樣？」

鍾一豪道：「你前程路遙，險難正多，我如不相伴你去，只怕你連出此山，也不容易。」

谷寒香笑道：「青年男女，並轡江湖，只怕別人都把我們當成一對情侶看待……」

鍾一豪道：「在下以此自豪。」

谷寒香道：「可是我卻慘了，別人都以爲我們是一對情侶，我哪裡還能找到武功高強之人？」

鍾一豪呆了一呆，道：「你要如何去找他們？」

谷寒香道：「不論何人，只要能替我大哥報仇，我就嫁給他。」

鍾一豪只道自己耳朵出了毛病，怔了一怔，道：「什麼？」

谷寒香嬌聲笑道：「我的心早已相伴大哥泉下，此身只不過是一具沒了靈魂的軀殼，我已然沒有愛情了。」

鍾一豪臉色一變，突然伸出手去，抓住了谷寒香的右腕，用力一拉，登時把谷寒香整個的

嬌軀，拉了一個圓周，衣裙帶起了呼呼的風聲。

谷寒香已然完全改變了，她似是膽大了甚多，鍾一豪這出手拉動之力，雖極強猛，但她卻毫無驚恐之感。

鍾一豪拉了兩周之後，似是怒氣消了不少，放開谷寒香的手腕，冷冷笑道：「你要走淫賤之路，那也是沒法之事。」

谷寒香突然微微一笑，緩步走了過來，偎入鍾一豪的懷中，柔聲說道：「你剛才只要一鬆手，非得把我摔個粉身碎骨不可！」

鍾一豪只覺一個軟綿綿的身子倚靠過來，那美魔的笑容，有如盛放百花；肌膚相親，登時爲之神馳心搖，一縷柔情蜜意，登時把這狂傲不馴的鍾一豪征服。

只聽他輕輕嘆息一聲，雙臂一張，緊緊抱著谷寒香的嬌軀，雙目中滾下兩行淚水，低聲說道：「屬下願拜石榴裙下，永做不二之臣，但願常伴身側，聽候差遣。」

谷寒香掙脫了被抱的嬌軀說道：「你當真想跟著我麼？」

鍾一豪前胸如受了強猛的一擊，聲音也有些抖顫地說道：「但願能得見允……」

谷寒香微微一笑，道：「我旨在尋找能替大哥報仇的人，不論對方是老、是少、是俊、是醜，只要他能替我大哥報仇，我都將妾身相侍，你如跟隨著我，我要嫁人時，你心裡不難過麼?你一直對我很好，我才要這般勸你，如果我對你毫無情意，就不會對你說這些話了。」

鍾一豪道：「盛意雖是可感，但此情綿綿，一旦和你分手，各奔東西，這相思之苦，就叫人忍受不了。」

谷寒香笑道：「我已心有所屬，有負雅意，我此身只不過是一具行屍，難道你只是愛我的美麗姿色麼？」

鍾一豪黯然說道：「酒不醉人人自醉，色不迷人人自迷，多謝一番相勸盛情，但我無能自拔了。」

谷寒香嘆道：「自作孽不可活，你自己想找苦受，那也是無可奈何之事。」

鍾一豪低頭沉思了一陣，道：「這麼辦吧！你在未尋得能替胡盟主報仇之人以前，在下暫時隨行，一來藉機多餐一些秀色，二來隨行左右暫做護駕之臣。」

谷寒香微一沉吟，道：「好吧！」輕輕把粉頰送了過去。

鍾一豪一和她粉臉相觸，突感全身行血加速，慾火大熾，重又張開雙臂，抱起了谷寒香的嬌軀。

谷寒香看他雙目通紅，臉如火燒，芳心一震，道：「鍾一豪你要幹什麼？」

鍾一豪道：「你既無替盟主守節之心，屬下要……」

突聽一陣咯咯的大笑之聲，傳了過來，道：「你要怎麼樣？快些把我師嫂放下！」

鍾一豪轉臉望去，只見麥小明手橫寶劍，大步走了過來。在他身後，跟隨著余亦樂、苗素蘭和萬映霞。

萬映霞目睹鍾一豪放肆的舉動，心中大爲忿怒，暗中取出一枚銀梭，扣在手中。

鍾一豪目光一掃，心絃大震，急急放下了谷寒香。

他雖然取下蒙面黑紗，但衣服裝著，絲毫未改，夜色下又無法看清面容，匆匆一瞥之下，

都已看出他是鍾一豪，但誰也沒有看清楚他的面孔。

萬映霞待他一放下谷寒香，立時一揚玉腕打出銀梭。

一道銀光，破空飛去，劃起了一縷尖風。

鍾一豪來不及抖出腰中的細鐵軟刀，揮手一掌，向那銀梭上面劈去。

強猛的掌風，隨手而出，萬映霞打來的銀梭，吃那掌力一撞，登時同一側偏去，掠著他身側飛過。

這時，麥小明手執寶劍，已走近鍾一豪的身側，劍尖一指鍾一豪道：「快些亮出兵刃來吧！」

鍾一豪已和他有過動手的經驗，知他劍術造詣極深，如若赤手空拳，和他動手，絕難抵拒，立時抖出腰中細鐵軟刀，冷冷說道：「咱們今宵最好能分個生死出來。」

麥小明笑道：「好啊！」

舉手一劍「天外來雲」疾刺過去。

鍾一豪大喝一聲，橫刀向上掃去，刀劍相觸，響起了一陣金鐵大震，夜色中火星迸飛，麥小明手中長劍，登時被削下半尺。

萬映霞心中忿恨鍾一豪對待谷寒香的舉動，又知他武功高強，生怕麥小明吃了沒有兵刃的虧，當下拔出背上寶劍，高聲叫道：「接住兵刃！」

只聽麥小明大笑道：「你這把刀不錯啊！」

舉起手中半截斷劍一撥，把萬映霞投過來的寶劍，挑向鍾一豪打了過去，萬映霞投擲之

力，再加上麥小明一撥之勢，劍勢去速，又增加了甚多。

鍾一豪緬刀一揮，震飛擊來長劍，正待趁勢搶攻，忽見麥小明右腕一揚，手中餘下的半截寶劍，又當作暗器般，打了出去。

他把手中僅餘的半截寶劍，當作暗器打出，大出了鍾一豪意料之外，不覺微微一怔！一刀擊飛斷劍，冷冷喝道：「不知天高地厚的娃兒，你要赤手接我寶刀不成？」

麥小明微微一笑道：「那我太吃虧了！」

右手一揚，突然飛起一道烏光，攔腰疾掃過來。不知何時他已從身上取出了另一種兵刃。

萬映霞看他挑飛自己投過去的長劍，心中還在生氣，暗罵一聲不知好歹，一晃眼看他手中多了一條八、九尺長，全身黑光閃閃，大指粗細，形如軟鞭樣兵刃，心中暗笑道：「原來他身上還帶有兵刃，那我倒是多慮了。」

鍾一豪一面揮刀搶攻，一面留心看他用的是什麼兵刃？但見此物柔軟如索，但卻又非金屬之類打成的軟鞭，而且似是不畏自己鋒利的緬刀，硬接硬打，運用十分靈活，忽而手握中間，兩端齊攻，忽而筆直飛來，當作花槍，變化多端，手法較他的劍招，尤多詭異。

谷寒香瞪著一雙又圓又大的眼睛，看著兩人動手，也不出口相勸，而且神色之間，似是十分注意兩人動手的勝敗。

苗素蘭輕步走了上來，低聲對谷寒香道：「夫人，你怎麼不勸阻他們呢？兩人這樣相鬥下去，必然有一方死傷。」

谷寒香微微一笑，道：「我想要看他們打個勝敗出來，看哪個本領高強？」

苗素蘭微微一怔，道：「這兩人武功相若，不論哪一個打勝，另一方也難以佔到便宜！」

谷寒香頭也不回地笑道：「等他們打出了勝敗，再說吧！」

這時，鍾一豪和麥小明已打入了緊張關頭，雙方都已用出了全力相拚，鍾一豪刀光霍霍一片白光，把麥小明圈入了刀光之中。

但麥小明手中的奇形軟鞭，左飛右舞，封架得十分嚴密，鍾一豪刀法雖然迅、辣兼具，攻得十分猛烈，但麥小明卻是毫無敗象。

這是一場十分慘烈的生死之搏，但雙方爭的什麼，每人都很茫然。

在場外觀戰的人，心情也不相同，谷寒香希望看個勝敗出來，看哪一個的武功高強？萬映霞卻是一心一意地期望著鍾一豪早日落敗，或是傷亡在麥小明的手下。

余亦樂卻爲兩人相搏的招術吸引，看得十分用心，忘記了相勸之事。

苗素蘭聰明過人，覺出這一場相拚之中，充滿了真實的妒恨，鍾一豪取下了蒙面黑紗，事非尋常，他和谷寒香這一段時間之中，不知在做些什麼？

一向仁慈的谷寒香，突然間變得殘忍起來，竟然坐山觀虎鬥，看兩人爲她喋血，不知她心中究竟是做何打算？

激鬧中忽聽鍾一豪大聲喝道：「撒手！」，刀法忽然一緊，「唰，唰，唰」連劈了三刀。

麥小明果然被那三刀迅厲的連環攻勢，迫得向後疾退了兩步，右肩、左腿上，各有一處刀傷，鮮血泉湧而出。

這位年紀幼小，眉目清秀的孩子，天性中似是潛伏著超於常人甚多的冷酷和驃悍，兩處傷口鮮血如泉，但他卻連擦也不擦一下，凝神而立，雙目圓睜，凝注在鍾一豪的身上，似在運氣調息，又似在強按著忿怒的火焰。

只聽他冷笑一聲，道：「好刀法。」

突然一振雙腕，手中軟鞭忽地疾掃而出，鍾一豪登時被摔了一個筋斗。

鍾一豪雖被摔了一個筋斗，仍然沒有看清楚麥小明這一招如何出手？心中大爲驚駭，暗暗忖道：「這娃兒不知是何來路？不但劍術造詣極深，而且功力也超過了他年齡應有的成就，這條似鞭非鞭的怪兵刃，更是招術詭異，變化難測，看來今日之局，鹿死誰手，還難預料？」

當下氣沉丹田，斜垂緬刀，護住下盤，害怕麥小明又突來一招怪異之學，再把自己摔個筋斗。

谷寒香突然向前走了兩步，道：「你們不要打啦！都快些收了兵刃。」

鍾一豪、麥小明一齊轉臉望了谷寒香一眼，收了手中兵刃。

谷寒香笑對麥小明道：「他刺你兩刀，你卻摔了他一個筋斗，算起來勢均力敵，沒有勝敗。」

麥小明微微一笑，也不言語，席地坐下，探手入懷摸出一包藥粉，自行敷在傷口之處，緩緩閉上雙目，運氣調息，他雖生性驃悍倔強，但因流血過多，體力已顯然不支。

鍾一豪突然從腰間摸出蒙面黑紗，戴在臉上，轉身而去。

余亦樂大聲叫道：「鍾兄請留步片刻，兄弟有要緊話說。」

鍾一豪頭也不回地答道：「余兄請念在咱們大仁大義盟主的分上，好好照顧夫人，兄弟今

日一別，日後尚有再見之期。」

他一面說話，一面奔走，話到此處，人也到四、五丈外，夜色中，只隱隱可見一條黑影。

谷寒香忽然覺著不該讓他走去，高聲喝道：「鍾一豪，快些給我站住。」

但見那隱隱可辨的人影，果然停了下來，遙遙應道：「夫人有什麼教示麼？」

谷寒香高聲說道：「我有話要對你說。」緩步走了過去。

萬映霞怕她有什麼失閃，伏身撿起地上寶劍隨後跟了過來。

谷寒香聽得步履之聲，回頭說道：「不要跟著我。」

萬映霞呆了一呆，只好停下了腳步。

谷寒香忽然放快腳步，奔到鍾一豪身前，伸手取下他蒙面黑紗，緩緩閉上雙目，輕啓櫻唇，柔聲說道：「你當真要走麼？」

鍾一豪道：「有得那娃兒和余亦樂相護，此地已用我不著。」

谷寒香微微一笑，道：「那孩子只不過十三、四歲，全然不解人事，你還要和他鬥氣麼？」輕輕送上香唇，在鍾一豪面頰上親了一下，接道：「你現在還要走麼？」

鍾一豪甜香撲鼻，心神一醉，長嘆一聲：「不走了！」

就這一陣工夫，余亦樂、苗素蘭、萬映霞，已齊齊趕了上來。

谷寒香身軀嬌小，和鍾一豪對面而立，身形完全被他遮住，也遮住了她那櫻唇送情的舉動。

余亦樂大步走了上來，抱拳說道：「鍾兄請看在故去盟主分上，別在此時此情中，爲難夫人……」

他感喟地嘆息一聲，接道：「霍元伽心懷叵測，早已存心篡奪盟主之位，鍾兄留此，可使他顧慮較多，至低限度，不敢驟然動手，咱們也好從容布置。」

鍾一豪微微一笑，道：「既然如此，兄弟決留此就是。」

余亦樂怔了一怔，心中暗暗忖道：「此人一向冷傲，說一不二，怎地今日一勸就聽？」他原想必須大費一番口舌，才能勸他留下，想不到竟然這樣容易？

谷寒香星目流動，望了幾人一眼，笑道：「咱們早些回到谷中去吧！」

苗素蘭看她言笑盈盈，似已無悲慟之容，心中大感奇怪，只是不便追問，只好默然不言。

谷寒香當先轉過身子，緩步向前走去，苗素蘭、萬映霞、余亦樂、鍾一豪等魚貫隨在身後。

谷寒香走過麥小明時，突然停了下來，說道：「你調息好了沒有？」

麥小明突然一躍而起，笑道：「早就好啦！」

目光轉投到鍾一豪身上，說道：「你怎麼不走？咱們在一起，早晚都要拚個死活出來。」

鍾一豪冷笑一聲，道：「隨時奉陪。」

萬映霞心中對鍾一豪存有成見，故意走到麥小明身側說道：「你傷口流血未止，要不要我替你包紮一下？」

麥小明目光轉動，溜了萬映霞一眼，道：「不用啦！」轉過去，緊倚在谷寒香身側而立。

萬映霞只覺臉上一熱，羞得垂下頭去，麥小明年紀雖然幼小，但萬映霞究竟還是十八、九歲的大姑娘，在眾目睽睽之下碰了一個釘子，心中又是忿怒，又是羞愧，心中暗自罵道：「哼！不知好歹！」

苗素蘭伸出右手，牽住萬映霞的手腕，拉到一側低聲問道：「你知道盟主的屍體現在何處麼？」

萬映霞道：「不知道，咱們問問嬸嬸吧！」

苗素蘭原是怕她羞愧難當，一怒出手再和麥小明打了起來，故意分散她的心神，當下搖頭一笑，道：「也許就在前面，等一下如若不見，再問夫人不遲。」

萬映霞抬頭望去，只見谷寒香和鍾一豪等已走到兩、三丈外，輕輕嘆一口氣，低聲對苗素蘭道：「蘭姊姊，我嬸嬸有些變了！」

苗素蘭道：「不錯，夫人是有點變了！」

萬映霞淒涼一笑，道：「胡叔叔已經死了，我在『迷蹤谷』中，再住下去，也沒有什麼意思啦，等咱們回谷之後，我收拾一下衣物就走。」

苗素蘭聽得怔了一怔！她已從這位情竇初開少女的幽傷口氣中，聽出了一些深沉的愁苦，心中暗自想道：「難道這位初解人事的小姑娘，也對胡柏齡動了情愛不成？」心中雖感驚愕，但神情間，仍然裝出一副若無其事的樣子，微微一笑，道：「你要到哪裡去呢？唉！江湖上凶險重重，你一個毫無閱歷的女孩子在江湖上行走，如何能應付得了？」

萬映霞放緩了腳步，和谷寒香等的距離，愈拉愈遠，聲音也變得更爲低沉，幽幽說道：「我爹爹死在武當派紫陽道長的手中，我跟著胡叔叔來，原想替我爹爹報仇，現在，這希望幻

滅了，胡叔叔死後屍骨未寒，『迷蹤谷』已是亂象畢呈之局，我留這裡，不但難再替爹爹報仇，只怕還要爲這混亂情勢所牽累……」

苗素蘭接道：「我初到『迷蹤谷』時，已看出天下綠林總寨事實上不過是一個支離破碎的局面，這殘局所以能勉強維持，全仗胡柏齡過人的膽識、魄力，和高強的武功所懾，他天生威猛之相，磊磊英雄風度，如果假以時日，在他銳意經營之下，不難成爲名副其實的天下綠林總寨；可惜上天不賜壽年，『迷蹤谷』根基未奠，他已經撒手歸天，難得姑娘小小年紀，竟然能審度大局，看出亂象，三、五日內，『迷蹤谷』定有大變，說不定會鬧個傷亡狼藉，殘局解體……」

萬映霞突然流下淚來，嘆道：「上天爲什麼不讓胡叔叔多活幾年呢？」

苗素蘭低聲說道：「你可是很喜歡他麼？」

萬映霞突覺心中一跳，粉頰上登時泛起了兩朵紅霞，轉過頭來，目光投注到苗素蘭的臉上，滿臉奇異茫然之色。

苗素蘭微微一笑，道：「不用害羞，像他那等豪邁的英雄氣度，女孩子誰也免不了爲他動情。」

萬映霞似是已被人看透了胸中全部的隱秘，一股少女嬌羞，泛上心頭，嚶的一聲，撲入了苗素蘭的懷中，熱淚滾滾，泉湧而出。

她雖然極力不使哭出聲來，但仍然無法控制得住，咽咽嬌啼，傳出老遠。

哭聲隨著山風，遙遙飄起，靜夜中傳送老遠。

哭聲傳入了谷寒香的耳際，她突然停下了嬌軀。回頭望去，不見了萬映霞和苗素蘭。

麥小明忽然微微一笑，道：「那大丫頭在哭呢。」

他年紀幼小，但卻一派老氣橫秋的口氣，他似是想藉這老氣口吻，能使自己顯得大一些。

谷寒香回目瞧了他一眼，道：「誰要你多口了？」

野性難馴的麥小明似是對谷寒香十分敬服，竟沒有反唇相激，只是淡然一笑，默不作聲。

谷寒香緩緩把目光投注到余亦樂的身上，說道：「余兄，你去接迎她們一下，要她們早些回來，有什麼事，回到『迷蹤谷』中再說。」

余亦樂聽她相呼余兄，心中突然一跳，也不知是驚是喜？呆了一呆，應道：「屬下遵命。」

她美麗的容色和那嬌婉的聲音，似是有一種不可抗拒的威勢，任何人一和她那清澈的秋波相觸，立時就消失了抗拒的勇氣。

余亦樂奔行迅快，片刻之間已到了兩人身前，低聲說道：「夫人請兩位趕快一點，縱然有什麼事，也請暫忍片刻，回到『迷蹤谷』之後，再說不遲。」

苗素蘭微微一笑，道：「這位霞妹妹感懷身世，難以按下傷心之苦，又想到盟主之死，忍不住哭了起來，並無其他之事。」

余亦樂想到了萬映霞落得今日這等悽慘下場，胡柏齡實要負上大部責任，如果他不率領群豪投奔到「萬月峽」，也不致引起武當派尋仇之事……如今，胡柏齡又已死去，自是難怪她傷

心千迴，難以按下悲傷之情，放聲而哭。當下一聲長嘆道：「令尊對我們『迷蹤谷』中之人，都有著甚大恩情，眼下胡盟主雖已逝去，但夫人絕不會虧待姑娘。」

苗素蘭接口道：「霞妹妹，不用哭了，別讓夫人等咱們啦。」

萬映霞本是被苗素蘭揭破了心中隱秘，一時之間，下不了台，撲入她懷中，藉故掩羞，哪知被苗素蘭一提之下，竟然真的想到了胡柏齡慘死之事，想他生在世上之時，形勢隔禁，把一縷愛慕之情，一直深藏心中，從未表達出來，如今他已然死去，心中的愛慕之情，今生今世，已永遠無法表達了，一念及此，傷情大慟，真的嗚嗚咽咽地哭了起來。

如今又聽余亦樂提起父親慘死之事，心如刀割，悲傷更深，哪裡能忍得住一腔憂苦？口中雖然答應道：「我不再哭了。」但眼中淚水，卻是奔泉渴驥，無法遏抑。

余亦樂看她哭得有如梨花帶雨，也不禁爲之唏噓長嘆，黯然神傷。

苗素蘭柳眉微揚，突然伸手在萬映霞左肩之上拍了一掌說道：「咱們走吧！」牽著她一隻手，向前走去。

萬映霞身軀微微一顫，果然停下了哭聲，倚在苗素蘭身旁，向前走去。

谷寒香一見兩人走來，迎了上去，用衣袖擦去萬映霞臉上淚水，說道：「霞兒，你心中很難過麼？」

萬映霞恍似未聞，也不理會於她。

谷寒香不見她回答，停了一會兒，又道：「事情已經如此了，哭有什麼用？我現在就不再哭了。」

她深情無限的出言相慰，但萬映霞卻望也不肯望她一眼。

谷寒香奇道：「霞兒，你怎麼不理我！可是心中痛苦太深，不願說話麼？」

萬映霞仍然默然不言，未置可否。

谷寒香呆了一呆，自言自語說道：「是啦！你定是哭暈了頭，連我也不認識了。」

她自解自嘲地說了幾句，直向「迷蹤谷」中奔去。

谷口處，排列著不少人迎接她，大部是鍾一豪手下的人，江北綠林道上人物。

谷寒香也未留心接她的都是些什麼人？在余亦樂、麥小明、鍾一豪等護擁之下，一直奔向宿住之處。

這時，天色已經大亮，鍾一豪臉上，重又蒙上了覆面黑紗。

在這半宵時光之中，「羅浮一叟」霍元伽不知做了何等的布置？入谷時，一直未見他和「嶺南二奇」露面。

谷寒香走到籬門前面，心中突然猶豫起來，不知該否把鍾一豪等也讓進去，這是她閨閫私居之處。

她沉吟一陣，突然回過頭來，滿臉冰冷之色，說道：「鍾一豪，你去召集谷中之人，在聚義廳上等我。」

鍾一豪怔了一怔，道：「夫人，目下情勢不明，待屬下去查問一下再來回話。」

谷寒香搖頭說道：「不要管他，能召集好多人，就是好多。」

鍾一豪道：「夫人不宜涉險，屬下布置之後，再來相請夫人。」

苗素蘭低聲說道：「鍾副盟主說得不錯，夫人不宜太過固執。」

谷寒香笑道：「咱們布置還未就緒，只怕別人已經發動了。」

鍾一豪呆了一呆，暗道：「她忽然間變得這等決斷！」當下應道：「屬下就去召集谷中群豪，夫人先請休息一下。」轉身急奔而去。

谷寒香目注麥小明微微一笑，道：「你守住大門，不論什麼人想要見我，都要通報。」

麥小明笑道：「好啊！如若有人不聽我的話，我就把他殺了，好麼？」

谷寒香道：「殺了他，拏著人頭來見我。」

麥小明道：「記下了，師嫂放心去休息吧！」

谷寒香大步走了進去。

苗素蘭、萬映霞，緊隨身後，舉步欲入，麥小明突然大喝一聲，翻腕拔出背上寶劍，說道：「站住。」

苗素蘭微微一怔，道：「你要幹什麼？」

麥小明笑道：「你們剛才沒有聽到我師嫂的吩咐麼？不論何人要見她，也得我先行通報。」

苗素蘭臉色一變，道：「年紀不大，花樣倒是不少？」

麥小明道：「怎麼樣？你如心中不服氣，就不妨闖一下試試，看我能不能攔得住你？」

苗素蘭冷冷說道：「你當真要試試我的武功麼？」

麥小明道：「當今武林之世，我只肯聽三個人的話，除了這三人之外，誰也別想要我服他！」

苗素蘭道：「不知哪三個人？」

麥小明道：「第一個是養我、教我之師，第二個是死了的胡盟主，第三個麼……」突然住口不言。

苗素蘭道：「第三個是什麼人？」

麥小明咯咯大笑道：「我本來不想說了，但你一定要問，那就不妨告訴你吧，這第三個人，就是剛才吩咐我的師嫂。」

苗素蘭冷哼一聲，道：「你連父母的話都不肯聽麼？」

麥小明道：「我父母早都死了，我連面都沒見過，自然不用聽他們的話了。」

兩人爭吵甚烈，但萬映霞卻似恍如不覺一般，理也不理兩人。

忽聽谷寒香嬌脆的聲音，遙遙傳了過來，道：「這兩人都是我最親近的人，她們出入，不要攔阻。」

麥小明橫在門口的寶劍，忽然一收，說道：「夫人有命，你們進去吧！」

苗素蘭一拉萬映霞，大步走了進去，心中暗自奇怪，麥小明相阻之事，谷寒香早該知道，爲什麼早不喝止……

忖思之間，人已進入了大廳。

轉頭望去，只見谷寒香已脫去全身玄裝，只留下一身褻衣，坐在床上，舉手對兩人一招，說道：「你們快些進來，我有話要對你們說！」

她臥室之門大開，只要一入客廳，立時可看到她臥室情形，一覽無遺。

苗素蘭為她這膽大的舉動為之一呆，長吁一口氣，緩步走了進去，說道：「夫人有何吩咐？」

谷寒香神情忽然一變，長嘆一聲，道：「我有一事想懇求兩位，不知兩位肯不肯答應？」

苗素蘭突然回過身去，舉手在萬映霞身上連續拍了兩掌。

谷寒香奇道：「你要幹什麼？」

苗素蘭一直緊張地望著萬映霞，見她長長吁一口氣，才一改臉上緊張神色，笑道：「夫人現在可以說了。」

只見萬映霞長長吁一口氣後，茫然地望了苗素蘭一眼，說道：「咱們到家了麼？」

谷寒香道：「到了家啦……」

萬映霞轉臉望去，登時「哎喲」一聲，躲在苗素蘭的身後。

原來谷寒香只穿著一件粉紅色的裹身短衣，玉臂粉腿，盡現眼前，萬映霞究竟還是個十幾歲的大姑娘，在那個時代，女人素有衣不露皮的規矩，谷寒香突然間脫得這般模樣，叫她如何不驚？

只聽谷寒香輕輕嘆息一聲，道：「你們兩人看到我這般模樣，一定覺著我很下賤，是麼？」

苗素蘭道：「這個……屬下倒不敢動此妄念，但夫人脫得這般模樣，又把我等叫了進來，顯然是有所用心了？」

谷寒香點頭說道：「蘭姊姊果真聰明，一猜就中，我要請你們兩位替我做個見證……」

她目光緩緩移注到萬映霞的身上，幽幽說道：「霞兒，你見我這等模樣，心中定然對我十分厭惡是麼？」

萬映霞臉蛋兒繃了半天，道：「霞兒是晚輩，懂事不多，不敢妄論長輩……」

她想了一陣，似是感覺到言未盡意，冷冰冰地又接了一句道：「反正胡叔叔已經死了，再也沒有人能管得住你了。」

谷寒香淒涼一笑，道：「你胡叔叔活在世上時，我從未見他做過一件傷天害理的事，但他卻死了，而且死得又那樣悽慘！」

萬映霞心中忽然泛起一股忿怒之氣，冷哼一聲道：「胡叔叔如若不死，你哪裡敢這般放浪形骸……」忽然覺著自己出言太重，趕忙住口不語。

谷寒香對萬映霞責罵之言，毫無生氣之意，淡淡一笑，道：「我這般放蕩模樣，自是難怪你們心中厭惡於我……」

她突然一整臉色，接道：「可是我要替你胡叔叔報仇，我一個弱女子，除了利用我天賦的美麗之外，有什麼辦法，能夠替他報仇呢?何況他的仇人，都是當今武林中一流的高手……」

萬映霞尚未全解人事，聽得十分奇怪，接道：「美麗有什麼用?你學不好武功，打人不過，一輩子也報不了仇。」

苗素蘭笑道：「柔能克剛，情甘效死，夫人之美，絕世無儔，不用她學會武功，自然會有人替她效命。」

萬映霞似懂非懂地「嗯」了一聲，也未再追問。

谷寒香忽然流下淚來，哭道：「大哥屍骨未寒，我已經不能克盡婦道，他死在九泉之下，也定然十分傷心；但想到他慘死之情，此仇又不能不報，這些年來，我不能替他生養一個兒子，教他長大，替父報仇，如今只有我替他報仇了。此等重大之任，我一個弱女子，如何能擔待起來……」

一面哭，一面訴說，聲音柔婉，九曲百轉，聽得苗素蘭、萬映霞也不禁流下淚來。

突然間，室門外響起了步履之聲，苗素蘭嬌軀一晃，迅快地掩上了房門，問道：「什麼人？」

室門外傳進麥小明的聲音，道：「我呀，師嫂在麼？」

谷寒香拂拭一下面頰上的淚痕，問道：「什麼事？」

麥小明道：「有一個中年大漢，要見夫人。」

谷寒香道：「你要他等一會兒再進來吧！」

麥小明道：「他永不會再進來了。」

谷寒香一時之間，聽不出他話中含意，奇道：「為什麼？」

麥小明咯咯大笑道：「因為他已經被我殺了！」

谷寒香道：「他叫什麼名字？」

麥小明道：「他沒有對我說呀，我要他在門外稍等片刻，進來替他通報時，他竟敢隨後而入，被我翻手一劍把腦袋給砍了下來，師嫂可要瞧瞧麼？」

谷寒香道：「我現在有事，不能出去見你，把那人頭，擺在我廳門前面。」

麥小明笑道：「小弟遵命。」腳步聲逐漸遠去，漸不可聞。

谷寒香道：「我爲了要替大哥報仇，已決定不惜這具行屍走肉的軀體，我想用一百條、一千條命，來補償大哥的死，但我的心，卻永爲大哥所有……」

苗素蘭輕嘆一聲，道：「胡盟主英雄氣度，磊落胸襟，他的死實留給人無比的懷念……」

谷寒香突然「哇」的一聲大叫，撲在苗素蘭的懷中，放聲大哭起來，說道：「我只道我大哥只有我一個知己，哪知姊姊和我的想法一樣，大哥陰靈有知，也會感謝姊姊知己之情……」

苗素蘭被她一陣哭訴，心中大爲感動，黯然一嘆，道：「夫人這等大仁大量，我如再不說出心中之秘，實是惶愧難安……」

谷寒香微微一怔，道：「姊姊有什麼話說？」

苗素蘭淒涼一笑，道：「不敢欺瞞夫人，我……我……」

她這一段時日，常常和谷寒香、萬映霞等相處，野性已經化去不少，胡柏齡的改過向善，給了她莫大的啓示，只覺已往經歷之事，有如一場夢，人也變得嫻靜了，說到緊要之處，突然感覺到一陣羞意，泛上心頭，竟自說不出口。

谷寒香看她忽然不言，垂下頭去，心中一動，笑道：「姊姊可也是很喜歡我的大哥麼？」

她以往從不肯多用心思，一切全都依附到胡柏齡的身上，胡柏齡死了之後，她開始想到了

以前從未想到過的事情……她本來絕頂聰明，只是不肯用心去想，此刻一用心思，立時了然了人世甚多愛慾善惡之事，智計大增，料事如神。

苗素蘭輕輕嘆息一聲，仰起了低垂的螓首，說道：「不錯，天涯遼闊，何處不可棲身？但我隨他而來，已料必將置身另一個是非漩渦之中，但我卻跟他來了……」

谷寒香嘆道：「可惜大哥死了，如若大哥還活在世上，我定要他收了姊姊……」

苗素蘭道：「要他收我做妾？」

谷寒香道：「還分什麼妻妾？我和大哥結縭數年，一直未能替他生養一個兒子，唉！每次我勸他多娶一個，以接續他們胡家香煙，均被他厲言拒絕……」

苗素蘭接道：「我第一次見到胡盟主時，就被他那種威武的英雄氣度吸引，竟然無法按捺下一縷仰慕之情……」

萬映霞一雙星目，睜得又圓又大，凝注在苗素蘭臉上，聽得似是十分入神。

只聽苗素蘭長長嘆息一聲，道：「我幼小之時，就被『陰手一魔』把我擄入深山之中，傳以武功，十六歲被他奪去童貞，以後時日就爲他效力賣命，奔走江湖，閱人甚多，也遇上不少風度翩翩的英俊人物，不知何故，一見到胡盟主時，就爲那威猛的氣度，打動寸心；我隨他而來，確是別有用心，但一見夫人之後，立時又自愧形穢，賤妾平時，原本以容色自負，哪知和夫人相較之下，直如螢火與皓月爭光，一縷妄念，立時斷絕……」

谷寒香笑道：「大哥又多一紅顏知己，也可聊慰他……」

忽聽麥小明的聲音，傳了進來，道：「我又殺了兩個，可也放在這大廳外的廊沿下麼？」

谷寒香別有所思，也未聽清他說的什麼，隨口應了一聲，道：「放在那裡吧！」

只聽麥小明咯咯大笑之聲，傳了進來，自言自語道：「這廊沿只不過一丈多長，看來不到中午，人頭就要擺滿了。」

谷寒香正和苗素蘭談得入神，也未留心他說些什麼，萬映霞正聽到入神之處，看兩人忽然不言，忍不住接口問道：「不知嬸嬸要我們做何見證？」

谷寒香黯然一嘆，幽幽說道：「我要把心中的事，說給你們聽，求你們諒解我，然後託兩位一件事情。」

苗素蘭道：「夫人有什麼事，但請吩咐，這等客氣，我等如何能擔待得起？」

谷寒香道：「自我和大哥結識之後，從未想到他會離我而去，他惜我憐我，情如海深，不論什麼事，他從沒有違拗過我，我到現在我還不相信，他真的已離我而去……」

兩行清淚從她臉上滾了下來，她的聲音也變得更爲淒惋低沉，哽咽著道：「可是我親眼看到了他的屍體，看到了他如何被人殺死，他捨死忘生地去救他們，但他們卻毫不留情地殺害了……」說至此處，她已是淚如泉湧，嗚咽難過。

萬映霞只覺一股悲忿之氣沖上心頭，高聲說道：「他們逼死了我的爹爹，又殺害了胡叔叔，我親自看到了這兩幕慘劇，嬸嬸要報仇，我也要報仇！」但感一陣心酸，熱淚奪眶而出。

谷寒香緩步走了過來，伸出雪白的皓腕，纖纖的玉指，輕擁著萬映霞頭上秀髮說道：「霞兒，你也感覺到，你那胡叔叔是個好人麼？」

萬映霞滿臉淚痕地點點頭，道：「胡叔叔不但是好人，而且是大英雄、大豪傑，我……我

心裡……」她情竇初開，稚氣尤存，談到興頭之上，哪裡還能保得住心中之秘，平日裡潛伏在心底中強烈的愛慕，不禁脫口而出，說出一半，突然又覺到一陣羞意，倏而住口不言。

谷寒香呆了一呆，道：「你心裡怎樣了？爲什麼不說呢？」

萬映霞眨動了兩下又圓又大的眼睛，滾下來兩顆晶瑩的淚珠，輕輕地咳了兩聲，道：「我心裡很敬仰胡叔叔。」

谷寒香慰然一笑，道：「唉！我真想不到，有這樣多人仰慕大哥，看來我要比你們幸運多了……」她仰臉望著屋頂，嘴角間泛現慰藉的笑意，似是回憶到過去的甜蜜生活，盈盈笑容，滿臉歡愉。

苗素蘭輕輕嘆道：「胡盟主雖然死了，但他的俠義胸懷、英雄氣度，卻留給很多人追慕、懷念。」

谷寒香道：「姊姊說得不錯，他雖然死了，卻仍然活在我心中，我只要閉上眼睛，就感到他站在我的身邊。」

萬映霞道：「追慕、懷念有什麼用？咱們要替他報仇。」

谷寒香道：「不錯，我要替大哥報仇！可是咱們武功和人相差甚遠，如何才能替他報得了仇呢？」

萬映霞怔了一怔，道：「這真是很爲難，唉！少林與武當兩派，人多勢眾，就算『迷蹤谷』所有的人，都肯替胡叔叔報仇，也是打人不過。」

谷寒香道：「所以我們要想法子……」

萬映霞道：「想什麼法子？」

谷寒香舉起左手，理理鬢邊散髮，低下頭望望修長的玉腿，只覺肌膚晶光，說道：「霞兒，你說嬸嬸長得好看麼？」

萬映霞連連點頭道：「好看極啦！容色耀目，貌羞花月。」

谷寒香輕輕嘆息一聲，道：「大哥活在世上之時，我從沒有注意過自己的美麗，如今大哥死了，我才想到自己的美麗……」

萬映霞奇道：「能不能替胡叔叔報仇，要憑武功，和美麗有什麼關係呢？」

谷寒香道：「唉！傻丫頭，上天替我塑造一副美麗的容貌，窈窕的身體，我要利用它替大哥報仇。」

萬映霞似懂非懂地點點頭道：「啊……」

忽然嘆一口氣道：「是啦！誰要能替胡叔叔報了仇，你就嫁給他，是麼？」

谷寒香搖搖頭道：「少林、武當兩派，人手眾多，一個人武功再高，也沒有辦法殺絕兩派中人。」

萬映霞道：「那要怎麼辦呢？」

谷寒香道：「我要利用這美麗的容色，使很多人替我賣命。」

苗素蘭輕輕嘆道：「夫人已經決定了麼？」

谷寒香道：「除此之外，我再也想不出用什麼辦法，替大哥報仇。」

苗素蘭低聲說道：「夫人請再三思，這決定非同小可。」

谷寒香突然一整臉色，道：「我再三想過啦，只要能替大哥報仇，我什麼也不在乎……」

她微微一頓之後，又道：「只求兩位答應我一件事情。」

苗素蘭道：「夫人請吩咐吧。」

谷寒香道：「就是我收養的那個孩子，我要替大哥報仇，今後勢非生活在驚濤駭浪之中，沒有時間再撫育於他，拜託兩位替我看顧他長大成人。」

苗素蘭道：「夫人如果心意已決，需要賤妾……江湖險詐，防不勝防，夫人毫無經驗，如何對付得了……」

谷寒香接道：「有鍾一豪、麥小明兩個人幫我，也就夠了，我要遍訪天下武林道上高手……」

苗素蘭笑道：「鍾一豪、麥小明只能做夫人隨身護衛，要他們爲你策劃大計，只怕他們智謀難及；夫人容色絕佳，當世或無第二人可與相比，但除了美色之外，還需有一副欲擒故縱的方法……」

她略一沉思，接道：「須知武功有特殊成就的人，必須要有天賦的資才，這些人不是聰明過人，就是冷傲孤僻，夫人雖有醉人心神的美麗容色，但如不能善爲利用，也難使他們臣服石榴裙下，甘心效勞……」

谷寒香聽得呆了一呆，道：「唉！這中間還有這麼多的學問麼？」

苗素蘭笑道：「賤妾幼年奔走江湖，閱人千萬，看了江湖上諸多眾生相，因時制宜，因人施術，才能傾倒眾生，收盡天下善才爲我所用，夫人如果決定要布施美色，替胡故盟主報仇，必須由賤妾從中策劃，先使艷名大噪，傾動江湖，才能收先聲奪人之效！」

谷寒香長長嘆一口氣，道：「原來此中還有如此多麻煩，真要借重姊姊相助了。」

苗素蘭道：「容賤妾代爲籌畫一個策略，先傳夫人艷名。」

谷寒香突然一整臉色，兩行清淚順臉而下，幽幽說道：「那就請姊姊多費心了。」

苗素蘭還未來得及答話，突聽麥小明的聲音，重又在室外響起，道：「那姓鍾的要見師嫂，要不要他進來？」

谷寒香急急抓過衣服穿上，說道：「叫他進來吧！」

麥小明應了一聲，急步而去。

谷寒香走出臥室時，那面垂黑紗的鍾一豪，業已恭謹地站在廳門外面，目光轉處，只見那廊沿上，擺滿了血淋淋的人頭，不禁心頭一跳，目光移注到麥小明身上，急忙問道：「這都是你殺的麼？」

麥小明咯咯一笑，道：「是啊！總共一十二人，這條廊沿還沒有擺滿呢。」

谷寒香輕輕嘆息一聲，道：「這些人，可都是要找我的麼？」

麥小明笑道：「是啊！他們來時都一語不發，往裡就闖，我要他們停下，他們出手就打……」

鍾一豪掃了那擺滿的人頭一眼，道：「這都是霍元伽手下之人，這些人恐怕都有不軌之圖，殺得不錯。」

谷寒香道：「快些收去吧，這樣多人頭擺在這裡，看了有些害怕……」

麥小明微微一笑，飛起一腳，踢在最右一顆人頭之上，那人頭應腳而起，直飛五、六丈高。

但見他雙腳齊施，此起彼落，眨眼之間，一十二顆人頭，齊齊飛起，接連在空中相撞，血肉如雨，灑落而下。

麥小明仰臉相望，臉含微笑，一片洋洋自得之色。

十二顆人頭彼此互相撞了一陣，齊齊飛落院外。

鍾一豪看得暗暗驚心，忖道：「此子如此年幼，但所習武功，卻是由上乘著手，日後成就實在不可限量，眨眼之間踢飛一十二顆人頭不難，難在能讓他們在空中相撞，而且一十二顆，顆顆相擊，自己就沒有這等能耐。」

谷寒香突然心中一動，問道：「你的武功可是你師父傳給你的麼？」

麥小明笑道：「我這踢人頭功夫，很好玩吧，師嫂如果想學，我可以立刻教你！」

谷寒香道：「雖然好玩，但卻太殘忍了。」

麥小明怔了一怔，道：「你如害怕，踢石頭也是一樣。」

谷寒香笑道：「我是問你，武功跟哪個學的，可是酆秋麼？」

麥小明搖頭笑道：「他自己只怕還沒有學過，哪裡能夠傳我呢？」

谷寒香道：「你有幾個師父？」

麥小明突然收斂起臉上笑容，沉吟了一陣，道：「兩個……」

他微一停頓，急急接道：「師嫂別再問了。」

谷寒香看他爲難之情，心中暗道：「這孩子人小鬼大，只怕有什麼難言之苦？不如等沒人之時，再問他吧！」

心念一轉，回頭對鍾一豪道：「找我有什麼事？」

鍾一豪道：「屬下已召集了谷中群豪，恭候夫人大駕。」

谷寒香道：「霍元伽去了沒有？」

鍾一豪道：「『羅浮一叟』、『嶺南二奇』都已在聚義廳上。」

谷寒香道：「咱們走吧！」舉步向前走去。

鍾一豪急急說道：「霍元伽、『嶺南二奇』都已佩帶兵刃，大有動手可能，夫人要小心一些。」

苗素蘭道：「鍾副盟主是否已有防對之策？」

鍾一豪道：「我已暗命所屬，佩帶兵刃，嚴加戒備，但恐一旦鬧翻動手，只怕要形成群搏之局，那時全局混亂，難免顧此失彼之慮。」

苗素蘭道：「夫人由我和萬姑娘、麥小明等三人保護，你只要能對付得了霍元伽、『嶺南二奇』就可以了。」

鍾一豪道：「這樣我就少了一層顧慮啦！」轉身向前走去。

谷寒香舉步相隨，緊隨鍾一豪身後，苗素蘭、萬映霞緊隨兩側，麥小明走在最後。

這時，已是卯末時光，萬里無雲，碧空如洗，一輪麗日，滿山蒼翠，谷寒香一身藍衣，外罩白緞披風，秀髮長垂，隨風飄飛，在苗素蘭、萬映霞左右隨護之下，慢步而行，星目顧盼，儀態萬千。

鍾一豪當先開路，片刻之間，已到了聚義廳外。

大廳中站滿了人，一個個臉色沉重，不見一點笑容。

鍾一豪當門一站，大聲喝道：「夫人駕到。」

但見左面群豪，一個個躬身作禮，高呼夫人，右面群豪，卻是個個凝立不動。

谷寒香星目一轉，玉腕輕揮，舉步直入大廳。

麥小明目光掃掠了右側群豪一眼，笑道：「這些人，都是活得不耐煩了？」

群豪目光全都投注到谷寒香身上，也沒有人理會於他。

谷寒香走到正中橫案之前，略一猶豫，舉步登上木台，居中高坐。

那原是胡柏齡生前坐的地方，按照規矩，胡柏齡落座之後，群豪立時將伏身參拜，谷寒香剛剛坐下，霍元伽立時大聲說道：「夫人可知那是什麼人的座位麼？」

谷寒香隨口答道：「我怎麼不知道呢？這是大哥坐的地方啊！」

霍元伽倒是沒有想到她會如此回答？微微一怔，道：「那乃當今綠林盟主之位，豈是人人都可隨便坐得的麼？」

谷寒香目光緩緩投注到霍元伽的身邊，問道：「難道我就不能坐麼……」

霍元伽道：「不錯！不論是誰，想坐那盟主之位，就得有當今綠林盟主的身分，你雖是盟主夫人，也不能高踞其位。」

谷寒香道：「我不能坐，那要給什麼人坐？」

霍元伽冷冷答道：「當今綠林盟主。」

谷寒香微微一笑，道：「我大哥死了，哪裡還有什麼盟主？」

霍元伽道：「他死了，還有未死之人，還可以重新推選。」

鍾一豪冷冷接道：「盟主之尊，必要有過人之能，才能領袖群倫，發號施令，誰想此位，必須自忖有點真實本領才行。」

霍元伽道：「鍾兄說得不錯，胡盟主既已身故，勢非得早日推選出新任盟主不可……」

鍾一豪接道：「霍兄可是有心問鼎此位麼？」

霍元伽拂髯大笑道：「打開窗戶說亮話，今日之局，唯鍾兄和兄弟之爭耳。」

鍾一豪大聲說道：「盟主身故，正該夫人繼位，兄弟並無圖謀盟主之位的野心。」

霍元伽冷冷接道：「領袖群豪，勢非小可，少林、武當兩派，並未能就此罷休，如果兄弟猜想不錯，三、五日內，兩派高手，定將會聚此谷，這等動手相搏之事，正如鍾兄所言，必須真才實學才能應付大局，夫人一介女流，除了撩人姿色，兄弟還看不出她有什麼才幹，領導群豪……」

鍾一豪怒道：「霍兄說話，最好有點分寸，夫人是何等身分，豈可輕侮？」

霍元伽縱聲大笑，道：「英雄難過美人關，鍾兄已爲盟主遺孀姿色所醉……」

鍾一豪大喝一聲，縱身而起，一掌劈下。他猝起發難，動作迅如電閃，一掠而至，掌風似

剪。

霍元伽早已運氣戒備，揮掌一接，大笑說道：「古來佳麗多禍水，鍾兄還請三思兄弟之言。」

滿站群豪的大廳上，突然間捲起來一陣狂飆，霍元伽被震得退後一步，鍾一豪吃虧在身子懸空，無處藉力，被霍元伽反彈之勁，震得飛起來七、八尺高。

身懸半空，連打了兩個轉身，突然又疾向下面撲來，口中厲聲說道：「霍元伽，今天不是你死，便是我亡!你再接我一掌試試！」

鍾一豪第二掌已然劈下，聽得谷寒香呼叫之聲，立時一收雙腿，一個大翻身，人已落回原地道：「夫人有什麼吩咐？」

谷寒香長長嘆息一聲，道：「我大哥出任天下綠林盟主，不足一年，身殉其位，這天下綠林盟主之銜，乃大不吉祥之位，咱們不用爭了，讓給霍元伽吧！」

此言不但大出鍾一豪意料之外，就是霍元伽也聽得怔了一怔！

谷寒香星目環掃了大廳一周，停留在霍元伽臉上，道：「霍元伽，你既然早就存了謀盟主地位之心，現在用不著再費心機了。」

她抬頭望望大廳外面的天色，接道：「太陽下山之前，我們就要走了，我大哥辛辛苦苦建築的這『迷蹤谷』，也一起送給你吧……」

嫣然一笑，又道：「但願你有本領把它經營成號令天下綠林的總寨。」

鍾一豪急急叫道：「夫人！」

谷寒香側臉過去，笑道：「什麼事？」

鍾一豪道：「這『迷蹤谷』中基業，乃盟主費心血築建而成，豈可就這樣拱手讓人……」

谷寒香笑接道：「你相信憑咱們『迷蹤谷』這點實力，可以抗拒住少林、武當兩派聯合的力量麼？」

鍾一豪道：「單憑武功實力雖難和兩派硬拚，但『迷蹤谷』中山道綜錯，天險自成，人人用命，足可阻擋兩派高手……」

谷寒香嬌聲笑道：「我們志不在阻擋兩派中人進入此谷，守此何用？我已經決定了，你不用再多說啦。」

鍾一豪道：「屬下遵命。」

谷寒香緩緩站起嬌軀，大聲說道：「眼下這綠林盟主之位，不過是徒有虛名而已，我大哥武功，何等高強，你們哪一個自信武功能夠勝過我的大哥？」

群豪面面相覷，答不出話來。

谷寒香星目流動，掃掠了群豪一眼，接道：「我大哥就死在那綠林盟主虛名之下，如果他不參加『寒碧崖』的群豪大會，不奪得盟主之位，他也不會死了，我們現在，仍然是一對快快樂樂的夫妻。」

她似是陡然間知道了很多事情，侃侃言來，只聽得群豪個個默然無言。

一陣山風，吹了進來，飄起她長長的秀髮，她舉起雪白的皓腕，理理吹散的長髮，星目流轉，嫣然一笑。

這一笑，風情萬種，全廳中群豪都為之心神一動，每人都覺著她那笑容，是為自己而發。

只聽那銀鈴般的嬌脆聲言，重又在耳際響起道：「我大哥取得了綠林盟主之位，也引起了少林、武當兩派中人對他的妒恨，才落得這般悽慘的下場；少林、武當兩派中人所以不肯揮戈殺來，無非在重新布署，如果諸位今日不走，只怕明日就再難離此地？我們實力無法和人家決戰，徒擁此綠林總寨之名，豈不是自惹麻煩？你們都是我大哥活在世上時的屬下，我才不惜口舌地這般相勸你們，聽與不聽，那就任憑你們了。」

舉步離開了台案，緩緩向前行去。

苗素蘭對谷寒香這番條理分明之言，大為驚奇，心中暗暗忖道：「原來她是胸藏玄機，只是昔日她不願用心多想，事事物物都依附在胡柏齡的身上。」

忽聽一個粗豪的聲音說道：「夫人要到哪裡去呢？」

谷寒香停步說道：「天涯海角，行蹤無定。」

那粗豪的聲音，高聲接道：「俺老王生平之中，從未遇得像胡盟主這樣大仁、大義的英雄，如今胡盟主雖已死去，俺老王對他崇敬之心，並未稍減，夫人既然要離此他往，俺們三兄弟，也要離開這『迷蹤谷』了，不知夫人有沒用俺老王之處？」

谷寒香淒涼一笑，道：「不用了。」又緩步向前走去。

王大康高聲說道：「夫人遊蹤嶗山腳下時，千萬請到三義莊中坐坐。」

谷寒香道：「多謝盛情，如若機緣趕巧，定去拜訪三位。」

「嶗山三雄」齊齊施了一禮，說道：「夫人保重。」

回手一招，立時有十六、七個勁裝大漢，奔了過來。

王大康一揮手，道：「咱們服的是胡盟主，如今他死了，咱們放著現成的逍遙自在日子不過，在這裡受人鳥氣，走啦！」他生性渾渾噩噩，說話沒輕沒重，說完了回頭就走。

霍元伽眼看「嶗山三雄」帶著手下之人離去，並未出手攔阻，似是谷寒香一番話，已使他雄心大消。

鍾一豪突然放聲一陣長笑，高聲說道：「夫人恩澤廣被，霍兄如願以償，輕而易舉地得了盟主之位了。」霍元伽臉色一變，欲言又止。

鍾一豪又是一陣縱聲大笑，道：「但願霍兄長命百歲，把這座天下總寨，整理得有聲有色，兄弟拭目以待。」

微微一頓，高舉右手一揮，道：「兄弟就此別過了。」大步向外走去。

左面排列的群豪，魚貫而出，隨在鍾一豪身後，出了大廳。

麥小明突然搶前了兩步，低聲對谷寒香道：「師嫂，咱們當真要走麼？」

谷寒香道：「窮山絕谷，留此何用？」

麥小明微微一笑道：「我們既然不要，那就不如放把火燒他個片瓦不存再走？」

十五　玉趾飄香

谷寒香正待答話，遙見一匹快馬疾奔而來。

麥小明翻身拔出寶劍，攔在谷寒香身前相護。

那快馬奔近谷寒香身前四、五尺處，突然停了下來，馬上人滾鞍而下，拜道：「大哥當真死了麼？」

谷寒香突覺一陣心酸，兩行淚水，奪眶而出，道：「姜宏，你們到哪裡去了？」

「出雲龍」姜宏泣道：「想不到三日小訣竟成永別！大哥現在何處？嫂嫂快帶兄弟去奠拜一下。」

谷寒香搖搖頭，道：「不用拜啦！我已把他藏了起來，等咱們生擒了殺他的仇人之後，再請出他的遺體，香花素果，人頭人心，奠祭在他的靈前，以慰他含屈冤魂。」

姜宏怔了一怔！目光投注到谷寒香的臉上，半晌說不出話來。他為人極重道義，對胡柏齡這位美麗的夫人，一向尊重無比，從未存過半點輕薄之心，目下這等相望，是他忽然發覺一向善良仁慈的谷寒香，忽然間性情大變。

谷寒香低聲問道：「你幹嗎只管瞧著我，為什麼不講話呢？」

姜宏如夢初醒般，迅快地垂下頭去，說道：「唉！大哥智慧絕世，數日之前，似是已經知道他將要遭遇到不幸！」

谷寒香奇道：「你這話當真麼？」

姜宏道：「小弟怎敢相欺夫人……」微微一頓，嘆道：「夫人剛才不是還問我們到哪裡去了麼？」

谷寒香道：「是啊！」

姜宏道：「三日之前，我們接盟主之令，趕往……」

他突然住下口來，目光環掃了鍾一豪、麥小明等一眼，接道：「大哥曾經相囑小弟，他要是有了什麼不幸，讓兄弟把夫人帶到他指定的地方，並留下一封手書……」

谷寒香急急接道：「那信上說些什麼？」

姜宏道：「信上指明由夫人親手拆閱，小弟等怎敢偷拆！」

谷寒香突然流下兩行淚水，伸出纖纖玉手，道：「快些給我，我要瞧瞧大哥那信上寫的什麼？」

姜宏道：「這個，這個……」

麥小明突然一揮寶劍，一縷寒芒，掠著姜宏頭頂掃過，冷冷接道：「什麼這個那個，快拏出來！」

姜宏瞪了麥小明一眼，又轉臉望著谷寒香道：「大哥指明，那封信必須要嫂夫人勞駕到他指定的地方之後，才能拆閱，兄弟不敢欺騙嫂夫人，但也不敢不遵從大哥的遺示！」

谷寒香舉起衣袖，拂拭一下臉上的淚痕，道：「你把那信拏出來，讓我瞧瞧大哥最後遺墨，好麼？」

姜宏沉吟了一陣，緩緩由懷中摸出一封信夾，高舉手中，道：「嫂夫人請看。」

谷寒香兩道目光凝注那信封之上，瞧了一陣，哭道：「果然是大哥遺墨……」

麥小明突然向前衝進一步，一躍而起，揮手向那信上抓去。

姜宏早已暗中戒備，一閃避開。

麥小明一抓未著，立時揮劍掃擊，他出手既快又辣，倏忽之間，攻出五劍，把這姜宏迫退了六、七步遠。

谷寒香柳眉一皺，大聲喝道：「你這野孩子，還不給我停手。」

麥小明陡然收入寶劍，疾退五步，笑道：「這人不聽你的話，難道我殺的還不對麼？」

谷寒香怒道：「你這般沒規沒矩的，以後，如何能和我走在一起？」

麥小明抓抓頭皮，笑道：「你高興怎麼罵，就怎麼罵吧！只要答應我追隨著你，就行了。」

姜宏不識麥小明，但見谷寒香已出言對他相責，不好再說什麼，淡淡一笑道：「這位小兄弟身手十分矯健，不知是什麼人？」

谷寒香道：「他是大哥的師弟，少不更事，不要和他一般見識。」

姜宏道：「無怪有此身手，原來和大哥同出一師。」

麥小明想反駁，但口齒啓動了一下，竟然忍了下去。

谷寒香回頭望望隨在鍾一豪身後的群豪說道：「這些人都要跟著我們走麼？」

鍾一豪道：「聽憑夫人裁決，如果無此需要，屬下可把他們遣散。」

谷寒香輕輕地嘆息一聲，道：「咱們行蹤，力求隱秘，帶著這樣多人，十分不妥，但日後咱們或有借重他們之處。」

鍾一豪道：「屬下遣他們重返江北，日後用得著他們之時，再由屬下趕往江北召集不遲。」

谷寒香緩緩點頭，道：「就這麼辦吧！」她微微一頓，又道：「我要去整理一下衣物，帶上孩子，你們在谷口外面等我。」

鍾一豪道：「霍元伽雖已坐得盟主之位，但其人陰險難測，屬下就在此地候駕，以策安全。」

谷寒香不再言語，微微一笑，緩步行去。苗素蘭、萬映霞、麥小明，緊隨身後而行。

鍾一豪低聲對余亦樂道：「余兄，咱們堵住大廳，不要霍元伽的人出來，封死他們的出路……」

余亦樂接道：「霍元伽的實力，並不弱於咱們，一旦動起手來，勢將鬧個兩敗俱傷之局，只要對方不找咱們麻煩，最好不要動手。」

鍾一豪揮手對姜宏說道：「姜兄請到谷口相候吧！」

姜宏一抱拳，翻身上馬，縱騎而去。

鍾一豪指揮手下，布成一座方陣，擋住了大廳出路，輕聲對余亦樂道：「余兄是否要追隨夫人？」

余亦樂道：「這個兄弟還在考慮之中。」

鍾一豪嘆息一聲，道：「過去我一直認爲她是一個嬌雅純潔的天使，可是現在……」

余亦樂接道：「現在你的看法變了，是麼？像她這般絕世姿色的人，也無法相夫教子，享受天倫的樂趣……」

鍾一豪道：「這話兄弟就有些不明白了？如若胡盟主還活在世上，英雄美人，豈不是一對很快樂的夫妻？」

余亦樂嘆道：「懷璧、美色，最易賈禍，縱然胡盟主不死，谷寒香也難和他白首偕老，沒有今日之禍，亦將是明日之憂！」

鍾一豪道：「兄弟還有些不大了解？」

余亦樂低聲說道：「兄弟有一個不當的例證，說將出來，鍾兄勿怪。」

鍾一豪是何等聰明之人，已聽出余亦樂話中之意，但又不便改口，只好裝著若無其事一般，道：「願聞余兄高論。」

余亦樂聲音低沉地說道：「假如胡盟主還活在世上，鍾兄可肯看著他們，歡歡樂樂的過一輩子麼？以此推論，正不知有好多人迷戀在谷寒香容色之下……」話到此處，倏而住口不言。

鍾一豪臉蒙著黑紗，無法看得他臉上的神情，只聽他輕冷的笑聲，從那黑紗中傳了出來，道：「眼下胡盟主已然逝去，『迷蹤谷』的群豪，也將隨著煙消雲散，余兄如肯相隨夫人……」

余亦樂接道：「這件事用不著鍾兄相勸，兄弟自會考慮決定。」

鍾一豪道：「兄弟甚望余兄能看在故去的盟主分上，幫助夫人，完成她復仇的心願。」

余亦樂笑道：「你要替她做說客麼？」

鍾一豪不再答話，緩緩轉過頭去，向大廳之中張望。只見霍元伽把屬下人等分成了三隊，由「嶺南二奇」和他各領一隊，看樣子大有向廳外硬衝之勢。

鍾一豪突然伸手從腰中抖出緬鐵軟刀，高聲說道：「余兄，人家找到頭上，咱們總不能束手待斃吧！」舉起手中軟刀一揮。

但見廳外群豪，一陣移動，「嚓」的一聲，全都拔出了身上的兵刃。

日光下寒光閃動，殺氣蒸騰，局勢忽然間緊張起來。

霍元伽一看敵陣形勢，心知己方如若硬行衝出，定然要吃大虧，當下高舉右手，搖動了一陣，緩和了群豪激動之情，低聲對「嶺南二奇」吩咐了幾句。

只見「嶺南二奇」不住點頭，大步直向廳外走了過來。

余亦樂急急說道：「鍾兄且不可傳令屬下出手。」

雙肩一晃，人已搶到了鍾一豪身前，拱手對「嶺南二奇」說道：「兩位請轉告一聲，片刻之後，我等即將全部撤走，有屈諸位大駕，在廳中多留片刻工夫……」

「拘魄索」宋天鐸冷笑一聲，道：「你們既有撤走之心，爲什麼還擺出這樣的陣式……」

鍾一豪大聲接道：「這叫做鐵卷屯羊，兩位如若不信，不妨出來試試？」

宋天鐸右手探入腰中，抖出拘魄索，左手抽出單刀，橫在大廳門口一站，冷冷笑道：「鍾

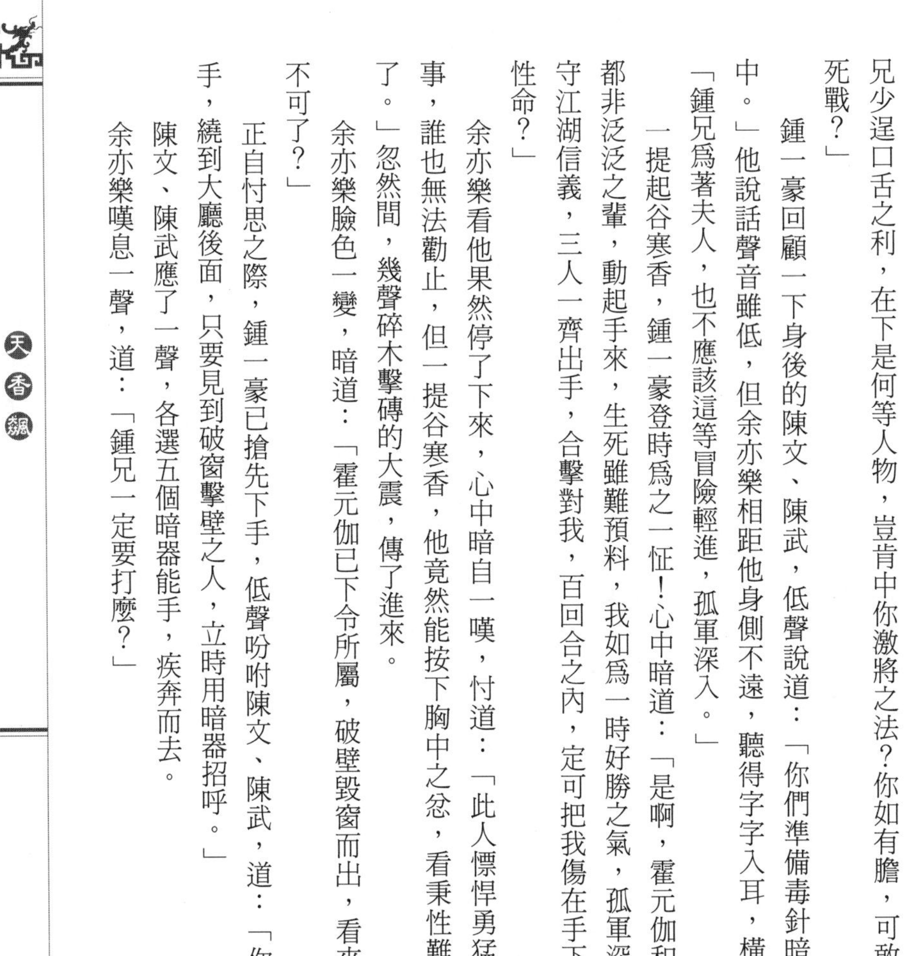

兄少逞口舌之利，在下是何等人物，豈肯中你激將之法？你如有膽，可敢進入廳中，和我決一死戰？」

鍾一豪回顧一下身後的陳文、陳武，低聲說道：「你們準備毒針暗器，跟我一起闖入廳中。」他說話聲音雖低，但余亦樂相距他身側不遠，聽得字字入耳，橫跨一步，低聲勸道：「鍾兄爲著夫人，也不應該這等冒險輕進，孤軍深入。」

一提起谷寒香，鍾一豪登時爲之一怔！心中暗道：「是啊，霍元伽和『嶺南二奇』，武功都非泛泛之輩，動起手來，生死雖難預料，我如爲一時好勝之氣，孤軍深入廳中，萬一他們不守江湖信義，三人一齊出手，合擊對我，百回合之內，定可把我傷在手下，豈不白白送了一條性命？」

余亦樂看他果然停了下來，心中暗自一嘆，忖道：「此人慓悍勇猛，性如烈火，要做之事，誰也無法勸止，但一提谷寒香，他竟然能按下胸中之忿，看秉性難移之說，也是未必的了。」忽然間，幾聲碎木擊磚的大震，傳了進來。

余亦樂臉色一變，暗道：「霍元伽已下令所屬，破壁毀窗而出，看來這場架，恐怕是非打不可了？」

正自忖思之際，鍾一豪已搶先下手，低聲吩咐陳文、陳武，道：「你們各選帶五個暗器能手，繞到大廳後面，只要見到破窗擊壁之人，立時用暗器招呼。」

陳文、陳武應了一聲，各選五個暗器能手，疾奔而去。

余亦樂嘆息一聲，道：「鍾兄一定要打麼？」

鍾一豪道：「事已臨頭，不是敵死，就是我亡，余兄如若怕受牽累，現在避開，時還未晚……」幾聲淒厲的大叫，遙遙傳了過來。

鍾一豪心知那是陳文、陳武帶人施放暗器，傷了敵人，當下舉刀一揮，大喝說道：「今日之戰，事關敵我生死存亡，勝則兼併江南地盤，敗則無立足之地……」

話還未完，突聞一聲大喝，「嶺南雙奇」齊齊躍衝出來。

余亦樂雖不願打，但事情臨頭，也只好接了下來，他爲人極富心機，衡量形勢，自己絕難置身事外，霍元伽早已把他看做鍾一豪的死黨，當下拔出鐵板，取下銅鑼，雙肩晃動，當先迎接強敵。

宋天鐸右手一抖，拘魄索點擊過來，一條軟索，吃他內力貫注之後，有如一根鐵杖點到。

余亦樂銅鑼揮動，「噹」的一聲，封開了拘魄索，身子一側，直欺而進，銅鑼護身，鐵板攻敵，一招「落筆生花」寒芒流動，幻起一片板影，分襲宋天鐸前胸三處大穴。

宋天鐸左手單刀，平胸掃出一招「霧起雲生」，一陣叮叮咚咚之聲，把余亦樂疾攻而來的板影，震盪開去。倏忽之間，彼此各攻一招，雙方前進之勢，一齊停住。

這時「搜魂手」巴天義已和鍾一豪動上了手，鍾一豪勇猛過人，一出手，就全力搶攻，刀光霍霍，幻起一片似雲似霧的光影，縱劈橫斬，搶盡先機，巴天義登時被迫得節節後退。

這時，鍾一豪布成的方陣，也隨著發動，但見兵刃耀目生光，層層圍了上來。

「嶺南雙奇」被余亦樂和鍾一豪猛烈地反擊之勢，擋在大廳門口，難越雷池一步，以後其他之人無法衝出廳外。激戰之中，忽聽霍元伽暴喝一聲：「閃開！」

「嶺南雙奇」手中招術一緊，全力搶攻三招，把鍾一豪和余亦樂迫開兩步，讓開一條路來。一條人影，由大廳疾衝而出。

鍾一豪突然橫削一刀，逼得巴天義又向後退了兩步，翻身一躍，直向疾飛出廳的人影迎去，身懸空中，招術已發，一刀「穿雲取月」直刺過去。

來人雙足還未落實地，鍾一豪緬刀斜裡刺到，只聽他冷哼一聲，直向前面飛來的身子，突然向下一沉，右腕一揮，一道烏光，疾飛而起，反向鍾一豪小腹點去。

鍾一豪一刀擊空，已知對方必然有極辛辣的招術攻來，立時懸空一個倒翻，倒退了七、八尺遠。就這一瞬工夫，那圍守四周的人已紛紛衝了上來，刀槍並擊，齊齊向霍元伽攻了過去。

霍元伽大奮神威，手中蛇頭軟鞭，呼地橫掄了一百八十度！

他腕力驚人，但聞一陣金鐵交擊之聲，十數件兵刃，盡吃他封架開去。

就這一緩之間，廳中之人，已如潮水一般，急急向外湧出。

鍾一豪突然大喝一聲：「回去！」右手一揚，一蓬銀線電射而出。

只聽一陣此起彼落的悶哼之聲，當堂倒下了十三個，餘下的果然爲鍾一豪這歹毒絕倫的追魂針所懾，立時又回頭奔入了大廳之中。

鍾一豪得手，朗朗一陣大笑，喝道：「你們都退開去，我要和霍元伽單獨拚個死活出來。」

圍攻霍元伽的群豪，聽得鍾一豪大喝之聲，紛紛向後退開。

霍元伽回目一顧死傷的屬下，雙目中暴閃出忿怒的火焰，道：「鍾一豪，咱們今日最好不死不休！」

鍾一豪橫刀笑道：「好極，好極，今日不是你死，就是我亡！」舉手一刀「天女飛花」斜斜劈去。

霍元伽揮起漫天鞭影封開這一刀，說道：「別人怕你追魂針的暗器，我霍某人卻是不怕，你有好多，儘管施展。」

鍾一豪縱聲大笑，道：「你不用怕，只要『嶺南二奇』不出手相助，我絕不施展毒針就是，不用多囉唆，快些動手啦！」

說話之間，欺身而上，揮刀搶攻，「唰，唰，唰」連劈三刀！

霍元伽被他陡然間的快攻，逼得退了兩步，正待揮鞭反擊，忽聽一個嬌若銀鈴的聲音，喝道：「鍾一豪，快退下來，不要和他動手。」

這聲音雖然柔媚婉轉，但鍾一豪卻如奉綸音，翻身一躍，退後八尺。

霍元伽抬頭看去，只見谷寒香一身玄裝，披蓬飄飄，肅容而立。她的美麗，仍然耀目生花，但緊繃的臉上，卻流現出一股前所未有的肅殺之氣，只聽她清脆、冰冷的聲音，飄傳過來，道：「霍元伽，你已得了盟主之位，難道還不滿足？可是想留難我們麼？」

霍元伽急急說道：「在下並無此心，但鍾兄下令屬下，圍了大廳，迫得屬下不得不出手自保了。」

谷寒香冷然一笑，回頭對鍾一豪道：「咱們走啦！」轉過身子，直向谷外走去。

鍾一豪帶領群豪，排了長長的行列，緊隨在她身後。

這情景使群豪回想到，相隨胡柏齡初入「迷蹤谷」的情景，那時間每人都雄心萬丈，豪氣干雲，曾幾何時，形勢大變？來時、去時，兩樣心情。

山風飄起谷寒香的衣袂，她回顧著兩側山勢，初入此谷時，她走在最後，但當出谷時，她卻走在最先，胡柏齡那雄偉身影，不住在她腦際盤旋，只覺山色模糊，兩行情淚已順腮而下。她舉手拂拭一下臉上的淚痕，茫然地向前走著。

峻拔的山峰，一個個都幻成胡柏齡魁梧的身形，深深的懷念與痛苦，又在她心中燃燒起仇恨的怒火，她回頭望一下緊隨她身後的孩子，暗暗地嘆息一聲，忖道：「大哥死去了，就像散了的雲煙，連一脈骨血也未留下，這孩子雖非大哥的骨肉，但他是大哥用盡了心血救活得性命，我得要好好地撫養他成人長大。」善良的天性，從她滿腔復仇的怒火中，重又萌芽。

太陽逐漸向西山落去，天際間泛起了半天美麗的彩霞。

谷口處並排站著了四個雄偉的大漢，每人的臉色上，卻是一片沉痛。

那最左一人，突然急步迎了上來，抱拳一個長揖，道：「行途遙遠，山道崎嶇，嫂夫人請上馬趕路吧！」

谷寒香輕輕嘆息一聲，道：「姜宏，你們『江北五龍』只餘下四個了……」

姜宏黯然答道：「錢兄弟死啦！」

谷寒香道：「我想起了你們初和大哥相會的情景，唉！曾幾何時，大哥和錢兄弟，竟然先後死去，這仇恨你們不能忘去。」

姜宏正容答道：「嫂夫人放心，但有用得兄弟之處，赴湯投火，萬死不辭。」

谷寒香淒涼一笑，回過頭對鍾一豪道：「咱們要趕路了，不能再這樣多人走啦！」

鍾一豪一抱拳道：「屬下就把他們遣散。」

縱身躍上一塊巨岩之上，高聲說：「盟主已死，『迷蹤谷』領導無人，夫人雖有承繼盟主大志之心，但眼下時機不對，必得暫時隱秘行蹤，勢難帶著諸位同行……」

他微微一頓之後，又道：「眼下諸位先請返回江北舊地，日後如有借重之時，兄弟再到江北相請。」

群豪一陣騷動之後，有人高聲答道：「我等極願追隨夫人，替盟主復仇，雖死無怨。」

一句話群情激動，此起彼落，盡都是替盟主復仇之聲。

鍾一豪大聲喝道：「快些住口，有話慢慢說。」

群豪吃他一喝，果然肅靜下來。

谷寒香突然接口說道：「不要這樣對他們。」

緩步向人群之中走去。

苗素蘭怕她有失，低聲對萬映霞道：「照顧著孩子。」緊搶兩步，和她並肩而行。

但見群豪紛紛抱拳，退到一側，替她讓出一條路來。

谷寒香美麗的面頰上，流現著淒涼的笑意，緩步從群豪身前走過。

她胸中燃燒著復仇的怒火，心念轉動，忽然覺著這些人都是有用之才，她大膽地伸出雪白的皓腕，纖纖玉指，向身前一個全身深藍勁裝大漢手上一握，道：「爲死去的盟主復仇，多多

珍重身體。」

那人受寵若驚得呆了一呆，道：「夫人但有用得小的之處，粉身碎骨，亦不自惜。」他說得真情激蕩，熱淚盈眶，顯然那是發自內心的承諾。

谷寒香黯然一笑，緩行一步，又和第二個人握手低囑。

她緩步繞行在群豪面前，每個人都經她一握玉手之緣。

要知那時代的男女防界甚嚴，谷寒香這等膽大的舉動，幾使人難以置信。

她美麗的容色，原使人有著不可逼視的感覺，每一個和她握過手的人，都在心底留下了極深的回憶和溫馨，也征服了一百餘顆心。

太陽沉下了西山，山深日早暮，夕陽更暫短，轉眼已是暮色蒼茫時分。

谷寒香高舉著右手，輕輕地搖揮著，道：「諸位多多保重了。」舉步跨上馬鞍。

不知什麼人，扯開了喉嚨，高聲喊道：「夫人保重。」

一起群和，空谷傳音，剎那間，滿山同鳴，盡都是「夫人保重」之聲。

數百道目光，一齊投注她的身上，蹄聲得得中，放轡而去。

苗素蘭突然想到，一直未見到文天生的面，忍不住低聲問萬映霞道：「萬姑娘，令師兄哪裡去了？」

萬映霞道：「我也不知道啊？」口中雖是說得滿不在乎，但卻掩不住眉宇間憂苦之色。

「出雲龍」姜宏接道：「萬姑娘不用憂慮，令師兄早已在那裡等我們了！」

萬映霞微微一笑，道：「我才不管他呢！」

谷寒香回過頭，問道：「那地方很遠麼？」

姜宏道：「雖不太遠，但山道崎嶇，只怕也得要一天以上的行程。」

谷寒香輕輕嘆息一聲，道：「大哥生平之中，從未欺瞞過我，但這件事我竟然事先毫不知道？」

姜宏道：「那是一片人間仙境，世外桃源，唉！盟主似早已料到了身後之事……」他似是自知失言，倏而住口，不再接說下去。

麥小明突然接口說道：「哼！天下的風景，只怕沒有超過天台『萬花宮』……」他也似突然警覺自己說溜了嘴，趕忙住口不言。

但那「天台萬花宮」已引起鍾一豪、余亦樂的注意，齊齊把目光投注過來。

麥小明冷冷地說道：「你們瞧什麼？哼！」

鍾一豪冷笑一聲，轉過頭去。

余亦樂卻是微微一笑，道：「小兄弟好大的火氣？」

麥小明冷笑一聲，道：「怎麼樣？」

余亦樂笑道：「你又想和我打一架麼？」

麥小明突然咯咯大笑道：「不論什麼人，只要招惹到我，我就不放過他去，我一生就是不願吃虧！」

余亦樂輕輕一拂長袖，笑道：「當今之世，狠人甚多，如若小兄弟這脾氣不改，只怕日後有得苦頭要吃！」

麥小明道：「不用勞駕費心，我死了也不關你事。」

余亦樂微微一笑，不再理他。

兩人對答之言，早已聽在谷寒香的耳中，心中甚感奇怪，暗道：「不知那『天台萬花宮』是個什麼所在？麥小明何以不肯告人？」心念一動，回頭問道：「麥小明，那『天台萬花宮』是什麼地方？」

麥小明怔了一怔，道：「『天台萬花宮』麼？是一處風景很好很好的地方。」

谷寒香微微一笑，道：「你去過那地方麼？」

麥小明道：「去是去過，不過……不過……」

谷寒香心中疑竇更大，接道：「不過什麼？」

麥小明被谷寒香迫急的追問，逼得面紅耳赤，頭上汗水，滾滾而下，長長嘆了一口氣，道：「不過不能告訴別人。」

谷寒香道：「爲什麼？」

麥小明道：「因爲那地方從不許生人涉足，去了就別再想活著出來。」

谷寒香道：「有這等事？」

麥小明道：「我如對師嫂有一句謊言，天誅地滅！」

谷寒香笑道：「這麼說來，咱們真得要到那地方瞧瞧了，等咱們定居下來，你帶我去吧。」

悍不畏死的麥小明，聽得谷寒香的話後，突然臉色大變！搖搖頭道：「師嫂要我殺人放火，上天入地，我都可以答應，唯獨要我帶你去『天台萬花宮』一事，卻萬萬不可！」

谷寒香道：「愈是不能去的地方，我就愈想去，你如不肯帶我去，咱們就永別見面了。」

麥小明苦笑一下，道：「如果師嫂一定要去，你就先把後事安排一下。」

谷寒香看他說得十分認真，心中更是奇怪？暗道：「難道那地方當真不能去麼？」略一沉忖，問道：「可是那裡有毒蛇、猛獸，人跡難到？」

麥小明道：「如果是猛獸、毒蛇，我也不怕了，但那裡住的是人……」

此時的谷寒香已然非昔日的吳下阿蒙，胡柏齡的死，使她性格大變，她似是陡然知道很多事情，而且對人、對事，也不像先前那般毫無心機，只聽她輕輕嘆息一聲，道：「那地方既然住的是人，又有什麼可怕呢？你如一定不帶我去，我就自己一個人去了。」

麥小明突然恢復慣有的笑容，道：「去就去吧，反正一個人只能夠死上一次，早死和晚死，都是一樣。」

谷寒香星目流動，打量了鍾一豪和余亦樂一眼，想從兩人神色之中，看出一點蛛絲馬跡。但見兩人神情嚴肅，一語不發，似是不敢對那「天台萬花宮」置評。

谷寒香故意嘆息一聲，道：「鍾一豪，你去過『天台萬花宮』麼？」

鍾一豪道：「屬下沒有去過。」

麥小明咯咯一笑，道：「師嫂不用問了，當今之世，除了我之外，再也沒有人能答覆你的問話。」

谷寒香奇道：「為什麼？」

麥小明道：「因爲那些去過『天台萬花宮』的人，絕不會再活在世上，不是永淪爲宮中奴役，就是死在天台，屍骨無存。」

谷寒香好奇之心大熾，忍不住問道：「縱然死也該留下屍體才對，爲什麼會屍骨無存？」

麥小明道：「那『天台萬花宮』中，養了一批很美麗的鳥兒，最喜歡生食人肉，但如死人過了兩個時辰，牠們就不再吃了。」

谷寒香道：「那些鳥兒，定然長得十分難看，如何能當得『美麗』二字呢？」

麥小明笑道：「那些鳥也不知生長何處，但每個的羽毛，都生得華麗異常，翠綠、緋紅，繽紛奪目，看去有如五彩雲虹，但生性卻是殘忍無比，我曾經眼看兩個武林高手，生生被那鳥兒撕得片片碎裂。」

谷寒香嘆息一聲，道：「如若咱們也能養些和牠們一樣的鳥兒，那就好了。」

苗素蘭道：「養那鳥兒做什麼？再厲害的鳥兒，也無法和人相爭。」

麥小明冷笑一聲，道：「你知道什麼？哼！那些鳥兒，一個個鋼爪鐵嘴，啄石成粉，縱是武功很高之人，被牠啄上一口，也要皮破血流。」

萬映霞接口說道：「你就不會用手中兵刃打麼？站在那裡讓牠啄呀？」

麥小明道：「一隻、二隻可以對付，如若百隻、千隻，掩雲蔽日而來，如何能對付得了？」

谷寒香道：「那麼多鳥兒，牠們不會飛走麼？」

麥小明道：「這我就不知道了，牠們爲什麼不肯飛去？」

谷寒香忽然微微一笑，道：「那『天台萬花宮』中主人，能養這樣厲害的鳥兒，本領一定是很大了？」

麥小明欲言又止，口齒啓動了兩下，重又閉上了嘴巴。

余亦樂、鍾一豪、苗素蘭，都默然隨在谷寒香馬後，顯然都被「天台萬花宮」這五個字所吸引，都想聽一點端倪，但又知麥小明生性慓悍，除了谷寒香外，誰也和他說不上話，只好默然不語，讓谷寒香來追問於他。

只見谷寒香回過頭來，望著麥小明道：「你在『天台萬花宮』中住了很久，想來定然知道那宮中主人的本領了？」

麥小明無可奈何地說道：「他武功之高，當今武林之中只怕難有他的敵手，只不過他不能離開『萬花宮』中一步罷了，如若他能夠離開『萬花宮』，武林形勢，早又另是一番局面。」

谷寒香道：「難道他沒有腿麼？為什麼不能離開『萬花宮』呢？」

麥小明道：「師嫂說得不錯，他正是沒有腿了，他練武功，練得走火入魔，不但自斷雙腿以保性命，而且人也練成了半身癱瘓，除了那座『萬花宮』外，難出宮門一步。」

谷寒香笑道：「那咱們就不怕他了，他不能出宮門，咱們守在宮外，他就沒有法子了。」

麥小明搖搖頭說：「那是一片禁地，到處都有守護之人，只要你進了那禁地一步，就別想再出得來了。」

谷寒香嫣然一笑，不再多問，一抖韁繩，放馬向前奔去。

天色完全地暗了下來，山道崎嶇，馬行已極不易。

「出雲龍」姜宏突然橫跨一步，抓住了谷寒香的馬韁，說道：「夫人請休息一陣，待月亮上來之時，再走。」

谷寒香微微一笑，跳下馬來，在路邊一棵矮松旁坐下。

姜宏接過馬去，牽到一處山泉地方，讓牠飲些泉水。

這群人中，除了谷寒香外，都是步行趕路，她已下馬休息，群豪也都旁著那矮松停下。

余亦樂目光一掃群豪，抱拳說道：「夫人前途保重，屬下想就此拜別。」

谷寒香怔了一怔，道：「你要走麼？」

余亦樂道：「屬下自愧無能，無法替盟主報仇，追隨左右，也是無補大局。」

谷寒香緩緩站了起來，長長嘆息一聲，道：「大哥在世之時，常對我說起先生老謀持重，今日借重之處正多，先生卻要告別……」

她說得真情激蕩，熱淚滾滾，順腮而下，雙目神凝，盯住在余亦樂的臉上。

余亦樂一和她目光相觸，立時感到心頭一震！只覺她目光中充滿淒涼和誘惑，不自禁心神震蕩，趕忙垂下頭去，說道：「夫人已有鍾兄和苗姑娘等隨身相護，屬下縱然留隨身側……」

谷寒香幽幽接道：「鍾一豪和先生才具各異……」她微微一頓之後，忽然面上泛現出美麗笑容，道：「當今武林之中，只怕再難找出我大哥那等文武兼具、智勇雙全的人了。」

她輕嘆口氣道：「你們不要生氣啊！事實上，你們武功、機智，都比我大哥稍遜一籌。」

余亦樂大笑道：「何只稍遜一籌？事實上是難及萬一。」

谷寒香柔媚一笑，道：「鍾一豪只能夠衝鋒陷陣，斬將奪關，勇猛有餘，智慮不足；至於

料敵判事，運籌帷幄，那就要借重先生了，唉！把你們兩個人加在一起，也只能算得我大哥一半，要是你再走了，我這復仇的力量，豈不又要削弱甚多？」

這些話如若從別人口說出，余亦樂縱然不致發作，亦必拂袖而去，鍾一豪更難忍受，但從谷寒香的口中說出，兩人竟然能默默聆聽，毫無怒意。

麥小明忽然咯咯一笑，目光掃掠過苗素蘭和萬映霞，道：「咱們三個人是沒有用啦！」

谷寒香轉過臉來，怒道：「你胡說八道些什麼？」

麥小明大眼睛眨動了兩下，道：「師嫂不用生氣，算我沒有說，也就是了。」

余亦樂沉吟了良久，道：「屬下蒙夫人如此看重，心中感激莫名，夫人如若一定要留用屬下，但望能答應我一件事情。」

谷寒香道：「不論什麼我都答應，你儘管提出來吧。」

余亦樂道：「屬下追隨夫人，只能聽命於外，不願主謀大局。」

谷寒香道：「先生才重一時，大局全仗主持，何以不肯受我重託？」

余亦樂微微一笑道：「屬下之意，是期望夫人指命屬下主謀一事，就該一心一意信託於我，凡夫人交我之事，最好別再多問。」

谷寒香輕輕嘆息一聲，道：「我已明白了你的心意，不用再多說啦。」

余亦樂突然抬頭望著天上星辰，說道：「夫人才華絕代，容色無倫，胡盟主在世之日，夫人心有所託，一意於相夫教子，不願多問盟主之事，一般人不解內情，只道夫人當真一位閨閫弱女。」

谷寒香淒涼一笑，接道：「我和大哥相處之時，什麼事也不願去想，不願去懂。」

余亦樂道：「自從盟主死後，夫人開始運用自己的智慧，雖是才智初展，但已鋒芒畢露，這今後主謀大局之任，還得夫人親費心力，屬下等只不過從旁相助，聽命行事而已。」

谷寒香微微一笑，道：「先生太誇獎我了，大哥智勇過人，生前已為我預置下退居之地，但不知他的安排，是否和我心願相合？」

余亦樂仰首望天，緩緩接道：「胡盟主胸襟廣大，事事為人，以在下想來，他預為夫人布設之路，那該是一條平和安靜之境。」

谷寒香淒然說道：「我不能替他養兒生女，繼承父志，這為他復仇一事，只有我一身承當了。」緩緩轉過身去，登上馬背，放轡而去。

這是一段崎嶇的行程，谷寒香胯下坐馬，雖然是重金選購的良駒，一夜急趕，也跑得滿身大汗，曙光初露，那健馬已然不支倒地。

「出雲龍」姜宏急急趕了上來，說道：「夫人，這馬已經不行了，而且前面險地天成，馬也無法再走，讓兄弟等抬……」

谷寒香接道：「我昔日曾隨大哥，終年奔走在深山大澤之中，不論何等之地，我都走過，這一點山路，我就不能走麼？」

「多爪龍」李傑說道：「嫂夫人不用固執，我們早已備好了竹轎……」

說話之間，「噴火龍」劉震、「飛天龍」何宗輝，已從道旁一株巨松之後，抬出一頂竹轎出來，敢情他們早已備好竹轎，存放那松樹之後。

鍾一豪道：「夫人連日憂傷未眠，只怕體力早已不支，不用再推辭了。」

谷寒香略一沉忖，坐上竹轎，又從李傑手中要過孩子；劉震、何宗輝抬起竹轎，姜宏搶先帶路，直向一座高峰上面攀去。

這高峰立壁如峭，雖有矮松、垂藤可以攀登，但走來亦甚吃力。劉震、何宗輝抬著竹轎，更是走得滿頭大汗，足足走了將近一個時辰，才登上峰頂。

姜宏遙指對面山峰上倒掛下一片瀑布，說道：「咱們過了那片瀑布，就到了。」

余亦樂極盡目力望去，但見山色凝翠，瀑布如雪，難見一點蛛絲馬跡，忍不住問道：「那瀑布後面還有人家麼？」

姜宏道：「瀑布旁側，有一個裂開的山縫，僅可容兩人並肩而過，過了那條狹道之後，就是咱們要去的地方，那地方山花繽紛，景色幽絕，當真是一片世外桃源。」

谷寒香道：「咱們沒有帶食用之物，那地方既是人跡罕至，難道咱們終日生食野果不成？」

姜宏道：「不勞嫂夫人費心，胡盟主早已代我們準備了，裡面有存糧，足供我們一行人兩年之用。」

余亦樂微微一愕！口齒啓動，欲言又止，當先走下絕壁。

群豪魚貫而行，下了一段峭壁，半山腰有一道羊腸小徑，通那垂瀑所在。

姜宏搶先一步帶路，繞著小徑直向那瀑布走去，這是一條坡度甚大的小徑，下臨百丈絕壑，小徑之外，盡是生滿青苔的石壁，只一失足，勢必跌入那絕壑之中，摔個粉身碎骨不可。

在這等天然險地下，群豪縱有極好的輕身武功，也不敢冒險疾行，舉步維艱，如履薄冰。

那瀑布雖然一目可及，但他們也走了一個時辰左右才到。

姜宏輕車熟路，身子一側，直向那垂瀑下面行去。

谷寒香低聲說道：「讓我下來走吧。」

劉震、何宗輝這一陣攀山履險，體力已感不支，依言放下竹轎。

麥小明突然一側身子，從苗素蘭、萬映霞身側衝過，抱著那孩子，說道：「我背著他走吧。」此人年紀幼小，但確有著視生死有如兒戲的豪氣，山徑上滿濺水珠，滑溜異常，他竟然從人側疾行而過。

谷寒香怨聲說道：「小心一些，摔壞了孩子，你就引咎自絕，永別見我。」

麥小明笑道：「你放心好了，除非我跌入絕壑之中，絕然傷不著他。」緊隨姜宏身後，穿入那瀑布之中。

群豪魚貫而行，進入那暴瀑之下，但覺水露拂面而過，人已隱入瀑布之下。

原來這瀑布後面，有一道丈餘高低的突岩，水勢從那突岩衝下絕壑，貼壁處倒滴水皆無。

行約四、五十丈，姜宏突然低了下來，道：「到啦！」一轉身向山壁裡面走去。

去路突然折轉，後面之人看去，只道他衝入山壁之中。

這時，日光全被那倒垂的瀑布遮去，群豪如行在濃霧掩遮之下，但覺曲曲轉轉，又行了兩里多路，景物突然一變。但見一片繽紛花色，燦爛奪目，景物突然開闊。

姜宏縱身一躍，跳了下去，回頭說道：「這地方就是了。」

原來繞道到了此地，突然中斷，距實地成了七、八尺高低一道斷崖。

群豪依序跳落實地，打量四周的形勢，谷寒香輕輕嘆息一聲，道：「這地方當真是美！」

余亦樂道：「四面高山環繞，立壁如峭，僅有一條出入之路，又被垂掛而下的瀑布掩遮，這一條山谷的夾縫也不過兩、三尺寬，只要把這一條夾縫堵死，或是由一、兩個武功高強的人守住要道，可算得一夫當關，萬夫難入。」

這是一塊群山環繞的盆地，形勢隨著那突起的山勢，成爲狹長之狀，也許是土質沃肥，氣候適宜花草生長，滿地盡都是盛開的山花，五色繽紛，目不暇接。

姜宏帶著群豪，穿行在花叢之中，走約二、三里路，在一片高聳的樹林前面停下。這片樹林只不過兩、三畝地大小，林中滿生著二寸長短的青草，一片綠苗青翠欲滴。

姜宏回頭對谷寒香道：「不知何人，在這林中建了幾座木屋，周圍環以竹籬，哪知那些竹籬木牆，竟然活了起來？」

萬映霞「啊」了一聲，道：「有這等事？姜叔叔快帶我們去瞧瞧。」

麥小明冷笑一聲，道：「有什麼好瞧的？這土地之中水分充足，山谷又成東西狹長之勢，可獲充足陽光，最適合草木生長，只要那竹木有一端能和土壤相接，獲得一線生機，就不難枯木復活，哼！少見多怪！」

群豪都未料到他小小年紀竟然知道這樣多事，甚感意外，不自覺都把目光投注到他身上。

麥小明眉頭一皺，大聲說道：「你們看什麼？我講的不對麼？」

余亦樂笑道：「就是高論大有見地，我們才投以敬佩的目光。」

麥小明道：「哼！你不用給我戴高帽子。」

谷寒香聽他一開口就不給人留下台階，心中甚是氣惱，大聲喝道：「放下我的孩子。」

麥小明怔了一怔，依言放下手中孩子，道：「怎麼啦？我又沒有惹你？」

谷寒香道：「你這野孩子，沒有一點教養，不論對誰說話，都是沒輕沒重。」

麥小明聳聳肩膀笑道：「我從小就沒爹、沒娘，又無兄嫂，自然沒有人管我了。」

谷寒香道：「你以後再要這樣蠻橫，那你就早些請便吧，我這裡留你不得。」

凶殘成性、慓悍絕倫的麥小明對待谷寒香倒是十分服貼，搖搖腦袋，笑道：「我以後對人和氣點也就是了。」

姜宏怕谷寒香餘怒未息，再出口責罵，趕忙抱起孩子，說道：「那居屋就在前面，咱們瞧瞧去吧。」當先帶路行去。

群豪隨他身後，走約十幾丈遠，果見兩幢枝葉嫩綠的房子，停在面前。

谷寒香急急奔了過去，推開籬門，直向屋中走去。

這座房屋築建得十分高大，房中也十分寬暢，一座廣闊廳房外，還有兩間隔離的房間。

谷寒香推開左面複室房門，但見錦榻、繡被，鋪設得十分整齊，不禁輕輕「啊」了一聲！

仔細看去，不但那室中錦榻、粧台布設的位置，和自己在「迷蹤谷」時一般無二，而且帳被的色彩，也都是自己平時極喜愛的顏色，不禁微微一怔，暗道：「我喜愛這些顏色，除了大哥之外，別無人知，難道他們預備的這般巧合麼？」

正忖思間，忽聽姜宏的聲音傳了過來，道：「大哥遺書，嫂夫人可要過目麼？」

谷寒香急道：「快拏進來吧！」

繡簾起處，姜宏緩步而入，雙手捧著一封書信，恭恭敬敬地交到谷寒香手中之後，立時退了出去。

信封上寫著「書奉賢妻粧前親拆」八個大字，字跡蒼勁，龍飛鳳舞，正是胡柏齡的手筆，谷寒香睹書思人，兩行清淚，不自禁地滾了下來；她緩緩移步榻前，坐下了嬌軀，然後恭恭敬敬地拆閱信套，凝目望去，只見上面寫道：

香妹，拆閱此信之時，小兄已然不在人間。

只見得這行字，立覺一股憂傷、悲忿之氣湧了上來，「哇」的一聲，大哭起來。

等候在廳中的群豪，聽得這大哭之聲，立時奔了進去。

谷寒香淚眼流轉望了群豪一眼，用衣袖拂拭一下淚水，道：「你們請退出去吧。」

群豪見她無恙，一個個依言退去，只有苗素蘭站著不動。

谷寒香望了她一眼，道：「你怎麼不出去呢？」

苗素蘭道：「我要留在這裡照顧你。」

谷寒香若有所悟地「嗯」了一聲，道：「你也是大哥的紅顏知己，咱們一起看他的遺書吧。」

苗素蘭別過頭，向下看去……

人生百歲，難免一死，我死之後，尚望香妹節哀順變，十年夫妻，恨無一酬，反害你以纖纖弱質，伴著我亡命天涯，每念及此，彈劍長嘯，立志以餘年殘生，酬報香妹錯愛之情，但江湖險詐，風波重重，小兄滿身罪惡，兩手血腥，既不能見諒於正大門派，又不容於綠林道上，一己之力，回天何易？

但香妹情意深重，我豈能畏艱避死，獨善其身？立志之日，已下定必死之心，香妹知我，想能諒我由衷，濺血創下，橫屍荒野，實是償我心願。

此地隔絕塵寰，不啻世外桃源，幽谷無名，姑題天香，就正於香妹粧前。

谷寒香抬起頭來，望了苗素蘭一眼，幽幽說道：「姊姊，他早已知道自己要死，但卻不肯避禍遠走……」只覺悲從中來，伏在苗素蘭懷中大哭起來。

苗素蘭輕輕嘆息一聲，拂著谷寒香秀髮，勸道：「夫人，請暫時按下悲苦之心，聽我幾句話好麼？」

谷寒香看她臉色莊嚴，說得十分認真，果然停下哭聲，拂拭一下臉上淚痕說道：「姊姊有什麼事？」

苗素蘭道：「胡盟主爲人，昔年我也聽人說過，他沒有騙你，過去，他確是一個兩手血腥，無惡不作的人，如若夫人早知道了他已往之事，只怕不會再對他這般用情。」

谷寒香道：「過去的事我沒看到，他自己雖然常和我提起，但我無法相信，因爲我們相識之後，他是那樣的善良和藹，多少人苦苦相迫於他，逼他動手，但他都忍氣吞聲，打不還手，罵不還口，有時連我都忍不下去，可是他卻安之若素，任人羞辱，他帶我奔走在深山大澤中，逃避那些窮追不捨的仇人，我們露宿在霜風之下，食水果、野草充飢……」

苗素蘭道：「你們就不會打點飛禽走獸吃麼？」

谷寒香道：「因爲我不願殺害生靈，他就跟著我吃山果、野草；我看到人家用兵刃刺傷他，鮮血像雨滴，濕了他半身衣服，他都能默默忍受，不肯還手，那些人武功都不如他，只要他一還手立時可把對方傷在手下。」

苗素蘭淒涼一笑，道：「他對你用情如此，當真是世所罕見，他爲了要你快樂，甘願忍受傷痛、羞辱。」

谷寒香道：「近年來我沒有見他做過一件壞事，但他終於死了，而且殺他的又都是被認爲江湖上正大門派的人，我親眼看他濺血橫屍，這個仇我如何能夠不報？如何能忍下？」

苗素蘭嘆息一聲接道：「咱們先看完他的遺書，看看他的心意再說，好麼？」

谷寒香搖搖頭，道：「不用再往下看，我就知道，他一定不肯讓我替他報仇，要我安居此地，快快樂樂地過一輩子。」

苗素蘭凝目望去，果見接著寫道：

東室藏書，西室埋寶，望香妹隱名暫居於天香谷中，教子為樂，養息三年五載，再出此谷，千萬別存為我復仇之想，因我曾親手拆散了無數的和諧家庭，將人比己，其咎在我，望香妹能依我遺書之言，則小兄雖死，亦含笑泉下了，臨書依依，不勝懷念之情。

胡柏齡絕筆

苗素蘭一口氣讀完遺書，黯然嘆道：「夫人猜得不錯，他要你暫居此地，三、五載後再出此谷。」

谷寒香急道：「不要講啦，這書信由你保管著吧。」

苗素蘭怔了一怔！接過遺書，道：「夫人當真不看下文了麼？」

谷寒香突然挺身而起，滿臉堅決之色，道：「不看啦！看了我會不忍拂違他遺書之意，他的仇，就永遠無法報了。」

苗素蘭接過遺書，摺疊得整整齊齊，放入懷中，說道：「夫人替盟主復仇之心，如此堅決，不知是否已有良策？」

谷寒香淒涼一笑，道：「沒有，但我將不計一切犧牲，要達到復仇之願。」她微一停頓之後，又道：「姊姊，你也是大哥的紅顏知己，以後你別再叫我夫人了，咱們就以姊妹相稱，你長我幾歲，就叫我一聲香妹吧。」說話之間，竟然盈盈拜了下去。

苗素蘭嚇得心中一跳，道：「這個你要我如何擔當得起？」眼看已無法扶起谷寒香來，只

好也慌急地拜倒地上。

谷寒香道：「替大哥復仇之事，望姊姊助我相謀，你如不答應，我就跪地永不起來。」

苗素蘭道：「夫人這等看重賤婢，賤婢怎敢不……」

谷寒香道：「你又叫我夫人了？」

苗素蘭感動得雙目淚下，挽起谷寒香一雙玉腕，道：「妹妹快些請起，姊姊當竭盡所能，助妹妹報仇就是。」

谷寒香道：「多謝姊姊。」兩人相扶而起。

苗素蘭凝目沉思了一陣，道：「妹妹如真的要替胡盟主報仇，絕不能常駐在此谷之中。」

谷寒香道：「姊姊有何良策教我？」

苗素蘭低聲說道：「鍾一豪、余亦樂都是當今綠林道上的一時人傑，妹妹可改裝遊蹤江湖，以兩人武功為準，凡是超越兩人武功者，一律網羅手下。」

谷寒香道：「此事說來容易，做去只怕非小妹才智能及……」

苗素蘭道：「我在『陰手一魔』那裡，學了他不少鬼鬼祟祟的東西，就用這一些詐術，加上妹妹的天生姿色，不出半年，定然轟動江湖，那時自會有甚多武林高手追蹤咱們。」

谷寒香嘆道：「一切憑仗姊姊了，只要能替大哥報仇，不論什麼都願幹，唉！老實對姊姊說一句，從大哥死那一刻起，我的心早已經伴隨大哥死去，活在世上的只不過是一具行屍走肉，我早已不重視它了，反正報了大哥之仇，我也不願活在世上，九泉之下，我再向大哥負荊請罪，求他饒恕。」

苗素蘭輕輕嘆息一聲，道：「你們兩人均深情如海，當真是世間少見，我雖是局外之人，也被妹妹這樣的復仇之心感動了。」

要知她追隨「陰手一魔」已然養具惡性，自遇得胡柏齡後，忽然動了相愛之心，胡柏齡的大仁大義，激發起了她久已失去的人性，使她恢復了嫻靜。胡柏齡的死，已然激起了她忿怒之心，谷寒香苦苦求她相助報仇，又使她恢復的善良天性，再度喪失。

她對谷寒香有一種知己相遇之感，對胡柏齡又有一份追慕相思之情，這兩種心情，也在她胸中燃燒起了復仇之火。

只見她仰望屋頂，圓圓的大眼睛中不停轉動了一陣，說道：「妹妹姿色，我見猶憐，如妹妹不惜布施雨露，不是姊姊誇你，武林道上的大部有用之才，都將爲妹妹收用。」

谷寒香道：「一切由姊姊主持，小妹聽命行事就是。」

苗素蘭道：「妹妹這般說，姊姊如何敢當？」

她眼珠兒轉了兩轉，附在谷寒香耳際，低聲說了幾句，谷寒香連連點頭，道：「小妹一切遵命行事。」

苗素蘭笑道：「妹妹先不要急，暫時放開心中的憂忿之情，好好地在這谷中休息兩天，再按咱們計劃行事。」說完，緩步向外走去。

谷寒香淒婉一笑，道：「這兩天我要和孩子守在一起，寸步不離。」

群豪暫時在天香谷中安住下來，余亦樂、鍾一豪以及「出雲龍」姜宏、「飛天龍」何宗

輝、「多爪龍」李傑、「噴火龍」劉震、文天生、麥小明等八人打掃林外，整理花草，苗素蘭、萬映霞兩人卻把房中存放之物，理得整整齊齊。

谷寒香卻是什麼事也不願管，整日夜和孩子守在一起。

她似乎要在短短幾天之中，把一生的慈母之愛，完全地給予孩子，她帶他遊戲在花草地上，食同桌、夜同眠，愛護得無微不至，轉眼光陰，瞬息間已過了七天。

這七天中，谷寒香似是又變了一個人般，她好像成熟得更多了，舉動之間，當真和生過孩子的婦人一般。

第七天晚上，余亦樂、鍾一豪、姜宏、文天生等，都得到了苗素蘭的通知，邀他們初更時分在林外花坪之上賞月。

雖然是短短的幾天，但這般久在江湖上走動的人，似是已開始對這風景絕佳的天香谷，生出了留戀，余亦樂輕輕嘆息一聲，低聲對鍾一豪道：「鍾兄，如果兄弟猜想不錯，今夜的賞月宴上，胡夫人定然有驚人的決定。」

鍾一豪道：「不錯，她兼備了柔婉和冶蕩兩種性格，是天使也是妖婦，她有發人幽思的嫻靜，也有拘人魂魄的嬌媚。」

余亦樂輕輕咳了一聲，打斷了鍾一豪之言，接道：「兄弟之意是說，如若胡夫人向咱們提出了不情之求，不知咱們該不該答應？」

鍾一豪沉忖了一陣，道：「這個兄弟就難答覆了……」他突然站起身來，向前走了兩步，推開窗子，說道：「對她的任何請求，我一直是無法決定的。」

余亦樂點點頭道：「這也難怪，兄弟足跡遍及了大江南北，閱人無數，北地胭脂，南國佳麗，但卻無一人能及她，唉！由來美人多禍水。」

鍾一豪面垂黑紗，無法看出他的神色，但聽他黯然嘆息聲，似是默認了余亦樂的見解。

這晚上，正是十二、三日月將圓，不到初更，那一輪將圓冰輪，已高高懸掛天上。

萬里無雲，月華似水，拂面小風，不停地送來各種花香。

受邀群豪，都已經坐入席位，流目鑒賞著四外景色。

忽然間珮環叮咚，林木深處，緩步走來了一個艷光奪目，容羞花月的麗人。

麥小明抬頭看看天上的月色，低聲讚道：「啊！好漂亮的師嫂，這月亮的光輝，也被你的美麗掩遮了。」

余亦樂暗自一笑，望了鍾一豪一眼，心中暗暗忖道：「也無怪鍾一豪會為谷寒香的美色陶醉，連這人事還未全通的孩子，也似乎是為她的美麗迷惑了？」

心中忖思之間，那麗人已然走近了座位，正是胡柏齡的未亡人谷寒香。

在她身邊緊隨著苗素蘭和萬映霞，這兩人也似經過一番刻意修飾，描眉敷粉，嬌豔欲滴。

谷寒香藍色短衫色裙，襯著她雪膚玉貌，有如那藍天托出來一輪明月。

苗素蘭仍然是一身雪白，萬映霞卻改了一身翠綠。

鍾一豪正覺艷光眩目，眼花撩亂，忽覺一陣香風撲鼻，谷寒香已然走近身前，只見她輕啓朱唇婉轉出一縷清音，說道：「有勞諸位久候了。」嫣然一笑，盈盈作禮。

群豪齊齊起身，躬身還禮。

谷寒香突然一整臉色，探手入懷，摸出了一把鋒利的匕首，道：「諸位都是我大哥生前好友，不是他親如手足的兄弟，就是他倚做雙臂的知己，現他已經拋開我們離開人世……」話至此處，突然住口，目光環掃了群豪一眼，接道：「這替他復仇之事，也都落在諸位肩上了。」

余亦樂輕輕一皺眉頭，道：「夫人請恕屬下饒舌，胡盟主那遺書之上，不知是否提到過，要我們為他復仇？」

谷寒香道：「我大哥胸襟何等廣大，自然是不會在遺書上要你們替他報仇了。」

余亦樂道：「這麼說來胡盟主復仇之事，全是夫人的主意了？」

谷寒香道：「不錯！替他復仇一事，全是我的主意，但我一個弱女子，哪裡有能力替他復仇？還得借仗諸位大力了！」

余亦樂在這般人中似乎是較為冷靜的一個，只見他淡然一笑，道：「夫人只想到了報仇之事，不知是否已有復仇之策？難道夫人要存心把少林、武當一起誅絕不成？」

谷寒香道：「我雖無全誅兩派門人弟子之心，但兩派中掌門人及主策大局的長老，絕不能放過。」

余亦樂笑道：「就憑我們這幾個人麼？不是屬下長他人志氣，就憑咱們幾個人的實力，別說替盟主報仇，只怕連少林寺也難以進去……」他似是怕言語太重，刺傷了谷寒香的心，頓一頓，嘆道：「夫人縱要報仇，也該從長計議，屬下既被盟主生前視做知己，盟主死後又得夫人倚重，自當克盡心力，襄助夫人。」

谷寒香突然把目光投注在余亦樂的臉上，莊莊重重地說道：「如若我已想好報仇之策，不

知余先生肯不肯相助於我？」

余亦樂似是想不到她會突然有此一問，怔了一怔，道：「這個……屬下自是義不容辭。」

谷寒香道：「替大哥報仇一事本極困難，雖然我想到一個辦法，但還要借重諸位之力。」

余亦樂仰臉望望天色，笑道：「趁皓月當空，夫人請把心中計議之事，告訴我們吧。」

谷寒香輕輕嘆息一聲，望著那置放在案上的匕首，道：「如若你們不肯相助於我，今晚我要追隨大哥去了。」她緩緩坐下嬌軀，輕伸皓腕，提起酒壺，替每人斟了一杯酒，低聲說道：「各位先請滿飲此杯，咱們再慢慢談吧。」

群豪各取酒杯，一飲而盡。

谷寒香也喝了自己的一杯酒，細語鶯聲地說出了苗素蘭教她的計劃。

在場群豪，一個個聽得目瞪口呆！有的點頭微笑，有的搖頭嘆息……

這件大事決定之後，谷寒香忽然放蕩起來，滿桌輪轉，有如穿花蝴蝶一般。

這一夜，群豪在她美色眩耀之下，款款勸酒聲中，一個個都喝個爛醉如泥。

七天後，江湖出現了六匹快馬和一輛美麗的騾車，奔行在馳往中原的大道上，他們第一站，到了古都長安。

六匹快馬，和一輛騾車，同時下榻在金龍客棧，這是西京城最大的一座客棧，也是西京城中最繁榮的地方。

由於他們的衣著特殊，當時就轟動整個金龍客棧。

這一行人正是谷寒香等改扮而成，他們包下了一座幽靜的跨院。

鍾一豪已取下了他的蒙面黑紗，換著一身藍色勁裝，余亦樂也改了裝束，不再是長衫福履的算命先生，改穿了一身土布褲褂的趕車騾夫，腰束白布帶子，背上斜揹個土布包袱，那裡面暗藏著鐵板、銅鑼，手執長鞭，足著草履，完全是一身騾夫打扮。

那六匹快馬由鍾一豪領隊，除了「出雲龍」姜宏留守天香谷中之外，隨行鍾一豪的五個人，是「飛天龍」何宗輝、「多爪龍」李傑、「噴火龍」劉震、文天生和麥小明。

這些人分騎不同顏色的馬，和不同顏色的勁裝，但有一個相同處，就是每人在左腕上帶了一個三寸寬的金圈，金圈在太陽下閃閃生光，成了一個極顯明的標幟。

谷寒香更是裝束妖豔無比，長髮披肩，用黃綾打兩個蝴蝶結，分排左右，一襲紅衣，全身噴火，衣裙相連，長僅及膝，露出一對瑩晶如玉的嫩圓小腿。

在那個時代，這裝束在中土極是少見，是以當谷寒香啓簾下車時，立刻引起了一陣騷動，金龍客棧，本就兼營著酒飯生意，閒雜人等一哄群應，剎那間重重疊疊的把谷寒香圍了起來。

苗素蘭仍然是一身素裝，白衫白裙，腰結彩帶，也打扮得艷光照人。

萬映霞一身翠綠，頭梳雙辮，辮梢處用紅綾分打了兩個蘭花結。

三女魚貫下車，萬映霞攙扶著谷寒香而行，紅綠相映，只看得四圍觀眾個個目瞪口呆。

不知哪個登徒子，受不住谷寒香艷色照射，大聲喝道：「我的媽媽呀，世間竟然有這樣漂亮的女人……」他語還沒有說完，打了一個嗝，竟暈了過去。

麥小明望了那個暈倒之人，皺皺眉頭尖叫道：「你們站遠一點瞧，好不好？」

谷寒香低聲說道：「小明，別管他們了。」

麥小明回頭一笑，大步向前走去。

店夥計迎了上來，帶領幾人直入左面一所跨院之中。

這是一所幽靜的跨院，院中放滿了盆花，谷寒香、苗素蘭、萬映霞，住到東面一座房中，鍾一豪帶了群豪，住在西房。

店家送上來豐盛的酒菜，群豪一日趕路，都已有些飢餓，匆匆吃完後，吩咐店夥未得允准，不許入內，緊緊地閉上了跨院的門。

他們這等神秘的行蹤，更引起了人們的好奇，話由金龍客棧夥計口中傳出來，當夜初更時分，就傳遍了半個長安城。

就在傳說播廣之際，谷寒香的房中也正高燒著四支紅燭，群豪團團圍了一桌，研討大計。

苗素蘭望了谷寒香一眼，笑道：「夫人的艷色已然傾動人心，再加上這一身全身噴火的奇裝異服，已足夠留給人談話的資料，但這不過闤傳街坊、鬧市之間，要怎生想個法兒，驚動武林中人物？」

鍾一豪道：「長安城乃西北第一重鎮，藏龍臥虎，定然隱跡著不少奇人，咱們只要能多住幾日，定然會有人找上門來。」

余亦樂搖頭說道：「眼下咱們同意傳播夫人的艷名，借悠悠眾生之口，以求逐漸聞達於武林之間，此法雖好，但就時刻上講，未免略慢……」

苗素蘭笑道：「余先生胸羅玄機，想必已智珠在握？我等願聞高論。」

余亦樂笑道：「在下曾聽人說過，長安城外三十里有一座屠龍寨，寨主姓金，很少有人知道他的姓名，也很少在江湖上走動，但實際上，他卻是暗中領袖西北綠林道的首腦人物……」

麥小明接道：「有此線索，最好不過，咱們就從他身上下手如何？」

余亦樂搖頭說道：「事情雖然不錯，但未必就如咱們想的那般容易，此人領袖西北綠林道，垂二十年，但江湖上都沒有他一點事跡傳聞，這等心機豈是常人能及萬一？兵略云：攻敵不備！如果讓他有了準備，咱們不但心願難償，且將樹一強敵，更遑論把人家網羅手下了。」

苗素蘭道：「此事還得仗憑先生的神機妙算……」

余亦樂接道：「眼下第一件事，是要如何接近於他，如何才能混跡屠龍寨中……」

麥小明笑道：「混入屠龍寨，辦法簡單得很，不必再用心去想了。」

谷寒香道：「你說出來聽聽什麼辦法？」

麥小明正待開口，苗素蘭已搶先說道：「你的辦法可是借宿於屠龍寨中？」

麥小明道：「不錯啊！咱們待天色將晚時分，離開此地，放馬急奔三十里，天色剛剛入夜，裝作錯過宿站，借宿於屠龍寨中，豈不是混入寨中了麼？」

余亦樂道：「我雖沒有去過屠龍寨，但想那地方定然是房屋毗連，廣廈百間，別說住上一夜，就是住上三天，他也盡可和咱們避不見面……」

麥小明道：「那還不容易麼？咱們找個差錯，惹起一點是非，和他們屠龍寨中之人，引起衝突，打傷他們幾個，那姓金的自然會出面干涉，還怕見他不著麼？」

余亦樂笑道：「這等霸王硬上弓的辦法，無疑告訴人咱們是有意造訪，能否見那姓金的本人很難預料？咱們眼下之策，是要他們不知不覺中，跌入咱們計謀之中，如若傳言不虛，征服了他一個人，就無疑收服了整個西北綠林。」

苗素蘭輕嘆一口氣，道：「如果傳言不虛，只怕此刻那姓金的已然知道了咱們行蹤……」

鍾一豪突然站起身來，舉手一揮，室中燭光登時一起熄去。

谷寒香急道：「你要幹什麼……」下面的話還未出口，人已被鍾一豪攔腰抱起，縱身一躍，直向一側躍去，附在她耳際間低聲說道：「有人來了！」

麥小明似乎也警覺到有人來了，尖喝一聲：「什麼人？」身子一晃直向後窗衝了過去，人還未近，長劍已到，碎然一聲，一扇窗應手而開，疾穿而出。

余亦樂、江北三龍、文天生等緊隨著麥小明身後，穿窗而出。

苗素蘭、萬映霞雖未追出窗外，但也都拔出兵刃，守在窗子兩側。

鍾一豪抱起谷寒香躍躲到一側後，雙臂並未放開，反而勁力暗加，愈抱愈緊。

谷寒香想到他為人的冷傲，居然肯對自己言聽計從，在他心中，亦不知強忍了多少委屈？一縷憐憫之情，迅快在心中擴大，一面把嬌軀倚偎過去，一面輕輕地在他臉上親了一下，低聲說道：「放開我，別讓他們看到了……」

鍾一豪依言放下了谷寒香，附在耳際低聲道：「你好好站在這裡，不要動，我去瞧瞧。」

也許夜暗壯大了他的膽子，也許是谷寒香緊偎在他身上的嬌軀，給了他無法耐受的誘惑，說完話，他竟然大膽地向谷寒香櫻唇上親了一下。

他似是覺出自己的舉動太過放肆，望也不敢再望谷寒香一眼，縱身向窗外躍去。

谷寒香倒似是未放在心上，一語未發地站起了嬌軀，緩步向窗邊走去。

鍾一豪躍出窗外，腳尖一點實地，立時又騰空而起，落在屋面之上。

只見江北三龍，各執兵刃，分守在四個屋角，不停地左顧右盼，卻不見了麥小明、余亦樂的人影。

「噴火龍」劉震回望了鍾一豪一眼，緩步走了過來，低聲說道：「余先生和麥小明追趕來人去了。」

鍾一豪道：「他們走的哪個方向？」

劉震道：「追往正北。」

鍾一豪道：「你們好好守在此地，別再離開，我追上去看看。」說完話，縱身而起，直向正北方向追去。

這時，不過是初更稍過，華燈高挑，夜市正鬧，街上行人，接踵擦肩，鍾一豪翻越過幾座屋面後，停了下來，心中暗暗忖道：「街上行人如梭，到處燈火通明，我在屋面之上行走，難免驚擾行人，如就這樣回返客棧，心又未甘……」正感懊惱之際，忽見滿街行人之中，有兩個步履矯健之人，奔走在人潮街中，抵隙穿行，快捷異常。

鍾一豪回望一眼，立時看出兩人之中，那後行之人，正是慓悍絕倫的麥小明，微微一笑忖道：「這孩子，也像脫胎換骨了一般，竟然有耐心和敵人在人潮之中追逐？」心念轉動之間，

人已疾躍而下，沿著街邊，疾追兩人。

這時，他已看出前面奔行之人，是一個年約二十四、五歲的大漢，身著長衫，足登福履，雙手提著衣角，疾行在人群之中。

看他一身裝著，頗似公子哥兒模樣，但身法迅快，隱隱可看出身負上乘武功。

兩人在人潮中追逐，雖然引起了不少人注意，但因行動極快，一晃而逝，剛一轉頭相望，兩人已走得蹤影不見。

那人像是有意和麥小明開心一般，單揀行人衆多的地方奔走。

麥小明追了一陣，心中不耐起來，尖叫道：「給我站住。」縱身一躍而起，從人頭上飛掠追去。

他這舉動，登時是滿街行人爲之震動，齊齊停了下來，抬頭相望。

那身著長衫大漢目睹麥小明身子向下沉落之際，突然身子一閃，滑溜無比的，由人群之中，閃躲開去。

待麥小明身子落下，那人早已閃避老遠，害得麥小明撞在了別人身上。

他下落之勢十分疾猛，近身幾人被他撞得踉踉蹌蹌，向一側倒去，這一來，立時激起衆怒，拳腳交加向他打去。

麥小明生性暴躁，如何能忍受挨打之辱？雙臂一振，揮拳反擊，片刻之間，被他打傷了十四、五個。他出手極重，挨打之人、不是臂折腿斷，就是胸腹重傷，四周之人，眼看他落手奇重，拳無虛發，嚇得紛紛向兩側讓去。

鍾一豪目睹麥小明陷入了別人的圈套，但又不好出面相阻。

不知何人忍不住傷疼之苦，大叫一聲，哭了起來。一哭群應，轉瞬間一片叫痛哭喊之聲。大街之上，燭火通明，人潮洶湧，那慘叫呼號之聲，顯得極不調和。

麥小明抬頭看時，早已不見了那身著長衫之人，冷哼一聲，罵道：「沒有出息。」雙臂一振，拔身而起，飛上屋面，疾奔而去。

但站在一側的鍾一豪，卻已緊緊地盯住那身著長衫大漢，見他戲耍過麥小明後，微微一笑，沿街向北而去。

鍾一豪因爲衣裝特殊，怕引起路人注意，乘著混亂之際，出手點了一人穴道，脫去他身上一件長衫穿上，又拍活了他的穴道，疾追那長衫大漢而去。

他久在江湖之上行走，經驗豐富，始終和那人保持三丈以上的距離。

兩人穿行了幾條大街，到了一處極爲熱鬧所在，但見宮燈走馬，綵帶飄飄，家家朱門綠瓦，氣象十分豪華，那身著長衫之人，直向左邊第三家，一所大門之中走去。

鍾一豪抬頭一看，只見那上面寫著「春江書寓」四個大字，不禁微微一笑，暗道：「原來此人落足這等所在，想不到花街柳巷之中，竟成了藏龍臥虎之地！」當下記熟了街道，匆匆返回金龍客棧。

請續看《天香飆》（三）

臥龍生武俠經典珍藏版 14

天香飆（二）

作者：臥龍生
發行人：陳曉林
出版所：風雲時代出版股份有限公司
地址：10576台北市民生東路五段178號7樓之3
電話：(02) 2756-0949　　傳真：(02) 2765-3799
執行主編：劉宇青
美術設計：許惠芳
行銷企劃：林安莉
業務總監：張瑋鳳
出版日期：臥龍生60週年珍藏版 2022年5月
ISBN ：978-986-5589-67-7
風雲書網：http://www.eastbooks.com.tw
官方部落格：http://eastbooks.pixnet.net/blog
Facebook：http://www.facebook.com/h7560949
E-mail：h7560949@ms15.hinet.net
劃撥帳號：12043291
戶名：風雲時代出版股份有限公司

風雲發行所：33373桃園市龜山區公西村2鄰復興街304巷96號
電話：(03) 318-1378　　傳真：(03) 318-1378
法律顧問：永然法律事務所 李永然律師
北辰著作權事務所 蕭雄淋律師

行政院新聞局局版台業字第3595號 營利事業統一編號22759935

國家圖書館出版品預行編目資料

天香飆／臥龍生 著. -- 臺北市：風雲時代出版股份有限公司，2021.06- 冊；公分（臥龍生武俠經典珍藏版）
ISBN：978-986-5589-66-0（第1冊：平裝）
ISBN：978-986-5589-67-7（第2冊：平裝）
ISBN：978-986-5589-68-4（第3冊：平裝）
ISBN：978-986-5589-69-1（第4冊：平裝）

863.57　　110007328